図解による
民法のしくみ

弁護士
神田将 [著]

自由国民社

本書の利用の手引き 〜はしがきに代えて

　高度に経済が発展した今日、日常的な取引はますます増大し、また権利意識の高まりもあり、市民生活を規律する法律として民法はますます重要なものとなっています。しかし、法律は身近なものであるにもかかわらず、難解なものとして敬遠されがちです。

　しかし、こうした民法も、その全体の体系、そして個々の規定の趣旨を体系的に見ていけば、さして難解なものではなく、日常のさまざまな問題に対応するために合理的・理論的な発想から作られていることが分かります。法律は最低限の常識だと言われますが、何が常識かわからなくなっている今日、法律の規定こそが常識の根幹をなすものと言えます。

　本書は、こうした今日の社会状況を踏まえて、民法を最大限わかりやすく解説したもので、以下の特徴があります。

1　民法の全体のしくみが容易に理解できる。巻頭で民法全体のしくみを概括し、第1編から第5編までの各冒頭には、早分かり図を掲載した。
2　本書の構成は、2ページ1項目とし、左ページに文章解説、右ページを図解とする方法をとった。文章解説と図解が補完し合い、より理解が進むと考えたからである。
3　解説は、民法の条文に沿って簡潔、明瞭な内容とすることを心がけた。また、用語を中心に解説することにより、辞書的機能も果たせる内容ともなっている。
4　図解は、人を中心（主人公）に、民法（ルール）とのかかわり合いが分かるように心掛けた。また、時系列および手続き順等で整理し、理解しやすいよう工夫した。
5　実際の紛争でも解決に役立つよう、民法だけでなく、必要な部分には民法関連法も収録した。

　このように本書は、日本一ハンディでわかりやすい活用自在の民法の本にすることを目指しました。あなたの問題解決の指針、あるいは学習に役立てれば幸いです。

　なお、今回の改訂では、改正法（令和7年3月1日現在）により全編を見直すとともに、民法物権編および家族編・相続編の主要な改正を中心に加筆しました。改正法は施行日が異なりますので、留意してください。

著者

|巻 頭| 30分で理解する民法のしくみ 7

第1編 総則 15　　　第1条〜第169条

◆総則編早わかり・民法総則は他の各編に関する共通ルール（通則）を定める 16

〔第1章・第2章／通則・人〕
1 民法の基本原則（通則） 18　▷図解・民法の基本原則のしくみ 19
2 権利能力と意思能力 20　▷図解・権利能力（私権の享有）のしくみ 21
3 人の法律行為と行為能力 22　▷図解・人（自然人）の法律行為能力のしくみ 23
4 制限能力者制度 24　▷図解・後見人等の制度のしくみ 25
5 住所・失踪・同時死亡の推定 26　▷図解・住所・失踪・不在者・同時死亡推定のしくみ 27

〔第3章／法人〕
6 法人の設立 28　▷図解・法人制度のしくみ 29
7 一般社団法人と一般財団法人 30　▷図解・一般社団法人・一般財団法人のしくみ 31

〔第4章／物〕
8 物とその範囲 32　▷図解・物についてのしくみ 33

〔第5章／法律行為〕
9 法律行為と意思表示 34　▷図解・法律行為のしくみ 35
10 公序良俗と法律行為の効力 36　▷図解・公序良俗違反のしくみ 37
11 意思表示の有効・無効 38　▷図解・意思表示のしくみ 39
12 詐欺または強迫による意思表示 40　▷図解・瑕疵ある意思表示のしくみ 41
13 意思表示の到達・受領能力 42　▷図解・意思表示の発信・到達と受領のしくみ 43
14 代理と代理人の権限 44　▷図解・代理制度のしくみ 45
15 復代理人とその権限 46　▷図解・復代理制度のしくみ 47
16 無権代理と表見代理 48　▷図解・無権代理と表見代理のしくみ 49
17 法律行為の無効・取消し 50　▷図解・法律行為の無効・取消しのしくみ 51
18 条件付の法律行為と期限の到来 52　▷図解・条件と期限のしくみ 53

〔第6章・第7章／期間・時効〕
19 期間とその計算法 54　▷図解・期間と計算法のしくみ 55
20 時効の完成と完成猶予 56　▷図解・時効制度のしくみ 57
21 取得時効と消滅時効 58　▷図解・取得時効と消滅時効のしくみ 59

★ブレイク・タイム★　知っておきたい民法の実用知識① 60

第2編 物権 61　　　第175条〜第398条の22

◆物権編早わかり・物権編は物の上に成り立つ権利等について定める 62

〔第1章／総則〕
1 物権と物権法定主義 64　▷図解・物権法定主義のしくみ 65
2 物権の変動と対抗要件 66　▷図解・物権変動のしくみ 67

〔第2章／占有権〕
3 占有権はどういう権利か 68　▷図解・占有権のしくみ 69
4 占有権の取得と移転 70　▷図解・占有権の取得・移転のしくみ 71

5　占有権の効力と消滅　72　▷図解・占有権の効力の発生・消滅のしくみ　73

〔第3章／所有権〕
6　所有権はどういう権利か　74　▷図解・所有権のしくみ　75
7　所有権と所有権の限界　76　▷図解・所有権の制限のしくみ　77
8　所有権の取得　78　▷図解・所有権の取得のしくみ　79
9　所有権の共同所有　80　▷図解・所有権の共同所有のしくみ　81
10　共有制度の変更・管理　82　▷図解・共有物の変更・管理のしくみ　83

〔第4章・第5章・第6章／用益物権（地上権・永小作権・地役権）〕
11　地上権はどういう権利か　84　▷図解・地上権のしくみ　85
12　永小作権・地役権はどんな権利か　86　▷図解・永小作権・地役権のしくみ　87

〔第7章・第8章・第9章・第10章／担保物権（留置権・先取特権・質権・抵当権）〕
13　留置権はどういう権利か　88　▷図解・留置権のしくみ　89
14　先取特権はどういう権利か　90　▷図解・先取特権のしくみ　91
15　先取特権の種類と優先弁済の順位　92　▷図解・先取特権の種類と内容のしくみ　93
16　先取特権の効力と消滅　94　▷図解・先取特権の効力のしくみ　95
17　質権はどういう権利か　96　▷図解・約定担保物権と質権のしくみ　97
18　動産質・不動産質・権利質　98　▷図解・質権の種類と設定・実行のしくみ　99
19　抵当権はどういう権利か　100　▷図解・抵当権のしくみ　101
20　抵当権の効力と処分　102　▷図解・抵当権の効力のしくみ　103
21　根抵当権はどういう権利か　104　▷図解・根抵当権のしくみ　105
22　抵当権の実行はどのように行うのか　106　▷図解・抵当権実行のしくみ　107
23　譲渡担保・仮登記担保・所有権留保　108　▷図解・譲渡担保・仮登記担保のしくみ　109

★ブレイク・タイム★　知っておきたい民法の実用知識②　110

第3編　債　権　111　　第399条〜第724条の2

◆債権編早わかり・債権編では、債権の効力および債権の成立原因等について定める　112

〔第1章／総則〕
1　債権とはなにか　114　▷図解・債権制度のしくみ　115
2　金銭債権と利息債権　116　▷図解・金銭債権のしくみ　117
3　債権と法律上の保障　118　▷図解・債権の効力のしくみ　119
4　債権回収とその手段　120　▷図解・債権回収のしくみ　121
5　債務不履行と債務者の責任　122　▷図解・債務不履行制度のしくみ　123
6　債務不履行と損害賠償の請求　124　▷図解・債務不履行と損害賠償のしくみ　125
7　債権者代位権と詐害行為取消権　126　▷図解・債権者代位権・詐害行為取消権のしくみ　127
8　多数当事者の債権・債務　128　▷図解・多数当事者の債権のしくみ　129
9　保証債務と保証人の責任　130　▷図解・保証債務のしくみ　131
10　保証と各種の契約　132　▷図解・債権確保のしくみ　133
11　債権の譲渡と債務引受　134　▷図解・債権譲渡・債務引受のしくみ　135
12　債権の消滅 ―①弁済　136　▷図解・弁済と債権の消滅のしくみ　137
13　債権の消滅 ―②代物弁済・供託　138　▷図解・代物弁済・供託のしくみ　139
14　債権の消滅 ―③相殺等　140　▷図解・相殺・更改・免除・混同のしくみ　141

15 債務整理と方法 142 ▷図解・債務整理のしくみ 143

〔第2章／契約〕
16 契約とはなにか 144 ▷図解・契約のしくみ 145
17 契約の成立 146 ▷図解・契約成立のしくみ 147
18 契約の効力 148 ▷図解・契約の効力のしくみ 149
19 契約の解除 150 ▷図解・契約解除のしくみ 151
20 定型約款 152 ▷定型約款のしくみ 153
21 贈与契約と問題点 154 ▷図解・贈与契約のしくみ 155
22 売買契約と問題点 156 ▷図解・売買契約のしくみ 157
23 売買契約の効力 158 ▷図解・売買契約の効力のしくみ 159
24 売買契約と特別法による規制 160 ▷図解・売買契約と特別法のしくみ 161
25 買戻特約・交換契約 162 ▷図解・買戻し・交換契約のしくみ 163
26 消費貸借契約と問題点 164 ▷図解・消費貸借契約のしくみ 165
27 使用貸借契約と問題点 166 ▷図解・使用貸借契約のしくみ 167
28 賃貸借契約と問題点 168 ▷図解・賃貸借契約のしくみ 169
29 土地の賃貸借契約と問題点 170 ▷図解・土地の賃貸借（建物所有の目的）のしくみ 171
30 建物の賃貸借契約と問題点 172 ▷図解・建物の賃貸借のしくみ 173
31 雇用契約と問題点 174 ▷図解・雇用契約のしくみ 175
32 請負契約と問題点 176 ▷図解・請負契約のしくみ 177
33 委任契約と問題点 178 ▷図解・委任契約のしくみ 179
34 寄託契約と問題点 180 ▷図解・寄託契約のしくみ 181
35 組合契約と問題点 182 ▷図解・組合契約のしくみ 183
36 終身定期金契約と和解契約 184 ▷図解・終身定期金契約・和解契約のしくみ 185

〔第3章・第4章・第5章／事務管理・不当利得・不法行為〕
37 事務管理と問題点 186 ▷図解・事務管理のしくみ 187
38 不当利得と問題点 188 ▷図解・不当利得のしくみ 189
39 不法行為と問題点 190 ▷図解・不法行為のしくみ 191
40 不法行為と損害賠償責任 192 ▷図解・不法行為による損害賠償責任のしくみ 193
41 不法行為の類型（事故、離婚、名誉毀損など） 194 ▷図解・損害賠償請求のしくみ 195

★ブレイク・タイム★ 知っておきたい民法の実用知識③ 196

第4編　親　族　197　　第725条〜第881条

◆親族編早わかり・親族編は家庭生活の基本問題の取扱いを定める 198

〔第1章／総則〕
1 親族の範囲と親族関係の効果 200 ▷図解・親族関係の発生と効果のしくみ 201

〔第2章／婚姻〕
2 婚姻の成立・無効・取消し 202 ▷図解・婚姻の成立のしくみ 203
3 婚姻の効力と夫婦財産制 204 ▷図解・婚姻の効力と夫婦財産制のしくみ 205
4 離婚とその効果 206 ▷図解・離婚のしくみ 207
5 離婚ができる場合・できない場合 208 ▷図解・離婚原因のしくみ 209

〔第3章／親子〕

6	実子① 嫡出子と嫡出性の推定 210	▷図解・嫡出子の推定のしくみ 211
7	実子② 嫡出子の否認とは 212	▷図解・嫡出子の否認のしくみ 213
8	実子③ 認知と準正 214	▷図解・非嫡出子と認知のしくみ 215
9	実子④ 子の氏 216	▷図解・戸籍と氏のしくみ 217
10	普通養子の縁組 218	▷図解・普通養子制度のしくみ 219
11	特別養子の縁組 220	▷図解・特別養子制度のしくみ 221

〔第4章・第5章・第6章・第7章／親権・後見・保佐・補助・扶養〕

12	親権と親権の行使 222	▷図解・親権制度のしくみ 223
13	親権の内容と喪失・停止 224	▷図解・親権の内容のしくみ 225
14	後見制度と後見人 226	▷図解・後見の手続きのしくみ 227
15	後見人の事務と後見の終了 228	▷図解・後見人の仕事のしくみ 229
16	任意後見制度とは 230	▷図解・任意後見制度のしくみ 231
17	保佐制度と補助制度 232	▷図解・保佐・補助のしくみ 233
18	扶養と扶養義務 234	▷図解・扶養制度のしくみ 235
19	扶養の請求 236	▷図解・扶養請求のしくみ 237

★ブレイク・タイム★　知っておきたい民法の実用知識④　238

第5編　相続　239　　第882条〜第1050条

◆相続編早わかり・相続編では、相続の方法および遺言について定める　240

〔第1章／総則〕

| 1 | 相続の開始・相続回復請求権 242 | ▷図解・相続制度のしくみ 243 |

〔第2章・第3章／相続人・相続の効力〕

2	法定相続人 244	▷図解・相続人のしくみ 245
3	相続の一般的効力 246	▷図解・相続財産のしくみ 247
4	相続人の相続分 248	▷図解・法定相続分のしくみ 249
5	遺産分割の方法 250	▷図解・遺産分割のしくみ 251

〔第4章／相続の承認及び放棄〕

| 6 | 相続の承認・単純承認 252 | ▷図解・相続の承認・放棄のしくみ 253 |
| 7 | 相続の限定承認・放棄 254 | ▷図解・相続の限定承認・放棄のしくみ 255 |

〔第5章・第6章／財産の分離・相続人の不存在〕

| 8 | 財産分離とその方法 256 | ▷図解・財産分離のしくみ 257 |
| 9 | 相続人の不存在と相続財産 258 | ▷図解・相続人不存在と財産の行方のしくみ 259 |

〔第7章・第8章・第9章・第10章／遺言・配偶者の居住の権利・遺留分・特別の寄与〕

10	遺言による相続 260	▷図解・遺言制度のしくみ 261
11	遺言の方式 262	▷図解・遺言の方式のしくみ 263
12	遺言の効力 264	▷図解・遺言の効力のしくみ 265
13	遺言の執行と撤回・無効・取消し 266	▷図解・遺言の撤回・無効・取消しのしくみ 267
14	配偶者の居住の権利 268	▷図解・配偶者の居住の権利のしくみ 269
15	遺留分とは 270	▷図解・遺留分侵害額の請求のしくみ 271
16	特別の寄与 272	▷図解・特別の寄与のしくみ 273

|巻　末|　最近の民法をめぐる法改正の動き　274　　事項索引　276

巻頭

30分で理解する 民法のしくみ

■民法理解のためには、まず、その全体の構造（しくみ）を理解することが大切です。しくみを理解すれば、個々の規定は理解しやすくなります。

●民法はゲームにおけるルールのようなもの

人々は社会の中で様々な活動を行います。こうした人々の活動を「社会という競技場での多数のプレイヤーによる人生ゲーム」という見方をしてみますと、そこではゲームである以上、当然、ルールが必要です。

この本で対象とする「民法」は、このゲームにおけるプレイヤー相互の関係についてのルールです。民法のように、こうしたプレイヤー相互間の関係を定めるルールは「私法」と呼ばれ、各プレイヤーのゲーム全体における位置づけのルールである「公法」に対応します。

●紛争の解決の判定は「権利」と「義務」

私たちが活動をする社会にルールがあるといっても、普段、私たちはルールをあまり意識することはありません。ルールを強く意識するのは、紛争が起こったときでしょう。紛争に際し、民法はその解決基準として大きな役割を果たすからです。

こうした紛争の解決にあたり、民法の示す基準は各人の「権利」です。すなわち、誰がどのような権利を有しているのか、その権利行使を阻むような相手方の権利はないのか、といったことを示す形で紛争の解決を試みるのが民法の方法です。

このように、民法が権利を中心に組み立てられていることより、民法の規定は、①権利者の資格、②権利の内容、③権利の発生、消滅、移転、④権利の主張（行使）方法といったことについての規定が大部分となっています。

●民法ゲームの主人公は「人（自然人と法人）」

引き続き、民法を社会という競技場の中で適用されるルールという見方をしていきますと、まず、競技場への入場資格が定められる必要があるでしょう。民法もまずこの点についての一般的な規定を設け、この入場資格のことを「権利能力」と呼んでいます。民法というルールは、各プレイヤーの権利（あ

るいは義務)という形で定められているので、このゲームの参加資格は権利者となり得る者ということになり、権利者たり得る資格という意味で「権利能力」というのです。

民法では、この権利能力はすべての自然人と法人に平等に与えられるものとしています。すべての自然人が権利能力を有することは平等の理念から当然ですが、民法は自然人の他、社会において果たす団体の役割の重要性をも考慮して、自然人以外の一定の団体にも、この競技者としての資格を与えています。

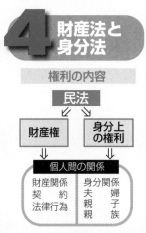

4 財産法と身分法

●財産上のルール(財産法)と身分上のルール(家族法)

民法は社会における個人間のルールですが、社会における個人間の関係は大きく、財産上の関係と身分上の関係とに分けることができます。財産上の関係は、財産的取引の関係や加害者の被害者に対する損害賠償の関係などを意味し、身分上の関係は、夫婦関係や親子関係などを中心とします。財産上の関係は打算に基づく合理性が支配する関係であるのに対し、身分上の関係は習俗や慣習が強く影響する非合理性が支配する関係です。民法はこうした異なる2つの関係に応じ、異なるルールを設け、財産上の関係に適用される「財産法」、身分上の関係に適用される「身分法」とに分けています。

財産上の関係、すなわち、財産法において現れる権利は「財産権」と呼ばれます。財産権は、土地の所有権など物の支配を内容とする「物権」や貸金の返還を請求する権利というように他人に対して一定の行為を請求できる「債権」のように、それ自体が財産的価値を有しています。そこで、この財産権は、他人に譲渡したり、担保に入れたりすることができ、また、相続の対象ともなります。

一方、身分上の関係、すなわち、家族法において現れる権利とは、例えば、配偶者に離婚を請求する権利や未成年の子の親権、未成熟の子が親に扶養を請求する権利といった、それ自体が財産的価値を有さず、他人への譲渡や担保としての供与ができず、また、相続の対象ともならない一身専属的な権利です。

以上のように、財産法はそこに登場する財産権が移転の対象となるため、自由競争の原理の下、身分法以上にゲームのルールのような色合いが濃いものとなっています。以下、まず、財産法の領域について、財産権の内容、そうした権利の発生・移転・消滅・財産権の主張方法につき、概観し、その後に身分法の領域について概観することといたします。

5 財産法上の権利① 物権と債権

●財産権には「物権」と「債権」とがある

民法上の権利が財産権と身分上の権利に大別できることは前述しましたが、財産取引関係は身分上の関係に比して多様であるため、財産権の種類も身分法上の権利に比べて多様なものとなっています。そうした財産権を、その有する内容で分類したとき、その中心の位置を占めるのが「物権」と「債権」です。

「物権」とは、物を直接に支配する権利をいいます。裏返せば、人が物に対して持つことが

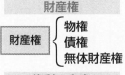

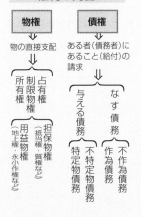

できる権利が「物権」で、物の使用、収益、処分といった全権能を直接支配する「所有権」が代表ですが、これらの権能のうちの一部の支配を内容とする物権（制限物権）もあります。

物の使用収益権能を支配する用益物権（地上権、永小作権等）や物の交換価値を支配する担保物権（質権、抵当権等）などがこれです。

一方、「債権」とは、ある人（「債務者」）にあること（「給付」）を請求する権利をいいます。その多くは契約によって発生します。このように債権は債務者の給付（債務）を目的としますから、その給付の内容によって分類するのが通常です。すなわち、給付内容が物の引渡しを目的とする場合とそうでない場合とに分けて、これを債務者の債務の側から見て、それぞれ「与える債務」、「なす債務」と呼びます。「なす債務」は債務者の物の引渡し以外の給付を内容としますが、これには、例えば、「塀をつくらない債務」というような消極的なものも含まれます。「与える債務」は、さらに、その与える物が特定物か不特定物であるかによって、「特定物債務」と「不特定物債務」に分類できます。

6 財産法上の権利② 物権と債権の差異

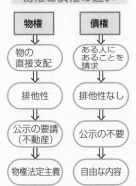

●物権は「絶対権」、債権は「相対権」

権利はその裏返しとして必ず義務を伴うと考えたとき、債権の場合は債務を履行すべき債務者の債務が義務であることで問題はありません。しかし、物権の場合は物の支配の権利であるので、特定の義務者が存在するわけではなく、いわば、権利者以外のすべての人が、権利者の物の支配を尊重する義務を負っているということになります。債権と物権のこうした点に着目し、物権はすべての人にその権利主張が可能であるという意味で「絶対権」、債権は債務者への権利主張が中心である「相対権」と呼ばれることもあります。

もっとも、債権の場合も副次的には権利者以外のすべての者もその権利を尊重すべき義務を負っていることには違いはないため、物権と債権のこの面での差異は、今日、本質的なものではないと考えられています。

今日、多くの学者によって、物権と債権の本質的な差異と考えられているのは、その排他性の有無です。ここで、この点について少し詳しく見てみます。

●物権の排他性とは…

「物権」は、物を直接に支配する権利ですが、物の直接の支配が同時に複数併存することは考えられません。したがって、「物権」にはそれと両立しえない支配を内容とする物権を排斥するという排他的性質があります。Aという人がある物の所有権を有していれば、それと同時にBという人がその物の所有権を有することはできないわけです。わが国では重婚が認め

られないため、Cという1人の人に対し、AとBという異なった人が同時に配偶者となることはできませんが、物権にもこうした排他的性質があるのです。

一方、「債権」は、ある人（「債務者」）にあること（「給付」）を請求する権利ですが、債権には物権と異なり、排他的性質はないものとされます。物権の目的が物であるのに対し、債権の目的は債務者の給付であり、債務者という人格が介在するため、そこに支配ということはあり得ず、同内容の債権が同時に存在することも可能です。例えば、Aという人に対して、○月○日○時に演説してもらうことを請求する権利をX講堂（Bとの契約）とY講堂（Cとの契約）が同時に有することも可能です。もちろん、Aはどちらか一方の債務しか履行できませんが、仮に、AがX講堂（Bとの契約）で講演したとすれば、AがCに対する債務を履行しなかったこと（債務不履行）を理由に、CはAに対して損害賠償請求をすることになります。

●新たに物権は創設できないが、債権はできる

物権と債権の排他性の有無の違いは他に様々な違いを派生させます。

すなわち、物権の排他性は、すでに成立している物権と同内容の物権を排斥するため、これからその物について権利を取得しようとする第三者にとっては重大な問題となり、こうした第三者を保護するため、物についての権利の状況を知り得るような公示の手段を要請します。そこで、民法は、物が「不動産」の場合は登記、物が「動産」の場合は占有にこうした、既婚であることを公示する結婚指輪と同じような役割を与えています。

また、こうした公示の必要性は、物権においては法律で規定されたもの以外の物権を当事者が勝手に創設することはできないという「物権法定主義」を導きます。

一方、債権には排他性がないため公示の要請ははたらかず、したがって、当事者は公序良俗に反するものでない限り、自由に色々な内容の債権を創設できるとされています。

7 財産法上の権利の変動① 法律行為とそれ以外

権利の変動原因

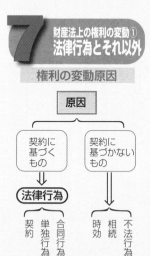

●権利は意思表示に従って変動する

ここからは民法上の権利の発生、消滅、移転という権利の変動原因について見ていきます。

権利の変動も大きく分けると「意思表示に基づくもの」と「意思表示に基づかないもの」とになります。「意思表示」とは、内心の意思を外部に表すことであり、「○○円で△△を買いたい」と告げることや、「○○円で△△を売りたい」「○○を取り消す」「○○を認知する」といったことを表示する場合です。

意思表示に基づく権利変動は「法律行為」であり、「契約」がその代表です。契約は、例えば、「○○円で△△を買いたい」という申込みの意思表示と、「○○円で△△を売りたい」という承諾の意思表示が合致することにより、成立します。この例の場合は、売買契約の成立となり、買主の△△の引渡請求債権と売主の○○円の代金請求債権が発生します。

民法は、各人の自由な活動を保障し、応援するというスタンスをとっており、当事者が欲した効果をなるべくそのまま権利・義務として承認するという立場（意思主義）をとっています。この民法のとるスタンスにより、各個人は自分の望むような契約等の法律行為をなし、あるいはそれをなすことを拒絶することができるという「契約自由の原則」より広い「法律

行為自由の原則」が導かれることになります。

●意思表示に基づかない権利の変動もある

一方、意思表示に基づかない権利変動には、時間の経過によって権利を取得したり、失ったりする「時効」の制度、人の死亡という事実によって包括的に相続人に権利の承継がなされる「相続」の制度、交通事故等事件の発生によって、損害の賠償関係が生ずる「不法行為」の制度等が主なものです。

これらは意思表示に基づくものではありませんが、民法は個人の意思を尊重するスタンスから、時効の場合は時効の利益の享受の意思を要求したり、相続の場合は遺言の制度を設けるなどの工夫をしています。また、不法行為の場合でも加害者が損害賠償義務を負うには加害者に少なくとも過失があるときという「過失責任の原則」を採用して、人々の自由な活動を保障する態度をとっています。

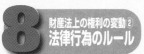

8 財産法上の権利の変動② 法律行為のルール

財産的法律行為のルール
- ①ハンディキャップによる制限
- ②反則
- ③意思表示の不一致と無効・取消
- ④代理制度

●法律行為をするには一定の能力が必要

権利変動原因としての「法律行為」を少し詳しく見てみます。

民法における権利の変動が法律行為によって生じ、この法律行為が意思表示を要素とするものであるとすると、変動を生じさせるためには意思表示をするだけの能力が必要ということになってきます。こうした有効な意思表示をなす能力を「意思能力」といい、意思能力のない者のなした法律行為は「無効」ということで、有効な法律行為とは認められず、権利変動の効果を生じません。この意思能力は、法律行為である以上、財産的取引をめぐる財産的法律行為であると、身分上の法律行為であるとを問わず必要となります。

●弱者の保護のハンディキャップ制度

民法の対象が財産上の関係の場面と身分上の関係の場面に大別できることは前述しましたが、民法は、財産的取引の場面の法律行為については、様々な決めごとを設けています。

まず、財産的取引の場面では自由競争という色合いが強いため、その取引能力に劣る者に対しての配慮が必要となってきます。こうした観点から、民法は判断能力に問題がある者に対してのハンディキャップ制度を設けています。すなわち、財産的取引の場面での競争に耐えうるだけの能力を「行為能力」とし、この行為能力が不完全でハンディキャップを与える必要がある者を「制限能力者」として、この制限能力者の法律行為はそれを後から「取消」してその行為を最初からなかったものにできるという、いわば将棋や囲碁でいう『待った』の機会を与える等の特典を付与しています。

●反則行為は無効・取消

民法は財産的取引ゲームにおける反則も規定しています。契約の相手方が「強迫」「詐欺」を用いて自由な意思決定を妨げた場合、相手方の反則に対して、本人に取消権が与えられます。

財産的取引ゲームが意思表示を中心に進行するものである以上、意思と表示が異なった場合の問題が生じます。比喩的に言えば、将棋で「金」を動かす意思で、隣の「銀」を動かしてしまったような場合です。この場合、その間違いを行為者が知った上でなした場合は「心裡留保」として原則有効となりますが、行為者がそれを知らずになしてしまった「錯誤」の

ような場合は問題です。将棋であれば、表示の方を重視して「銀」を動かしたものとして進行するのでしょうが、民法の場合はその意思主義のスタンスから、意思なきところに効果なしということで、この「錯誤」を取消しできるとしています。

●ピンチヒッターもある

　財産的取引における法律行為は、すべて本人がする必要があるのではなく、他人がなす「代理」の制度も認められます。野球の『ピンチヒッター』のような制度ですが、民法の「代理」の場合、代理人のなす意思表示の効果は本人に生じます（他人効）。身分上の法律行為では、本人の意思が絶対視される関係で、この「代理」の制度は原則として認められません。

9 財産法上の権利の変動③ 物権・債権の変動

●意思表示のみで物権も債権も権利が変動する

　以上、権利の変動原因について法律行為を中心に見てきました。こうした権利の変動原因によって、財産上、身分上の様々な民法上の権利が発生、移転、消滅していきます。

　なお、物権の場合ですが、物権には前述のように公示方法が用意されている関係で、物権の変動には、意思表示の他、この公示方法まで備えることを要求すべきではないかという問題があります。物権変動に応じた公示ということを重視すれば、公示方法を備えることまで要件とした方がよいと思えます（形式主義）。しかし、わが国の民法はこの立場をとらず、意思表示のみで物権変動の効果が生じるとしました（意思主義）。公示方法を備えさせることは別の仕組で対応しているのです（後述）。一方、債権の場合は公示の問題はなく、意思表示のみで権利の移転が生ずることに問題はありません。

10 財産法上の権利の主張方法

●意思表示による権利の変動の問題点

　前記のように、民法においては、物権も債権も意思表示のみで権利の変動が生じます。こうした権利の変動の効果を主張する場合、これらの意思表示の当事者間においては、権利の発生、移転、消滅等の効果を主張する際、それらの権利変動原因（例えば、契約が存在することなど）を主張することが必要かつ十分であり、この他には何も必要とされません。

　しかし、こうした意思表示の当事者以外との関係においては、その意思表示の有無はその意思表示の当事者間にしか分からないことから種々の難しい問題を生じさせます。以下、AからBに権利が移転するという例で、物権の場合と債権の場合をそれぞれ考えてみます。

　①**権利の変動と義務者の立場**　まず、権利が移転した場合の義務者の立場を考えてみます。物権の場合は、前述のように、特定の義務者が存在しないため、義務者の立場への配慮は特に必要ありません。物権を譲り受けた者は、特にその権利を主張するための要件を備えることなく、例えば、不法占拠者Dに対して退去せよ、ということが可能です。

　一方、債権の場合は、特定の義務者として債務者Xが存在し、このXにとっては誰が権利者であるかは重大な問題となります。そこで、民法はこうした債務者の立場に配慮し、債

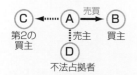

債権譲渡と対抗要件

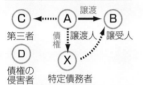

C：第三者
A：譲渡人
B：譲受人
D：債権の侵害者
X：特定債務者

債権譲渡と対抗要件（通知・承諾）

- B → A：通知・承諾不要
- B → X：通知・承諾必要
- B → D：通知・承諾必要
- B → C：確定日付ある通知・承諾必要

権の譲渡がなされた場合は、債務者の認識が保障されるとき、具体的には、譲渡人Aから債務者Xへの通知、あるいは、債務者Xの承諾があって初めて債権の譲受人Bが債務者Xに権利を主張できるものとしました。こうした譲渡人の通知、あるいは、債務者の承諾を債権譲渡における「債務者対抗要件」といいます。

さらに、民法は、債権の場合は、副次的な義務者、すなわち、その債権を尊重すべき権利者以外の者に対する関係でも、このXへの通知等の要件を要求します。債権においては公示方法がないため、譲受人が譲渡人以外の第三者に権利主張するためには、一般的に対抗要件が必要というのが民法の態度であり、したがって例えば、債権の侵害者Dに対してBが自己の権利を主張する際にも、この通知等要件が必要です。

②権利の変動と当事者以外の者の立場 次に、権利が移転する際の、その当事者以外で権利者からその権利を取得しようとする者の立場を考えてみます。

民法上、物権も債権も意思表示のみで移転させることができるとされている以上、権利者が1つの権利を二重に譲渡してしまうという事態が生じてきます。

Aの不動産所有権をB、C両名がそれぞれ取得しようとする場合を考えてみます。こうした場合、民法はこのB、Cの優劣を譲渡の先後関係ではなく、前述の公示方法の具備で決することとしています。すなわち、B、Cのうち、Aから登記の移転を受けた者が他方に優先し、自らの権利取得を主張できるのです。これはBの立場からいえば、登記を備えない限り、Cに負けてしまうことを意味します。

そこで、BはCに権利を主張するためにBは登記を備えるようになり、権利変動の実質に応じた公示が期待できます。こうした登記の具備を、BがCに権利取得を主張するための要件という意味で「第三者対抗要件」といい、こうしたBとCとの関係を「対抗関係」と呼びます。

これを逆にCの立場から見ると、Cが登記簿を調べ、Aの登記があれば、AからBへの譲渡がなされていても、自らが登記を得ることにより、安全に権利が取得できます。"登記簿に現れていない権利変動はないだろう"というCの消極的信頼を保護するこの原則を「公示の原則」といい、これは不動産物権変動、動産物権変動を問わず認められます。

権利者でない者からの権利移転の効力

不動産物権の場合

登記簿
X → A → B
真の権利者 ／ 真の権利者でない ／ （登記）保護されない
[例] 間違い登記・など

※ X から A へは移転しない
　A から B への移転もしない

もっとも、同じく、BがAの下に登記のある不動産をAから取得しようとする場合であっても、その不動産の真実の所有者がXであり、単に登記簿の誤りでAの登記となっている場合は、Bは登記を取得しても必ずしも有効にその不動産を取得できません。

左図のようにAの登記がある場合でも、民法はBの利益よりも真の所有者Xの利益を重視して、"登記簿に現れている物権変動があるのであろう"という積極的な信頼までは保護しない建前をとっているのです。

こうした外形に対する積極的な信頼を保護する原則を「公信の原則」といいますが、わが民法は不動産物権変動におい

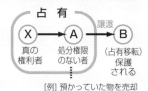

動産物権の場合

[例] 預かっていた物を売却

※ⓍからⒶへの権利移転はない
Ⓑは即時取得により権利を取得

てはこの公信の原則を採用せず、動産物権変動においてのみ「即時取得」の制度により、この原則を採用しています（左図参照）。

一方、債権の二重譲渡の場合では、前述の債権譲渡の対債務者対抗要件である通知・承諾に確定日付のあるものを要求し、この確定日付のある通知等の債務者Ｘの認識の順序で優劣が決まります。債権を譲り受けようとする者Ｃは他に譲渡を受けた者がいないかをＸに問い合わせることによって、確実に権利の譲り受けができる仕組がとられているわけです。

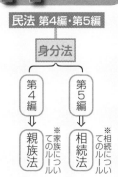

11 身分法としての親族法・相続法

民法 第4編・第5編

身分法
├ 第4編 → 親族法（※家族についてのルール）
└ 第5編 → 相続法（※相続についてのルール）

●民法第4編・第5編は、親族・相続について定める

以上、財産法について述べてきましたが、身分法においては、そこに登場する権利が移転を予定したものでないため、そこにおけるルールは財産法のルールに比べると、代理の制度が認められない等ゲーム性は稀薄です。身分法において、民法は、従前より発展してきた社会の慣習、習俗をそのまま尊重してルール作りをする態度をとっています。婚姻制度や養子制度、相続制度などがその例です。

●第4編親族は婚姻・離婚・親子・扶養等について定める

身分上の権利は、扶養請求権や相続権などそうした権利を当事者同士が目的を持って創出するというより、一定の身分関係にあるものから当然に導き出される性質をもっています。したがって、親族法においては、権利の変動要因というよりも、その権利の前提となる一定の親族関係の発生、消滅についての規定が中心です。

親族関係の中心は、夫婦関係、親子関係であり、民法はそれらの関係の発生、消滅につき、種々の規定を設けています。夫婦関係は、婚姻によって成立し、夫婦の一方の死亡、離婚によって解消します（やや特殊なものに婚姻取消もあります）。一方、親子関係は、実親子関係と養親子関係に分かれ、実親子関係は出生という事実によって成立（婚外の父子関係については認知という手続が必要です）し、一方の死亡によって解消します。他方、養親子関係は、縁組によって成立し、一方の死亡によって解消する他、離縁という養親子関係解消手段が認められています（これにも縁組取消があります）。

●第5編相続は相続人・相続の効力・遺言等について定める

相続とは、死亡による権利義務関係の移転をいい、民法は、相続法において、一定範囲の親族を法定相続人として相続人の資格を与えています。相続制度は財産の移転が生ずる財産法的側面も強く、遺言の制度、相続放棄の制度等、被相続人、相続人の意思も一定限度尊重するものとしているため、ややゲームルール的な要素も垣間見られます。

〔民法関連法〕民法は憲法、刑法、民事訴訟法、刑事訴訟法、商法（会社法）と並んで基本六法の1つです。このうち、民法が規定する権利を実現する手段としての訴訟手続を定めたものが民事訴訟法です。また、民法には多くの特別法があります。例えば、借地借家法、不動産登記法、利息制限法、自動車損害賠償保障法などです。こうした特別法による規定は、民法に優先して適用されます。

第1編 総則

1条〜169条

民法のしくみ

民法は1050条から成る私人間のルールを定めた法律

- 第1編 総則
- 第2編 物権
- 第3編 債権
- 第4編 親族
- 第5編 相続

◆総則編は、他の各編に関する共通ルール（通則）を定めたものです。しかし、多くは人と財産関係の規定であり、今日では、多くの特別法が制定されていて特別法が優先されることから、あまり適用されない規定もあります。なお、最近の総則編改正では、成人年齢18歳引下げの規定が令和4年4月1日から施行されました。

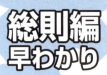

民法総則は他の各編に関する

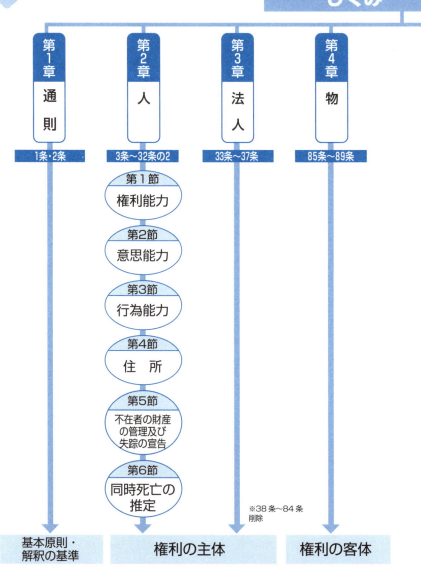

共通ルール（通則）を定める

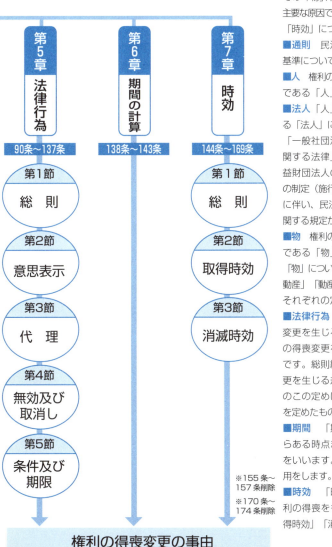

※**総則編**では、権利・義務の主体としての「人」「法人」、権利の客体としての「物」、権利の発生・変更・消滅の主要な原因である「法律行為」「期間」「時効」について定めています。

■**通則** 民法の基本原則および解釈基準について定めています。

■**人** 権利の主体（私権を享有する者）である「人」について定めています。

■**法人**「人」と共に権利の主体となる「法人」について定めています。「一般社団法人及び一般財団法人に関する法律」「公益社団法人及び公益財団法人の認定等に関する法律」の制定（施行は平成20年12月1日）に伴い、民法の34条等の公益法人に関する規定が削除されました。

■**物** 権利の客体（対象となるもの）である「物」について定めています。「物」についての定義にはじまり、「不動産」「動産」といった分類がなされ、それぞれの定義が規定されています。

■**法律行為** 法律行為は権利の得喪変更を生じる合法的な行為で、権利の得喪変更を生じる最も重要なものです。総則編以外にも権利の得喪変更を生じる規定は多くあり、総則編のこの定めは、すべてに通じる通則を定めたものです。

■**期間**「期間」とは、ある時点からある時点までの継続した時の長さをいいます。権利の得喪に重要な作用をします。

■**時効**「時効」は時の経過が、権利の得喪をもたらす制度です。「取得時効」「消滅時効」があります。

総則編・早わかり

総則 1 民法の基本原則（通則）

民法の精神を理解しよう

1条・2条

☞民法は、まず、私的生活における「私的自治（契約・法律行為自由）の原則」に一定の制約を設けている。

民法は私人間の法律だ！

1 私権

民法は個人と個人との関係を規律するルールです。このように個人と個人との関係を問題としている点で民法は「私法」と呼ばれます。刑法のような個人と国家との関係を問題とする「公法」と対立する言葉です。

民法は個人間のルールを作成するにあたって、個人の権利・義務という形を中心にしてルールを構築しています。このときの権利は、私法の世界においての権利であることから「私権」と呼ばれます。

2 民法の基本原則（1条）

民法はその第1条は、その私権に関しての基本原理を定めています。個人の権利といっても、多数の人々が活動する市民社会という社会の中での権利である以上、社会的観点からの制約を受けることがあるという基本原理を確認的に表明しています。

この第1条は基本原理を定めたものですから、その内容は以下にみるように、かなり抽象的なものとなっています。したがって、いざその第1条を適用するという段においては裁判官等の適用者の裁量によって具体化することがどうしても必要です。

このように規定が抽象的なため適用者の解釈による補充、具体化が予定されている条項は「一般条項」と呼ばれます。

3 公共の福祉

1条1項は、「私権は、公共の福祉に適合しなければならない」と規定します。個人の権利もあくまで市民社会という社会の中での権利である以上、社会的側面からの制限があり得るという原則の宣言です。しかし、この規定が直接に適用されたり、他の規定の解釈に援用されたりすることはほとんどありません。

4 信義則

同条2項は、「権利の行使及び義務の履行は、信義に従い誠実に行わなければならない」という「信義誠実の原則（信義則）」を定めています。この原則は、はじめ契約の履行の局面で用いられてきましたが、その後は契約の解除の局面、契約自体の解釈の局面でも用いられる等その機能は拡大してきています。

5 権利の濫用

同条3項は、「権利の濫用は、これを許さない」という規定です。権利の行使らしくみえても、実際には権利の範囲を逸脱している場合は、権利の濫用としてその権利行使が制約されます。長年、温泉を経営していた者の木管の一部がたまたま他人の土地を通っているのに目をつけ、その部分の土地を買い受けた者が木管の撤去を求めたとしても、その要求は権利濫用として許されません。

6 個人の尊厳と両性の平等

2条は、1条とともに戦後の新憲法の制定とともに民法に入れられたものです。主として親族法・相続法において意味があるのですが、解釈の直接の根拠とされることはあまりありません。

民法の基本原則のしくみ

要旨 私権は公共の福祉に従って存在するもので、これに違反すれば権利の濫用となる。

私権

私法上認められる権利で、これには人格権・身分権・財産権がある

私的自治の原則

近代社会の大原則で、その内容は、法律行為自由の原則である

社会的側面からの制約

私権の制約

① 公共の福祉に反しないこと
② 私権の行使は信義に則り、誠実に行うこと
③ 権利の濫用にならないこと

違反

契約が無効となる

請求が認められない
違反者

不法行為となり損害賠償請求が認められる
違反者

（基本原則）
第1条① 私権は、公共の福祉に適合しなければならない。
② 権利の行使及び義務の履行は、信義に従い誠実に行わなければならない。
③ 権利の濫用は、これを許さない。
（解釈の基準）
第2条 この法律は、個人の尊厳と両性の本質的平等を旨として、解釈しなければならない。

総則 2　権利能力と意思能力

人は生きている間は私権を享有できる

3条・3条の2

☞人には等しく権利能力が認められている。自由な意思表示を有効になしうる能力を意思能力という。

人には権利能力があるのだ！

1　権利能力

自分の利益を主張する方法としては「自分が権利者である」という主張となります。こうした「権利者」（権利の主体）となることのできる一般的な地位または資格を「権利能力」といいます。

権利能力を有しなければ、権利者とはなり得ません。また、権利能力は、義務を負う資格でもあります。権利能力が認められるからこそ、売買などで物の所有権が取得でき、また、その反面、代金などの支払義務を負うことになるのです。

この権利能力は、自然人すべてに平等に認められる他、法律によって権利能力を付与された団体、すなわち「法人」にもそれぞれ独立の社会的作用を営む範囲内において認められています。

2　権利能力の始期と終期

すべて人間（自然人）は出生によって権利能力を取得し、死亡により権利能力を失います。一方、法人は「設立」によって権利能力を取得し、「解散」およびそれに続く「清算」という一連の手続きによって法人が消滅することで権利能力を失います。

これからすると、胎児は出生前であるので権利能力を有しないということになります。しかし、民法は胎児についても、損害賠償請求、相続、遺贈の場面での法律関係においてだけは、生まれた後に胎児の際に生じていたこれらの権利を保持できることとして胎児の保護を図っています。

ところで判例は、出生することによって胎児の時まで遡って権利能力があったことになる（停止条件説）というのですが、この説明によれば、胎児の時に母親等は胎児を代理して行為ができないことになります。そこで、胎児の時にすでに上記の法律関係においてだけは権利能力があると考え、死産であった場合にはそれらの法律関係についても遡って権利能力がなかったことになるとする解除条件説も有力です。

3　外国人の権利能力

日本国籍を有していない者が外国人です。外国人は、法令または条約に禁止されている場合以外は、私権を享有できます。

禁止されている場合としては、日本人による土地の取得を認めない国の外国人に対しては、日本における土地の権利取得を認めていません。また、船舶や航空機には国籍があり、外国人はこれらの物を日本国籍のまま取得することはできません。その他、工業所有権（特許権など）も条約で特別の規定がない限り、外国人は取得できません。

4　意思能力

私法上の権利関係は、個人の自由な意思表示によって形成されていくのが原則です。この自由な意思表示を有効になしうる能力を意思能力といいます。

従前は当然の内容として解釈上認められていたものですが、令和2年4月1日から明文化されました。この能力のない者がした法律行為は無効で効力が否定されます。

権利能力（私権の享有）のしくみ

要旨 人は出生により等しく権利能力を取得する。

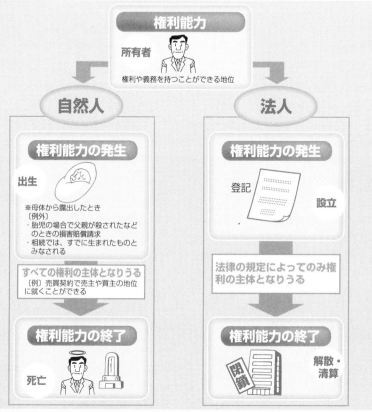

（権利能力）第3条① 私権の享有は、出生に始まる。
② 外国人は、法令又は条約の規定により禁止される場合を除き、私権を享有する。
第3条の2 法律行為の当事者が意思表示をした時に意思能力を有しなかったときは、その法律行為は、無効とする。

◆**意思能力の明文化**（3条の2）
　意思能力とは、行為の結果を判断するに足るだけの精神能力をいい、こうした能力を有しない意思無能力者のした法律行為は無効となるというのが意思能力制度です。こうした制度については、判例・学説上は異論なく認められており、実際にも活用されていますが、民法には明文規定がありませんでした。
　この制度は、自らが締結した売買契約の無効を主張することにより判断能力の低下した高齢者等が不当に不利益を被ることを防ぐことを可能とする点で、今日の高齢化社会の進展とともにその重要性はますます高まっています。こうした背景を踏まえ、令和2年4月1日施行の改正法（平成29年法律第44号）は「意思能力を有しない者がした法律行為は無効である」ことを明文化するとともに、無効になった際の原状回復義務については、「現に利益を受けている限度」にとどまる旨の規定を設け、意思無能力者の保護を図っています。

総則 3 人の法律行為と行為能力

法律行為ができるためには行為能力が必要

4条〜6条

☞契約などの法律行為は、未成年者や制限能力者を除き、原則として自由にできます。

成年には法律行為能力がある！

1 法律行為と行為能力

第1章第3節（4条〜21条）では、「行為能力」について定めています。これは法律行為ができる能力のことです。

誰がどのような権利者であるかという権利関係は、種々の要因で変動しますが、その要因の中でも最も重要であるのが契約に代表される「法律行為」です。この法律行為を単独で完全に有効になしうる能力を「行為能力」といいます。

なお、法律行為は、個人の自由意思に基づいてなされるものですので、その行為者には当然に自分の行為の結果を判断することができるだけの精神的能力が必要となります。

この能力のことを「意思能力」と呼びます。この能力のない者のした法律行為は無効として効力が否定されます（20㌻参照）。

2 行為能力

権利・義務を持つための法律行為を、不安定さを残さないで1人で完全にできる能力を行為能力と言います。こうした能力のない者を制限能力者と言い、未成年者や成年でも一定の者（次項）がこれに該当します。これらの者は、判断能力が不十分であることから、その保護を図るため、その行為を後から取り消すことができるとされており、こうした点で、これらの者のなした行為は不安定なものといえます。

3 未成年者の行為能力

法律行為は個人の自由な意思に基づいて自らの社会生活関係を規律してゆく行為ですが（私的自治の原則、後述）、未成年者はこの自由な意思に基づいて権利関係を形成するための判断能力が通常、不十分であるので、未成年者はこの行為能力が十分でない制限能力者として、未成年者が有効に法律行為をなすには、保護者の同意を得た上でなす必要があることとされています。

未成年者が単独で法律行為を行っても、これは不完全な法律行為として、未成年者や保護者が取り消して、その法律行為の効力を否定することができます。ただし、単に権利を得たり、義務を免れる行為については未成年者本人が法定代理人の同意なくできます。

また、法定代理人から処分を許された財産（例・小遣い銭）を、未成年者は自由に処分できます（目的を定めたものは、その範囲内。5条3項）し、営業を許された未成年者は、営業行為については法定代理人の同意は不要です（6条）。

なお、成人年齢は民法改正により、令和4年4月1日以降、20歳から18歳に引き下げられました。現行法では、18歳未満が未成年者です。

4 その他の能力

前記の能力の他に、民法上の能力としては、責任能力（712条・713条）、受領能力（98条の2）などがあります。

これらについては、該当個所で解説いたします。

人（自然人）の法律行為能力のしくみ

要旨 法律行為が有効であるためには、行為能力があることが必要。

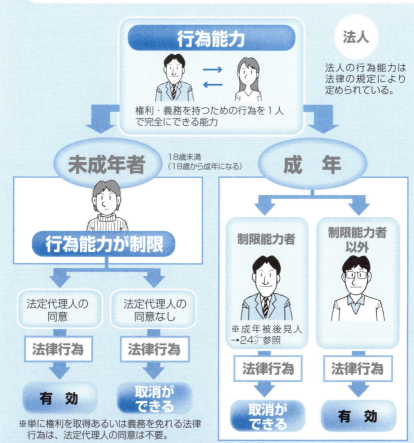

※ 成人年齢の引下げにより、今日では 18 歳になれば、親の同意なくスマートフォンの契約、ローンを組む、クレジットカードを作る、部屋を借りることなどができ、また公認会計士や司法書士などの登録も可能です。ただし、飲酒や喫煙、また競馬などの投票券を買うことは 20 歳にならないとできません。

（成年）
第4条 年齢18歳をもって、成年とする。　※令和4年3月31日以前の民法規定では20歳だった。
（未成年者の法律行為）
第5条① 未成年者が法律行為をするには、その法定代理人の同意を得なければならない。ただし、単に権利を得、又は義務を免れる法律行為については、この限りでない。
② 前項の規定に反する法律行為は、取り消すことができる。
③ 第1項の規定にかかわらず、法定代理人が目的を定めて処分を許した財産は、その目的の範囲内において、未成年者が自由に処分することができる。目的を定めないで処分を許した財産を処分するときも、同様とする。

総則 4

制限能力者制度

事理弁識能力に問題がある人は保護される

7条〜21条

☞制限能力者が後見人等の同意なしにした一定の法律行為は、一定の者が取り消すことができる。

後見・保佐・補助の制度がある

1 制限能力者制度

民法は、一定の者に対してはそのなした行為を「取消し」という形で、いわば「待った」をする権利を与えています。ただし、詐術を用いた場合には、取消しはできません。

この制度は「制限能力者制度」と呼ばれ、現行法上、制限能力者の類型は前述の未成年者の他に、被後見・被保佐・被補助の3つの類型が設けられています。

2 成年(被)後見制度

「精神上の障害により事理を弁識(判断)する能力を欠く常況にある者」は、家庭裁判所が本人、配偶者その他一定の範囲の者の請求により後見開始の審判をなすことによって成年被後見人となり、この成年被後見人のなした日常生活行為以外のすべての財産行為は取り消すことができるとされています。成年被後見人についての法律行為を完全に有効に行うためには、成年後見人に代理してもらうことが必要となります。

後見開始の審判がなされると、戸籍とは別に作成される専用のファイル(後見登記等ファイル)に記録がなされます。これによって取引の相手方も本人についての後見開始の有無を知ることが可能となり、その相手方が後からの取消しにより不測の損害を被らないように保護することを狙っています。

3 (被)保佐人

「精神上の障害により事理を弁識する能力が著しく不十分である者」については、家裁が本人、配偶者その他一定の範囲の者の請求により保佐開始の審判をすることによって、被保佐人となります。これがなされると、被保佐人は重要な財産行為をするには保佐人の同意が必要となり、同意のない行為は取り消すことが可能となります。

4 (被)補助人

精神障害のため物事の理解が不十分で、家裁の補助開始の審判を受けた者は、被補助人として、重要な財産行為の一部につき、補助人の同意がなければ取り消すことが可能となります。補助人は、補助開始の審判がなされた際に家裁により選任されます。

5 相手方の催告権

このようにいったんなされた法律行為が後から取り消される可能性があるとなると、その相手方ははなはだ不安定な立場に置かれることになるでしょう。

こうした相手方の不安定な立場への配慮から、民法は相手方に取り消すのか取り消さないのか態度をはっきりさせるよう求める権利を与えました。

この権利を「催告権」と呼び、この催告に対して制限能力者の法定代理人、保佐人、補助人が何の応答も示さない場合、制限能力者は与えられた取消権を失い、その法律行為は完全に有効なものとして確定します。

ただし、被保佐人や被補助人に対する催告では、何の反応もない場合は取り消したものとみなされます。

後見人等の制度のしくみ

要旨 判断能力に問題ある人を保護する制度。

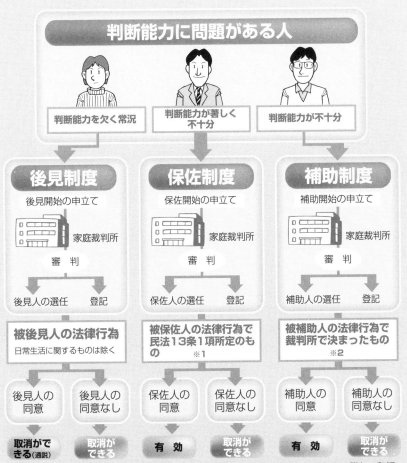

※1 〔保佐人の同意が必要なもの〕元本の領収・利用、借財・保証、訴訟行為、贈与・和解・仲裁合意など、民法13条1項所定の行為（日常生活に関する行為除く）。
※2 〔補助人の同意が必要なもの〕民法13条1項所定の行為の一部で、申立ての範囲内で家庭裁判所が定める特定の法律行為。

（後見開始の審判）
第7条 精神上の障害により事理を弁識する能力を欠く常況にある者については、家庭裁判所は、本人、配偶者、4親等内の親族、未成年後見人、未成年後見監督人、保佐人、保佐監督人、補助人、補助監督人又は検察官の請求により、後見開始の審判をすることができる。

（成年被後見人及び成年後見人）
第8条 後見開始の審判を受けた者は、成年被後見人とし、これに成年後見人を付する。

総則 5 住所・失踪・同時死亡の推定

人の住む場所・失踪・生死についての定め

22条～32条の2

☞不在者の生死が7年間不明などの場合には、失踪宣告がなされ、死亡したものとみなされる。

住所は人の生活の本拠地である

1 住所

人々の社会生活は、一定の土地すなわち住所を中心に営まれます。民法も人と住所のこうした関係から、法律関係を規制するルールを住所と関連していくつか定めています。

「住所」とは、各人の生活の本拠です。人々の生活にとって土地との関係は非常に重要ですが、その生活の場所的中心が住所です。民法は、各人はその住所において財産を管理するのを原則と考え、債務の履行、相続の開始などいくつかの規律を住所に求めています。

2 不在者制度

人が自分の財産の管理に処置を講ずることなく長い間本拠地を留守にする場合、誰かがその人の代わりにその財産を管理する必要が生じてくるでしょう。これが不在者の財産管理の制度であり、財産管理人は、利害関係人か検察官の請求により、家庭裁判所が選任します。

3 失踪宣告

人が本拠を留守にする期間があまりに長かったり、その人が死亡した可能性が高い場合には、裁判所が死亡と同様に扱う旨を宣言し、財産関係についても身分関係についてもその場を収めることとしました。これが「失踪宣告」の制度です。

失踪宣告には、不在者の生死が7年間不明の場合に宣告される「普通失踪」と飛行機事故のような危難に遭った者が、その危難の去った後1年間生死不明の場合に宣告される「特別失踪」とがあります。

失踪宣告は、利害関係人が家庭裁判所に請求します。失踪宣告がなされると、宣告を受けた者は死亡したとみなされ（死亡の擬制）、相続が開始し、婚姻も解消されます。しかし、失踪宣告は宣告を受けた者の権利能力まで奪うものでなく、他の場所で生活することはもとより可能です。

失踪宣告を受けた者が生きていることが明らかになったり、宣告によって死亡したと見なされた時期と違う時期に死亡したことが明らかとなった場合には、その宣告を取り消す必要がありますので、「失踪宣告の取消し」の制度も用意されています。

失踪宣告が取り消されると、死亡の効果は初めからなかったものとなり、従来の法律関係が復活します。この場合、相続などで得た財産の返還は、全部の利益（財産）でなくてよく、現に残っている利益のみでよいとされています。また、失踪宣告後に再婚をしている場合、重婚となる説もありますが、後婚を有効とする説が有力です。

4 同時死亡の推定

交通事故で親子両名が死亡したが、どちらが先に死亡したかが不明なような場合、一応、両者は同時に死亡したものと推定し、死亡した両者間には相続はないとされます。「推定」という一応のものであるので、「擬制」と異なり、死亡の先後関係を証明して推定を覆す余地は残されています。

住所・失踪・不在者・同時死亡推定 のしくみ

要旨 22条以降では、人の住所・失踪・同時死亡の推定について定め、生活の本拠地・財産の管理・相続開始の有無を明確にしている。

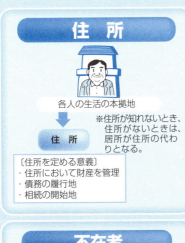

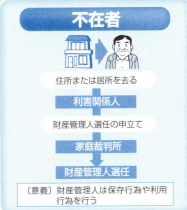

(住所)
第22条 各人の生活の本拠をその者の住所とする。
(失踪の宣告)
第30条① 不在者の生死が7年間明らかでないときは、家庭裁判所は、利害関係人の請求により、失踪の宣告をすることができる。
② 戦地に臨んだ者、沈没した船舶の中に在った者その他死亡の原因となるべき危難に遭遇した者の生死が、それぞれ、戦争が止んだ後、船舶が沈没した後又はその他の危難が去った後1年間明らかでないときも、前項と同様とする。
(同時死亡の推定)
第32条の2 数人の者が死亡した場合において、そのうちの1人が他の者の死亡後になお生存していたことが明らかでないときは、これらの者は、同時に死亡したものと推定する。

総則 6 法人の設立

33条〜37条

法人の設立には一定の手続きが必要

☞法人は設立されると、人と同様に権利の主体となることができる。

法人は人と同じだ！

1 法人制度

法人も市民社会において登場人物となることができます。これを民法の言葉でいえば、法人も「権利能力」を有しています。

民法は、個人である自然人の他に一定の団体をも取引社会の主体たる地位を認める必要性があるとして、法人にも権利能力を与えることにしました。

2 法人の分類

もっとも、一口に法人といってもその態様は多種多様です。地方公共団体も法人であれば、各種の会社も法人です。それぞれが個性を有し、社会活動を行います。そこで法人を分類することが有益です。

まず、法人はその「形態」に応じて「社団法人」と「財団法人」に分かれます。社団法人とは人の集合体に着目して権利能力が与えられたものである（株式会社もこれに含まれる）のに対し、財団法人とは財産自体に着目して法人格を与えた場合です。例えば、ある人が癌研究のために10億円を拠出して振興に使いたいと考えたとき、その10億円はその人自身の財産とは分けて運用する必要があり、こうしたとき、その財産自体に法人格を与えるのが便利です。

また、法人はその存在の「目的」によって分類することもでき、営利目的の営利法人、公益目的の公益法人とに分ける分け方も重要です。なお、農協など、営利も公益も目的としない法人が数多く定められており、それらは「中間法人」と呼ばれていましたが、今日では法改正により「一般社団法人」に移行しました。

3 権利能力なき社団

その実体が社団であるにもかかわらず、法人格をもたない団体を「権利能力なき社団」といいます。

権利能力なき社団は法人格を持たないため、権利の主体の地位を認めることはできません。しかし、その実体が法人格を有する社団と同様である場合には、できるだけ社団法人に近い取扱いをすべきではないかが問題となります。

この点につき判例（最高裁判決昭39・10・15）は、一定の要件を備えた団体は、社団の実体を有する権利能力なき社団として、社団法人と同様、団体の財産と構成員の個人財産が峻別されるものとしています。もっとも、団体の財産といっても団体自体に権利主体としての地位を認めることはできない関係上、その財産は構成員全員に「総有的に帰属」という説明の仕方で構成員の個人財産と別個の財産を認めつつ、団体自体の法人格を認めないという2つの要請に応えています。

4 非営利法人制度

「一般社団法人及び一般財団法人に関する法律」および「公益社団法人及び公益財団法人の認定等に関する法律」の制定に伴い、民法34条（公益法人の設立）に関する規定および38条〜84条は削除されました（平成20年12月1日施行、次項参照）。

法人制度のしくみ

要旨 法人制度は、法律の定めによって法人に権利・義務の主体となる地位を付与するものである。

◆活動の目的別による法人の設立

| 営利の目的 | 非営利の目的 | 特定非営利活動の目的 | 法人でない団体 |

法人として活動するには… / 法人以外

| 一定の手続き（登記） | 一定の手続き（登記） | 所轄官庁の認証・登記 | 手続きなし |

営利法人

社団法人 → 会社

●商行為〈営利事業〉を行う株式会社/持分会社など
⇒会社法

〔注〕営利目的の財団法人はない。また、かつては「商事会社」「民事会社」の分類があったが、会社法の制定でこの概念は廃止された。

非営利法人

一般社団法人 / 一般財団法人

一定の目的による人の集合 / 一定の目的にささげられた財産

祭祀・宗教・慈善・学術・技芸・その他（同窓会・町内会・サークル）の目的

●学校法人、宗教法人、社会福祉法人
※中間法人は廃止され一般社団・財団法人へ移行。
※認定を受けることにより、公益社団・財団法人となれる。
⇒一般社団法人及び一般財団法人に関する法律

NPO法人

活動の目的は以下の18種
①保健・医療または福祉の増進を図る活動
②社会教育の推進を図る活動
③まちづくりの推進を図る活動
④観光の振興を図る活動
⑤農山漁村または中山間地域の振興を図る活動
⑥学術、文化、芸術またはスポーツの振興を図る活動
⑦環境の保全を図る活動
⑧災害救援活動 ⑨地域安全活動
⑩人権の擁護または平和の推進を図る活動
⑪国際協力の活動
⑫男女共同参画社会の形成の促進を図る活動
⑬子どもの健全育成を図る活動
⑭情報化社会の発展を図る活動
⑮科学技術の振興を図る活動
⑯経済活動の活性化を図る活動
⑰職業能力の開発または雇用機会の拡充を支援する活動
⑱消費者の保護を図る活動・など
⇒特定非営利活動促進法

法人格なし

権利能力なき社団
社団としての実体をそなえているが、法人格がない団体。あえて権利能力なき社団として活動する団体もある。財団の場合は権利能力なき財団という。

任意団体
法人格を持たず、権利能力なき社団にも該当しない団体（単なる親睦会など）。

→ 権利・義務の主体となる / 権利・義務の主体とならない

※法人には上記の他、**公法人**（公団・地方公共団体など）がある。また、一般財団法人と似たものに **公益信託**（公益信託法）がある。なお、最近では多くの独立行政法人ができている。

（法人の成立等）
第33条① 法人は、この法律その他の法律の規定によらなければ、成立しない。
② 学術、技芸、慈善、祭祀、宗教その他の公益を目的とする法人、営利事業を営むことを目的とする法人その他の法人の設立、組織、運営及び管理については、この法律その他の法律の定めるところによる。（平成18年改正、平成20年12月1日施行）

（法人の能力）
第34条① 法人は、法令の規定に従い、定款その他の基本約款で定められた目的の範囲内において、権利を有し、義務を負う。（平成18年改正、平成20年12月1日施行）

総則 7 33条関連

「一般社団法人」と「一般財団法人」

社団および財団法人に関する法律が誕生し、民法の規定は削除された

従来よりも簡便に作れる

☞以前の民法法人は、平成20年12月1日以降、一般(認定)社団法人・一般(認定)財団法人に移行。

1 民法の公益法人の設立規定の削除

公益法人制度改革により、平成18年に、「一般社団法人及び一般財団法人に関する法律(一般社団・財団法人法)」および「公益社団法人及び公益財団法人の認定等に関する法律(公益法人認定法)」が制定され、平成20年12月1日に施行されました。

上記の「一般社団・財団法人法」により、これまで主務官庁による許認可主義だった社団法人および財団法人(公益法人)の設立が、その事業の公益性の有無にかかわらず準則主義(登記)によって簡便にできることになりました。また、財団法人ではこれまで基本財産の1億円以上が許認可の目安とされていましたが、同法の施行後は300万円以上で設立(法人格の取得)することができます。

また、「公益法人認定法」は、不特定かつ多数の者の利益の増進に寄与することを目的とする事業を行う場合、行政庁(内閣総理大臣または都道府県知事)の認定を受けることができるとしており、認定を受けた法人(公益社団・公益財団法人)は所得税、寄付金に関して税金が優遇されます。

つまり、一般社団・財団法人を設立しやすくする一方(認可)、公益を目的とし税金などで優遇される法人については、審査を必要とする認定制をとっています。

2 新法の制定に伴う民法等の整備

前記2法の制定に伴い、民法の一部改正が行われました。

具体的には、第1編第3章「法人」のうち、民法法人(公益法人)に関する規定が削除されました。具体的には、民法34条(公益法人の設立)および38条～84条(法人の設立・管理・解散についての規定)が廃止され、33条(法人の成立等)が改正、34条(法人の能力)が新設されています。

削除部分については、制定された前記2法により、内容を変えて細かく規定されています。

なお、中間法人法は廃止され、従前の中間法人については、前記の新法施行後に、一般社団法人へ移行(経過規定あり)しました。

3 従来の民法法人(公益法人)は

旧民法の規定による社団法人もしくは財団法人(いわゆる公益法人)は、新法施行後は、特例民法法人となり、その後申請(平成25年11月30日まで)により行政庁の認可を受け、かつ移転の登記をしたものは、一般社団法人または一般財団法人として存続しています。

また、公益目的の事業を行う特例民法法人は、施行日から起算して5年を経過する日(平成25年11月30日)までの期間内に、行政庁の認定を受けて、公益社団法人・公益財団法人になることができました。

なお、平成25年11月30日までに移行申請がなかった法人については、解散したものとみなされました。

一般社団法人・一般財団法人 のしくみ

 民法上の公益法人および中間法人法による中間法人が廃止され、一般社団法人・一般財団法人が誕生した。

非営利法人の制度

一般社団法人
▶成立要件
①社員となろうとするものが2名以上
②非営利であること
③定款の作成・など

一般財団法人
▶成立要件
①設立者が300万円以上の財産を拠出
②非営利であること
③定款の作成・など

※**非営利性の確保** 定款をもってしても、社員や設立者に剰余金や残余財産の分配を受ける権利を付与することはできない。

↓
登 記
↓
設 立

行政が一般社団法人・一般財団法人の業務・運営全体について監督することはない。

(注) 1. 民法上の旧公益法人は、申請により一般社団（財団）法人あるいは公益社団（財団）法人に移行。
2. 中間法人は中間法人法の廃止により、一般社団法人に移行。

◆公益社団法人・公益財団法人

〈公益法人制度改革〉

- 上記の解説参照
- 一般社団法人・一般財団法人は、内閣総理大臣または都道府県知事等が設置した公益認定等委員会等に公益の認定を申請し、認定されると公益社団法人または公益財団法人となる。税制上の優遇措置を受けることができる。

総則 8 物とその範囲

85条〜89条

物は権利の客体(対象)となる

☞人(権利の主体)は、物に対して所有権などの権利を取得することができる。

法律上は動物も物である

1 民法における「物」

市民社会の中で「物」は人々の利益を表す代表的なものといえます。人々はマイホームを持ちたいと思い、車を欲しいと考えるように、人々の社会における行動がこのような物の保有に向けられている場合も数多く見られます。このような物の保有を民法は、「建物の所有権」「自動車の所有権」というように構成します。このように、物は民法上、権利の客体として重要な意義を担っています。

2 物の意義

民法上、物とは①有体物であり(85条)、②支配可能で、③非人格的で、④独立性のあることが必要とされています。

電気、熱等の無体物は民法上、物とはされません。発明、意匠等も同様です。有体物であっても支配不可能な太陽、月等の天体もその支配の保護ということが問題とならず、物とはされません。人体はその支配を保護する必要はなく、やはり民法上、物とされません。独立性は、対象の特定のために必要とされます。

3 物の分類

物の分類は種々の観点からなすことが可能ですが、重要であるのは、①不動産と動産、②主物と従物、③元物と果実の分類です。

4 不動産と動産

不動産とは、「土地およびその定着物」(86条1項)をいい、動産はそれ以外の物を指します。民法上、最も重要な分類であるといえるでしょう。

民法は、物が不動産であるか動産であるかによって、種々の異なる取扱いを規定しています。詳しくは、第2編「物権」の箇所に譲りますが、①公示方法の差異、②公信の原則の適用の有無が重要です。

5 主物と従物

独立した物であっても、経済的には他の物に従属してその効用を助ける物があります。畳や建具が家屋の効用を助けたり、鍵がカバンの効用を助けたりがその例です。このような他の物に従属してその物の効用を助ける物を「従物」といい、助けられる物を「主物」といいます。

従物は主物の処分に従います。家屋を売れば、畳、建具も一緒に売るというのが当事者の通常の意思と考えられるからです。しかし、当事者がこれと異なる意思を表示していた場合には、その意思に従うことになります。

6 元物と果実

「元物」とは、果実を生じる物をいい、「果実」とは、元物より生じる経済的利益をいいます。果実は、樹木になる(天然)果実に限らず、賃貸家屋から生じる賃料等も(法定)果実となります。

果実についての権利は、天然果実の場合は分離時にこれを収受する権利を有する者に、法定果実の場合は収受する権利の日割で分配します。

物についてのしくみ

要旨 総則編では、権利の主体である人（自然人・法人）に続いて権利の客体（対象）である物について定めている。なお、物についての権利については、民法物権編に定めがある。

※**有体物と無体物** 有体物には土地、建物、貴金属などの定型物があり、また、空間の一部を占める固体、液体、気体など（外界の一部）も包含するとされている。無体物には知的創造物（発明など）、電気・熱・光、電波などがある。民法は物を有体物に限定している。

※**一物一権主義** 物権の排他的な支配権を保障するために、1個の物に対して、内容を同じくする物権は1個しか成立しないとする原則。

（定義）
第85条 この法律において「物」とは、有体物をいう。
（不動産及び動産）
第86条① 土地及びその定着物は、不動産とする。
② 不動産以外の物は、すべて動産とする。
（主物及び従物）
第87条① 物の所有者が、その物の常用に供するため、自己の所有に属する他の物をこれに附属させたときは、その附属させた物を従物とする。
② 従物は、主物の処分に従う。
（天然果実及び法定果実）
第88条① 物の用法に従い収取する産出物を天然果実とする。
② 物の使用の対価として受けるべき金銭その他の物を法定果実とする。
（果実の帰属）
第89条① 天然果実は、その元物から分離する時に、これを収取する権利を有する者に帰属する。
② 法定果実は、これを収取する権利の存続期間に応じて、日割計算によりこれを取得する。

総則 9 法律行為と意思表示

契約などの行為を法律行為という

法律行為（総則）

☞法律行為の代表は契約で、当事者の意思の合致によって成立する。

日本の民法は意思主義をとる

1 法律行為

人々の市民社会での活動は、契約に代表される「法律行為」によって形成されてゆきます。民法が市民社会のルールとして機能するためには、この法律行為の規制が不可避でしょう。民法は、この法律行為を精密に構成して、種々のルールを作成しています。

2 法律行為と意思表示

法律行為とは、意思表示から成りたつ人々の行為であり、その意思表示どおりの効果が認められるものをいいます。

例えば、売買契約は1つの法律行為ですが、売買の「申込み」という意思表示と売買の「承諾」の意思表示という2つの意思表示が合致したところで成立し、売主にはその意思表示どおりに物を売る代わりに代金を請求する権利、買主には代金を支払う代わりに物を請求する権利が認められることになります。

このように、法律行為は意思表示を重要な要件とするので、もし、意思表示が無効であれば、それから成り立っている法律行為も当然に共倒れで無効となります。

3 法律行為自由の原則

法律行為は、その意思表示に現れるところの当事者の意図した効果がそのまま法律上も保障することが認められており、これを法律行為自由の原則といいます。この原則は、市民社会における各個人はその意思に基づいて自由にその社会生活関係を規律することが最も適当であるという近代法の理念の現れです。

4 法律行為の目的

法律行為にはすべて行為者がこれによって企図する法律効果が存在します。この法律行為によって行為者が達しようとした効果を法律行為の目的といいます。

5 法律行為の解釈

法律行為の目的は常に一義的に明確であるとは限りません。場合によっては、その目的を分析して当事者の意思表示の内容を明確にしなければならない場合も生じます。この作業を法律行為の解釈といいます。この解釈にあたっては、強行的に適用されるべき規定（強行規定）に反しないよう一応の標準となる規定（任意規定）を参酌しつつなされることになります。

6 法律行為の分類

法律行為はその要素たる意思表示の態様に着目して1人1個の意思表示で成立する単独行為、対立する2個以上の意思表示で成立する契約、同方向の2個以上の意思表示が合致して成立する合同行為に分類できます。また、その発生する法律効果に着目して債権を発生させる債権行為、物権の発生・変更・または消滅を生じさせる物権行為、物権以外の権利の終局的な発生・変更・消滅を生じさせて、その履行という問題を残さない準物権行為という分類もできます。物権行為と準物権行為（次☞参照）を合わせて処分行為といいます。

法律行為のしくみ

要旨 法律行為とは、通常、意思表示がかなめとなり、法律効果（権利の発生・変更・消滅など）を発生させる行為をいう。

法律行為

法律要件 ＝ ※不法行為では、事実のみが法律要件

意思表示が必要となる

単独行為	契約	合同行為
単一の意思表示による法律行為	2つ以上の意思の合致により成立する法律行為	2つ以上の同一の目的の意思表示による法律行為
例：取消・解除	例：売買契約など	例：団体設立

※**債権行為** 金銭消費貸借契約や売買契約など、当事者間に債権・債務を発生させる法律行為

※**物権行為** 売買契約に基づいて土地の所有権の移転、借金の担保として抵当権の設定など、物権自体の設定・移転を直接の内容とする法律行為

※**準物権行為** 債権譲渡、債務免除など、物権以外の権利を直ちに発生させる法律行為

権利関係の発生

無効で法律上の効果が発生しない場合もある。

一定の権利の発生・変更・消滅

準法律行為

権利関係は発生しない

意思の通知	観念（事実）の通知
例：催告の通知、受領拒絶の通知	例：社員総会の通知、代理権授与の表示、承諾延着の通知

総則 10 公序良俗と法律行為の効力

公序良俗に反する行為は無効となる

90条〜92条

☞「ある人を殺したらいくらやる」などの契約は、公序良俗違反として無効となる。

公序良俗違反の行為は無効！

1 法律行為の有効・無効

法律行為は有効であったときにはじめてその意思表示どおりの効果が認められ、無効な法律行為ではその効果が認められません。

法律行為の無効は、意思表示の過程に問題がある場合（後述）の他、意思表示の過程に問題がなくても、その法律行為の目的が確定できない場合や不能な場合、さらには、適法なものでない場合や社会的妥当性を欠く場合も無効な法律行為として、その効力が否定されることとなります。

2 目的の確定性、実現可能性、適法性

法律行為の目的が不確定であるような場合、その法律行為は無効となります。例えば、売買において、「いい物を1000円で売る」というような契約がなされても、いい物とは何かが不確定であるため、その契約に拘束力を認めることができません。

法律行為が有効であるためには、その目的の重要部分が確定されていることが必要です。

旅行会社と火星探検のツアーを契約しても、これはその目的が実現不可能なものとして無効となります。こうした契約を有効とすることも理論的には可能ですが、民法はこのような目的が実現不可能な法律行為は無効としています。

民法は重婚を禁止している以上、重ねて婚姻することは無効となります。もっとも、法が禁じていてもその私法上の効力は認められる場合も多く、こうした規定を取締規定といいます。

3 公序良俗違反

法律行為の目的が違法であったり、社会的妥当性を欠く場合、その法律行為は公序良俗違反として無効となります。

公序良俗違反には種々の類型がありますが、大きく、①犯罪にかかわる行為、②取締規定に反する行為、③人倫（倫理的秩序）に反する行為、④射倖行為、⑤暴利行為、⑥基本的人権を侵害する行為というように類型化されます。

①の犯罪にかかわる行為とは、例えば、対価を与えて犯罪を依頼するような犯罪契約などの場合です。

②の取締規定に反する行為としては、食品衛生法で禁止された食品を販売するような場合があります。

③の人倫に反する行為は、愛人契約が代表例です。

④の射倖行為は、賭博をするために資金を貸し付ける契約などです。

⑤の暴利行為としては、霊感商法が考えられます。

⑥の基本的人権を侵害する行為は、芸娼妓契約などです。

こうした公序良俗違反の法律行為に対しては、法がその効力の実現に協力することはせず、直接にそうした行為を禁止する規定が存在していない場合でも、その法律行為を無効として効力を否定するのです。

公序良俗違反のしくみ

公序良俗とは、国家的見地からの公の秩序、社会的見地からの善良の風俗の意味である。こうした見地から見て不適切な法律行為は、公序良俗違反として保護されず無効となる。

※**法律行為自由の原則** 人は原則として自由に法律行為ができ、当事者の意図したとおりの効力が認められるという原則。

※**強行規定** 公の秩序に関する事項を定めた規定を強行規定という。当事者の意思の如何にかかわらず適用され、強行規定に反する法律行為は無効となる。

※**任意規定** 公の秩序に関しない規定。当事者の意思が不明確な場合に備え、紛争解決の拠りどころとして置かれた規定。

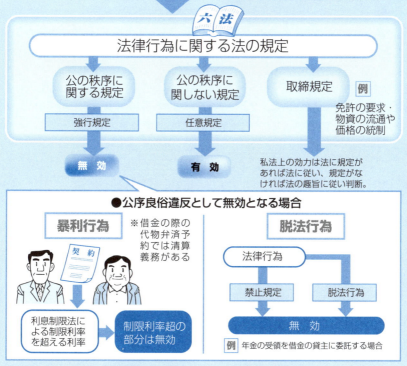

（公序良俗）
第90条 公の秩序又は善良の風俗に反する法律行為は、無効とする。
（任意規定と異なる意思表示）
第91条 法律行為の当事者が法令中の公の秩序に関しない規定と異なる意思を表示したときは、その意思に従う。

総則 11 意思表示の有効・無効

契約してもその約束が無効となる場合がある

93条～95条

☞問題となる意思表示には、心裡留保、錯誤、通謀虚偽表示がある。

保護に値するかどうかで判断！

1 意思表示

法律行為が「意思表示」を中心に成り立っていることは前述の通りです。その意思表示の過程は、例えば、「土地を買う」という意思表示の場合、まず、内心で「土地を買おう」という意思決定をなし、それから「土地を買います」という内心の意思を外部に示すという順序を経ます。この内心で決定された意思は「（内心的）効果意思」と呼び、それが外部に伝達する「表示行為」とあいまって、意思表示が完成するわけです。

2 心裡留保

では、本当は土地を買うつもりなど全然ないのに、「土地を買います」と伝えた場合、有効な意思表示といえるでしょうか。

これは内心的効果意思と表示行為に示された意思とがくい違っている場合で、そのくい違いを意思表示をなした表意者自身が自覚している場合です。

この場合、その土地を買うという意思表示は原則として有効な意思表示として成立します。すなわち、相手方との合意があった場合には、土地売買契約の成立ということになります。本人にその気がなくても、外部に表した以上、周りの人々はそれを真意と考えるので、無効というのでは混乱が生じますし、本人も意図して表示をしている以上、責任を取るべきだからです。

3 錯誤

内心の意思と表示がくい違っていることを表意者自身が気付かないような場合があります。いわば、「歩」を打つつもりで、間違って「飛車」を打ったような場合です。

錯誤の要件・効果については改正され（令和2年4月1日施行）、成立要件については、①意思表示が錯誤に基づき、②錯誤が法律行為の目的などに照らして重要なものであり、③動機の錯誤については、その事情が表示されていることが必要とされた一方、効果については従来の「無効」から表意者による「取消し」と変わりました。

なお、錯誤につき表意者に「重過失」がある場合は、その意思表示を原則として取り消せないものとして、本人と相手方の保護との調和が図られています。

4 通謀虚偽表示

相手方と意思を通じてなした虚偽の意思表示を通謀虚偽表示といいます。例えば、債権者からの差押えを免れる目的で、財産を譲渡したかのような外観を作り上げることがこれにあたります。

このような法律行為の効果は無効です。通謀虚偽表示の場合は両当事者に真意が存在しないので、錯誤と異なり、相手方の保護を考える必要はありません。

もっとも、その虚偽の法律行為を信頼してその後にその法律関係に関わってきた第三者は保護する必要性が出てきます。民法は、その第三者が「善意（事実を知らないこと）」であるような場合は第三者がその虚偽表示を有効であると主張できるとして第三者の保護を図っています。

意思表示のしくみ

要旨 意思表示は意思決定と表示行為のプロセスがあるが、これがくい違うとその効果が問題となる。

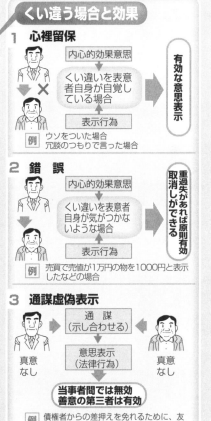

※**要素の錯誤** 法律行為の要素とは、法律行為の内容の中で、重要な部分を意味し、この要素に錯誤がある場合には、表意者に重過失がなければその意思表示は取消しができる。

※**動機の錯誤** 例えば、購入する土地の近くに鉄道が敷設されると誤信し、値上がりを期待して買うような場合である。ただし、法律行為の機縁にすぎない場合は要素の錯誤とはならないとする考えが有力である。また、この考えをさらに進めて、意思表示の過程に動機を含めて重要な錯誤があれば要素の錯誤となるが、相手方が善意(そのことを知らない)・無過失のときには取消しの主張はできないとする学説もある。

なお、錯誤には、動機の錯誤の他に、表示上の錯誤(1000万円を100万円と書いたなどの誤記の類)、内容の錯誤(連帯保証と連帯債務を同じと思い契約したなど表示行為の意味を誤る)、仲介者の錯誤(仲介者がいる場合に、本人の意思と仲介者の表示が異なる場合)などがある。

※**偽装離婚** 債務が多く、財産を残すために離婚をしたことにし財産分与をすることによって、債権者からの財産の執行を免れることを考えることがある。この場合には、離婚は有効で、したがって、当事者は離婚が無効であることを主張できない(判例)。また、分与された財産は、通常、詐害行為として、取り消すことができる(126ページ参照)。

◆**意思表示に関する見直し**(95条等)

意思表示とは、一定の法律効果の発生を欲する旨の意思の表明であり、こうした意思表示に問題がある例として、現行法は、心裡留保、通謀虚偽表示、錯誤、詐欺、強迫の5つの例を挙げています。

このうちの「錯誤」につき、その成立要件および法律効果については、従来の規定のみでは必ずしも明確でなく、様々な解釈が展開されてきました。こうした状況を受け、平成29年6月、「民法の一部を改正する法律」により、錯誤が法律行為の目的及び取引上の社会通念に照らして重要なものであり、①意思表示に対応する意思を欠く錯誤、②表意者が法律行為の基礎とした事情についてのその認識が真実に反する錯誤、である場合は取り消せると改正されました(令和2年4月1日施行)。なお、法律効果については、従来の「無効」から「取消し」に改め、その錯誤を表意者のみが主張できるとしています。

総則 12　詐欺または強迫による意思表示

意思表示の形成過程に問題がある場合

96条

☞詐欺や強迫による意思表示は、瑕疵があるとして取り消すことができる。

瑕疵とは欠陥があること

1　瑕疵ある意思表示

意思表示が法律行為の中核的要素であることはすでに述べたところですが、ここでは意思表示の形成過程に瑕疵（欠陥）がある場合を扱います。意思表示をなすにあたり、詐欺、強迫があった場合がこれです。

これらの場合は、錯誤と異なり、意思と表示の不一致があるわけではなく（例えば、詐欺によって売買契約を締結した場合も、その物の売買契約をなそうという意思はある）、その意思の形成過程に瑕疵があるに過ぎません。なお、民法は、この瑕疵ある意思表示のこうした側面に着目して、その効果を表意者に取消権を与えるという形で表意者の保護を図っています。

2　詐欺

詐欺とは、欺罔行為（故意に事実を偽る）によって人を錯誤に陥れ、それに基づいて意思表示をさせる場合です。

鉄道敷設の予定もないのに、「この付近には近々鉄道が敷設されるので、この土地を購入すれば、将来、価格が高騰しますよ」等と述べて、土地を売りつけたような場合がこれです。ただ、欺罔行為にあたるか否かの判断は必ずしも容易ではありません。欺罔にあたるか否かは当事者の地位、具体的状況等を総合的に判断して決するよりないとされています。

なお、詐欺の効果は表意者の取消権です。

3　第三者の詐欺

詐欺の通常の場合は契約の相手方が欺罔するというものですが、契約当事者以外の第三者が欺罔をする場合もあります。こうした際、被欺罔者が常に取り消し得るとするのは、相手方に予期せぬ損害を与えるので、民法は相手方がその事実を知っていた場合にのみ取り消し得るとして、被欺罔者と相手方の保護の調和を図っています。

4　善意の第三者

土地の売買契約の際、買主が売主を欺罔して土地を取得し、その土地をさらに第三者に転売したとき、売主が元の売買契約を取り消すと転売を受けた第三者が予期せぬ損害を被ることになるでしょう。そこで、民法は詐欺による取消しは善意（事実を知らない）の第三者に対抗（主張）できないとして、第三者の保護を図っています。

この保護される第三者の範囲について、判例は、「取消し前に」詐欺の事実を知らずに利害関係に入った者をいうとし、取消し後の第三者とは対抗関係として対抗要件（66ページ参照）具備で優劣が決められるとしています。

5　強迫

他人に畏怖を与え、その畏怖によって意思表示させる場合が強迫です。

強迫による意思表示を取り消すことができることは詐欺の場合と同様です。しかし、この取消しは善意の第三者にも主張することができるとされています。強迫の方が詐欺以上に表意者を保護する必要性が高いということでしょう。

瑕疵ある意思表示のしくみ

要旨 瑕疵ある意思表示とは意思の形成過程に問題がある場合で、詐欺・強迫による場合がある。

意思表示のプロセス

くい違いはないが意思形成の過程に瑕疵がある

瑕疵ある意思表示となる場合

1 詐欺

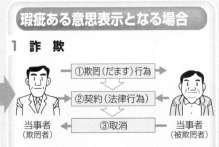

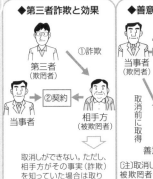

取消しができない。ただし、相手方がその事実（詐欺）を知っていた場合は取り消せる

[注]取消し後の第三者の取得と被欺罔者の優劣は対抗要件の具備（登記・引渡し）による。

2 強迫

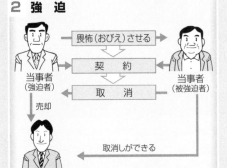

※**詐欺・詐欺罪** 詐欺にあった場合、契約の取消しにより契約はなかったことになり、すでに支払った金は返還を求めることができる。なお、刑法には詐欺罪（246条）があり、告訴することもできる。ただし、民法上の詐欺の要件と刑法上の詐欺罪の要件は異なる。

※**強迫・脅迫罪** 強迫による法律行為が取り消せることなどは詐欺と同様である。また、刑法222条に脅迫罪（字が異なる）があるが、この要件に該当する場合は告訴することができ、この他、刑法には恐喝罪（249条）もある。

（詐欺又は強迫）
第96条① 詐欺又は強迫による意思表示は、取り消すことができる。
② 相手方に対する意思表示について第三者が詐欺を行った場合においては、相手方がその事実を知り、又は知ることができたときに限り、その意思表示を取り消すことができる。
③ 前2項の規定による詐欺による意思表示の取消しは、善意でかつ過失がない第三者に対抗することができない。

総則 13 意思表示の到達・受領能力

意思表示の効果はいつ発生するか

97条～98条の2

☞意思表示は受領能力がある相手方に到達したときに、原則として効力を生じる。

意思表示の成立は、「到達主義」が原則

1 意思表示の到達

これまで意思表示の有効、無効が法律効果に大きな差異をもたらすことを見てきました。では、有効な意思表示は時間的にはいつ有効なものとして成立するのでしょう。

例えば、賃貸借契約の解除は意思表示の1つですが、その意思表示を郵便でする場合、①申込みの書面を書いたとき、②それをポストに投函したとき、③郵便が相手の郵便受けに届いたとき、④相手が開封して読んだとき、という時間的段階を経ます。

民法は意思表示の成立については「到達主義」の原則をとっています。つまり、①、②の場合には意思表示は成立しませんが、③の場合は意思表示が有効に成立するのです。相手方に到達すれば、もはや、その意思表示が相手方の支配範囲に入ったものとして、意思表示を成立させても相手方に酷ではないということです。

このように到達主義をとると、意思表示者が発信した後に死亡した場合、その意思表示は有効かという問題が生じてきます。民法はこのような場合も、原則として意思表示は到達時に有効に成立するとして表意者の保護を図っています。

2 隔地者間の契約の成立について

上記の原則は、意思表示が問題となる最も重要な場面である契約の局面で、大きな修正が施されています。

意思表示が契約申込みの場合、到達により効力が発生することは原則どおりですが、発信後の死亡の場合、相手方が申込者の死亡を知っているときや申込者が反対の意思表示をしているような場合は、申込みの意思表示は効力を失うものとされています。

また、契約の承諾については従来、発信主義がとられており、ポストに投函した段階で承諾の意思表示が成立し、よって契約も成立するものとされていました。

これによると、承諾者の発信した承諾の郵便が申込者に到達せず途中で紛失しても契約が成立することになって、申込者に不測の結果を招きますが、申込者は承諾期間を定めることによりこの不利益を回避できますし、それよりは契約を成立させる立場に立つ承諾者に確実に契約成立を確信させる必要があるということで、この規定は合理性を有しているものとされていました。しかし、令和2年4月1日施行の改正法により、隔地者間の契約は到達した時に成立すると変わりました（契約成立に関する規定147㌻下欄参照）。

3 意思表示の受領能力

以上のように、意思表示は原則的には、到達によって効力を生ずるわけですが、意思表示を受領した者が制限能力者のうち未成年者または成年被後見人である場合、この意思表示のなされたことをこの者に主張することはできず、到達を法定代理人が知った場合に初めて主張できるものとされています。一定の制限能力者と相手方との調和を図った規定といえます。

意思表示の発信・到達と受領 のしくみ

要旨 意思表示は到達（郵便物なら相手の郵便受けに届いたとき）によってその効果が発生する。

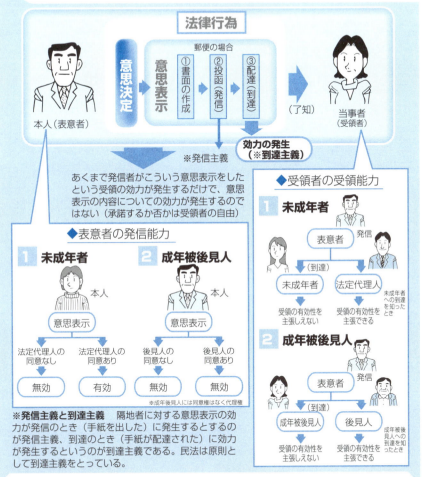

（意思表示の効力発生時期等）
第97条① 意思表示は、その通知が相手方に到達した時からその効力を生ずる。（②、③略）

◆**最近の法改正** 公示による意思表示（98条） 令和5年6月14日公布

98条1項は、相手方を知ることができない場合や相手方が所在不明な場合、表意者は公示による意思表示ができると定めています。公示の方法については同条2項以下に定めがあり、現行法では裁判所の掲示場に掲示する方法（掲示した旨を官報に掲載、または市町村役場等の施設の掲示場に掲示する）のみです。ただ、最近の法改正（民事関係手続等における情報通信技術の活用等の推進を図るための関係法律の整備に関する法律）で、裁判所のサイトでの閲覧方法が追加されました（改正規定は公布から5年以内に施行）。

総則 14 代理と代理人の権限

99条〜103条

本人に代わって代理人に法律行為をやってもらうことができる

代理人のした行為の結果は本人に帰属

☞代理には、契約による「任意代理」と法律上の規定によって発生する「法定代理」とがある。

1 代理

私たちが社会生活の中で自らの望む法律効果を求めて法律行為をなす場合、それは必ず自らがなさなければならないわけではありません。自分の代わりに他人にやってもらうことも許されています。

こうした制度を民法上「代理」制度と呼び、この代わりの者のことを「代理人」と呼びます。代理人が本人のためにした法律行為の効果は代理人ではなく、本人に効果帰属します。

この効果を説明するのに、代理人は本人の手足に過ぎず、意思表示はあくまで本人がしているのだ、として私的自治の原則を貫徹させようとする説明もありますが、通説は、あくまで代理人が意思表示をなしており、代理制度は他人である代理人の意思表示の効果が本人に帰属する制度と説明します（他人効）。

私的自治の原則の下では、本人に効果帰属するのは本人の意思表示によるはずなのですが、通説はこれを私的自治の原則の例外とは考えず、私的自治の原則を補充（法定代理の場合）、あるいは拡張（任意代理の場合）として説明します。

2 代理の種類

代理の分類で重要なのは、その代理権の発生の根拠に着目したもので、代理権が本人からの信任の上で与えられた場合の「任意代理」と本人の意思とは関係なく、法律の規定によって発生する「法定代理」の区別です。任意代理と法定代理とは、代理権の消滅事由の他、次項の復代理の場合に差異が生じてきます。

3 代理の要件

代理が成立するためには、①代理人と相手方との間の法律行為（代理行為）が有効に成立しなければならないことは当然ですが、その他に、②代理人が当該代理行為が本人に帰属することを明らかにした上（顕名）、かつ、③代理人が当該代理行為の代理権を有することが必要です。

①の有効な代理行為が存在しない場合、例えば、代理人が錯誤（38㌻参照）に陥っていた場合、本人は代理行為を取り消すことができ、本人への効果帰属はないことになります。しかし、本人が錯誤の事情を知っていたような場合には、本人は代理人の錯誤を主張できないとされています。

②の顕名を欠いた場合は、相手方は当然に代理人に効果が帰属するものと考えることになりますから、この相手方の信頼を保護して相手方と代理人との間に法律行為が成立し、相手方と代理人との間に効果帰属することになります。もっとも、これは相手方を保護するためですから、相手方が代理人の本人に効果を帰属させようとする意思を知っていたり、当然知るべきであったような場合には、本人への効果帰属が生じます。

③の代理権を欠く場合は、無権代理の問題となります。別項（48㌻）で説明します。

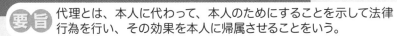

代理制度のしくみ

要旨 代理とは、本人に代わって、本人のためにすることを示して法律行為を行い、その効果を本人に帰属させることをいう。

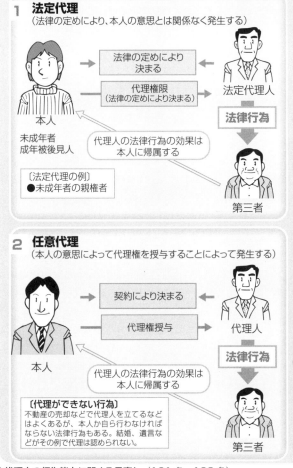

※**法定代理人** 本人の委託によらず、法律で代理権が与えられた人。未成年者の親権者、制限能力者の成年後見人など。

※**任意代理人** 本人の意思または本人の信任によって代理人になった人。本人が代理権を与える行為を授権行為という。

※**間接代理** 問屋や仲買人などのように、本人に代わって取引をする人のこと。代理人の場合は法律行為の効果が直接本人に帰属するが、間接代理では、行為者(間接代理人)にいったん帰属し、改めてそれが本人に移転することになる。

※**使者** 本人の意思を伝達するだけの人。本人に代わって意思表示をなす代理人とは異なる。

※**代理占有** 他人が占有することによって、その効果である占有権が本人に帰属する場合をいう。

【代理権の消滅事由】
①本人の死亡
②代理人が死亡、破産手続開始の決定、後見開始の審判を受けたとき
③この他、委任による代理権は委任の終了で消滅する(111条)

◆**代理人の行為能力に関する見直し**(101条・102条)
　従前の民法では、代理行為の効力は本人に帰属し、代理人には帰属しないこと、任意代理においては本人自らが制限行為能力者を代理人に選任していることを根拠に、制限行為能力者の代理行為は行為能力の制限の規定によっては取り消すことができないものとされていました。しかし、制限行為能力者が他の制限行為能力者の法定代理人である場合、代理行為の取消しができないと制限行為能力者の保護が十分図れない恐れがあり、また、こうした場合は他の制限行為能力者自らが代理人を選任しているわけではありません。そこで、「民法の一部を改正する法律(平成29年法律第44号)」により見直され、制限行為能力者が他の制限行為能力者の法定代理人としてなした行為については、例外的に行為能力の制限の規定によって取り消すことができるものと定められました(102条ただし書。令和2年4月1日施行)。

総則 15 復代理人とその権限

104条〜106条

復代理人は代理人が選任する代理人、その効果は本人に帰属する

☞任意代理では、本人の許諾あるいはやむを得ない事情のとき、法定代理では代理人が自由に選任できる。

復代理人のした行為の結果は本人に帰属

1 復代理

復代理とは、代理人がさらに代理人を選任する場合です。野球でいう代打の代打という感じでしょうか。いずれにしても、本人(X)→代理人(Y)→復代理人(Z)、そして、相手方(A)という4者が登場することになり、法律関係が非常に複雑になります。

2 復代理の効果帰属関係

本人と代理人のXY間では、代理人Yが復代理人Zを選任しても、代理人Yは本人の代理権を失うわけではなく、本人のために代理人としての行為をして本人に効果を帰属させることができます。

本人と復代理人のXZ間では、当然復代理人Zの行為は本人に帰属します。Zは代理人Yの代理人となるわけではないことには注意を要します。

3 復代理人の選任

復代理人を選任できる場合は、任意代理と法定代理とでは異なってきます。

任意代理の場合は、代理人は本人の信頼をもとに代理人に選任されているのですから、代理人が勝手に復代理人を選任してしまっては、本人の期待を裏切ることになりかねません。そこで、代理人が復代理人を選任できるのは、①本人の許諾があるときと②やむを得ない事由があるとき、の2つの場合に限られます。

一方、法定代理の場合、法定代理人は代理人や本人の意思とは無関係に選ばれているのが通常なので、復代理人の選任が本人の信頼を裏切るという問題は生じません。したがって、復代理人の選任には特に制限はなく、代理人は常に復代理人を選任できます。

4 代理人の本人に対する責任

このような選任の要件の違いに応じて、代理人の本人に対しての責任の程度も異なってきます。

法定代理人の場合は、復代理人の選任について広範な権限を有するわけですから、その権限の大きさに応じて責任も大きなものとなり、復代理人が本人に損害を与えてしまったときは、選任、監督に何の落ち度がなくても本人に責任を負います。

一方、任意代理人の場合は、その復代理人選任の権限が極めて限定されているので、本人に対する責任も小さく、復代理人の選任およびそれに続く監督について落ち度がある場合にのみ責任を負うことになります。さらに、任意代理人の復代理人の選任が本人の指名に従ってのものであるような場合には、復代理人が不適任または不誠実と知りながら、本人への通知や解任を怠った場合のみ責任を負うとされます。

このように、任意代理人の場合と法定代理人の場合とでは責任に大きな差異がありますが、法定代理人の復代理人選任がやむを得ない事由によるものであったような場合は、法定代理人はその広範な権限を行使したものではないため、任意代理人と同様の責任とされます。

復代理制度のしくみ

要旨 復代理人は、代理人が選任を行うが、復代理人のした法律行為は本人に帰属する。

〔復代理のポイント〕
①代理人は復代理人の選任監督について、原則として過失がある場合に責任を負う。
②復代理人は、代理人の代理ではなく、本人の代理である。
③復代理人は、内部関係においては本人と代理人の関係と同様の関係が生じる。

（任意代理人による復代理人の選任）
第104条 委任による代理人は、本人の許諾を得たとき、又はやむを得ない事由があるときでなければ、復代理人を選任することができない。
（法定代理人による復代理人の選任）
第105条 法定代理人は、自己の責任で復代理人を選任することができる。この場合において、やむを得ない事由があるときは、本人に対してその選任及び監督についての責任のみを負う。
（復代理人の権限等）
第106条① 復代理人は、その権限内の行為について、本人を代表する。
② 復代理人は、本人及び第三者に対して、その権限の範囲内において、代理人と同一の権利を有し、義務を負う。

総則 16 無権代理と表見代理

107条～118条

代理権がない者のした行為は、原則として無効となる

☞権限のない者のした代理行為は原則として無効だが、表見代理として有効な場合もあるので要注意。

代理権の有無は外観から判断！

1 無権代理

代理による法律行為には、①代理意思、②顕名、③代理権、が必要で、このうちどれが欠けても有効に本人への効果帰属が生じないのですが、実際に最も問題となるのは③の代理権がないのに代理人と称して行動してしまう場合で、これを「無権代理」といいます。

なお、代理権を有していても、代理人が自己または第三者の利益を図ってなした代理行為は「代理権の濫用」として、相手方もその目的を知っていたなどの場合には無権代理とみなされます。

無権代理がなされても、その当該代理行為は無効であり、その効果は本人に帰属しません。もっとも、無効といっても、本人の事後的な追認で遡って有効とすることができます（追認権）。本人が承認する以上、その効果を認めて差し支えないからです。

2 無権代理の相手方の催告権・取消権

とすると、相手方としては本人の追認の有無によりその法律行為が有効か否かが変わるという不安定な立場に立たされます。そこで、民法はこの相手方の立場に配慮し、相手方に本人に対し、追認権を行使するか否かを確認する権利（催告権）を与え、もし、本人が何の反応も示さない場合は本人は追認権を失い、無効として確定するものとしています。制限能力者の相手方に与えられている催告権と同様のものです。

また、無権代理の相手方は、本人の追認のなき間は無権代理人の行為を取り消し、これによっても効果不帰属を確定できます。

相手方は無権代理人に対し被った損害の賠償請求が可能です。

3 表見代理

無権代理はこのように、本人の追認がない限り、無効となりますが、これでは相手方は予想できない損害を被ることになります。そこで民法は、相手方のこうした立場に配慮し、相手方がその行為者に代理権があると信ずるのにやむを得ない状況がある場合には、その法律行為を有効とみなせる制度を設けました。

それが「表見代理」の制度で、民法上①代理権授与表示の表見代理、②権限外の行為の表見代理、③代理権消滅後の表見代理の3種類が規定されています（109条以下）。

①の代理権授与表示の表見代理とは、無権代理人に代理権を授与したかのような外観があり、相手方がこれを信頼した場合で、白紙委任状を代理人が勝手に乱用したような場合がこれに当たるとされています。

②の権限外の行為の表見代理は、代理人が与えられていた代理権以外の代理行為をする場合で、10万円までの買い物の代理権を与えていたに過ぎないのに、代理人が100万円の買い物をしたような場合です。

③の代理権消滅後の表見代理は、取引の代理権を与えられていた店員が解雇されて代理権を失った後に代理行為をなしたような場合です。

無権代理と表見代理のしくみ

要旨 代理権のない者（無権代理人）がした法律行為は無効である。しかし、表見代理として、その法律行為が有効な場合がある。

無権代理人のした法律行為の効果

本人 （代理権なし）

無権代理人

法律行為
（無権代理行為）

無権代理人のした法律行為の効果

相手方

無権代理となる場合

無権代理人のした法律行為は無効で、本人は責任を負わない。

相手方は無権代理人に対して、義務の履行か損害賠償の請求ができる。

※**自己契約と双方代理** 自己契約とは、代理人が自分を相手方として契約をする場合で、双方代理とはAの代理人がBの代理人も兼ね、1人でAB間の契約をする場合であり、自己契約、双方代理ともに代理権を有しない。ただし、本人があらかじめ承諾した場合は代理権がある。（108条）。

表見代理となる場合

無理からぬ事情があって、相手方が代理人であると誤信した場合

表見代理人のした法律行為は無効を主張できず、本人は責任を負う。

本人は相手方に対して権利・義務が生じる。

◆**表見代理のケース**
①代理権授与表示の表見代理
②権限踰越の表見代理
③代理権消滅後の表見代理
※表見代理となるかどうかの具体的判断は商法等の他の法令の規定、判例による。

（代理権授与の表示による表見代理等）
第109条① 第三者に対して他人に代理権を与えた旨を表示した者は、その代理権の範囲内においてその他人が第三者との間でした行為について、その責任を負う。ただし、第三者が、その他人が代理権を与えられていないことを知り、又は過失によって知らなかったときは、この限りでない。
② 第三者に対して他人に代理権を与えた旨を表示した者は、その代理権の範囲内においてその他人が第三者との間で行為をしたとすれば前項の規定によりその責任を負うべき場合において、その他人が第三者との間でその代理権の範囲外の行為をしたときは、第三者がその行為についてその他人の代理権があると信ずべき正当な理由があるときに限り、その行為についての責任を負う。

（権限外の行為の表見代理）
第110条 前条第1項本文の規定は、代理人がその権限外の行為をした場合において、第三者が代理人の権限があると信ずべき正当な理由があるときについて準用する。

（無権代理）
第113条① 代理権を有しない者が他人の代理人としてした契約は、本人がその追認をしなければ、本人に対してその効力を生じない。
② 追認又はその拒絶は、相手方に対してしなければ、その相手方に対抗することができない。ただし、相手方がその事実を知ったときは、この限りでない。

総則 17 法律行為の無効・取消し

一定の行為は無効あるいは取り消すことができる

119条〜126条

☞無効な行為は最初から効力がなく、取消しできる行為は取り消されると最初から無効となる。

無効な行為は追認しても無効

1 無効と取消し

これまでいくつかの場面で法律行為の「無効」「取消し」という言葉が出てきました。無効も取消しも、ともに、その法律行為としての効果が完全には発生せず、その法律行為の効力が否定されるという点では共通します。しかし、両者にはいくつかの重要な違いも見られます。

無効な法律行為は、なんらのきっかけも要せず、当然に最初から効力がないものと扱われます。一方、取り消すべき法律行為は、取消権を有する者が取消しを主張して初めてその効果が発生しないものとなり、それまでは取消しによって覆される不安定さはあるものの、あくまで有効な法律行為です。したがって、無効な行為は追認してもその追認が新たな行為としての要件を備えた場合に限り、その時から効果を生ずるのが原則であるのに対し、取り消すべき法律行為は追認によってその有していた不安定さが除去され、当初から完全な法律行為をなしたのと同様の効果になります。

2 無効行為の転換

当事者がAという効果を企図してなした法律行為が無効でAの効果が生じない場合でも、その法律行為をBという効果を生じさせる法律行為として有効とできないかという問題があります。判例には、愛人との間に産まれた子を妻との嫡出子として届け出た行為に対し、妻との間の嫡出子の届出としての効力は生じないとしつつも、子の認知としての効力を認めたものがあります。

3 法律行為の取消し

無効な行為の場合と異なり、取消しできる法律行為の効力を否定するためには、「取消し」の主張が必要です。主張ができる者は、制限能力者、瑕疵（かし）ある意思表示をした者など当該法律行為で意思表示をした者自身の他、それらの者の代理人、承継人です。主張方法は原則として相手方に対する取消しの意思表示で、これがなされることで当該法律行為は遡って最初から無効であったことになります（遡及的無効）。

4 取り消すべき法律行為の追認

取消権は権利である以上、放棄することも可能です。取消権者が取消権を放棄して、その法律行為を完全に有効なものに確定させることもでき、これを追認といいます。取消権の放棄と考えられる以上、追認できる者は取消権者と同様となります。また、追認の方法は取消しと全く同様に相手方に対する追認の意思表示です。追認することにより、当該法律行為は有効に確定します。

なお、その法律行為から発生する権利を行使する等、追認と認められるような一定の事実がある場合には、追認の意思表示がなくても追認とみなされます（法定追認）。

5 取消権の消滅

取消権は上記の追認、法定追認の他、時効によっても消滅します。追認をなすことを得る時から5年または行為の時から20年です。

法律行為の無効・取消しのしくみ

要旨 社会秩序、あるいは個人保護の立場から、一定の法律行為について、無効あるいは取消しができる。

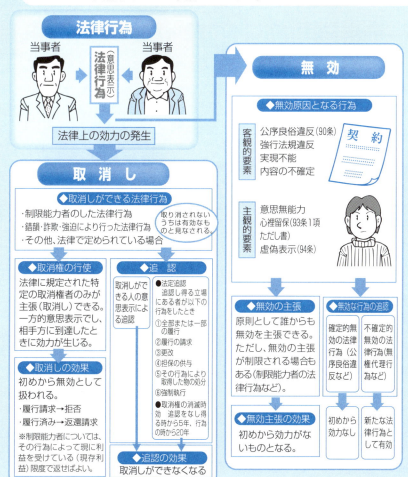

（無効な行為の追認）
第119条 無効な行為は、追認によっても、その効力を生じない。ただし、当事者がその行為の無効であることを知って追認をしたときは、新たな行為をしたものとみなす。

（取消権者）
第120条 ① 行為能力の制限によって取り消すことができる行為は、制限行為能力者（他の制限行為能力者の法定代理人としてした行為にあっては、当該他の制限行為能力者を含む。）又はその代理人、承継人若しくは同意をすることができる者に限り、取り消すことができる。
② 錯誤、詐欺又は強迫によって取り消すことができる行為は、瑕疵ある意思表示をした者又はその代理人若しくは承継人に限り、取り消すことができる。

総則 18 条件付の法律行為と期限の到来

約束(契約)には、条件と期限を付けることができる

127条～137条

効力の発生・消滅に注意！

☞条件には、「停止条件」と「解除条件」があり、期限には「確定期限」と「不確定期限」とがある。

1 条件・期限とは

人は約束に条件や期限をつけることがあります。例えば、「明日雨が降れば、行く」とか「来月末までに代金を支払う」などです。

前者の場合、「明日雨が降る」かどうかは不確実な事柄（条件）であるのに対し、後者の「来月末」は期間が経過すれば確実に到来する事柄（期限）です。

条件と期限とはその事柄の起きることが確実かどうかという点で区別されることになります。

2 条件の種類

法律行為の効力の発生に関わる条件を「停止条件」といい、法律行為の効力の消滅に関わる条件を「解除条件」といいます。

「合格したら、贈り物をあげる」という場合と「合格したら、援助をうち切る」という場合、同じ「合格」が前者では停止条件、後者では解除条件となります。

条件がすでに確定しているような場合を「既成条件」といい、例えば、条件がすでに成就している場合は、停止条件の場合は無条件となります。「殺人に成功したら」などのように条件が不法のときは条件付法律行為の全体が無効です。成就が不可能な不能条件のときは条件不成就が確定している既成条件と同様です。

「私が承諾すれば支払う」などのような単に債務者のみの意思にかかる停止条件は無効とされます。

3 条件付法律行為の効力

成否未定の間の条件付の権利・義務も処分が可能ですし、条件付権利の目的物が毀損されれば、損害賠償請求もできます。条件成就による不利益を避けるため、故意に条件成就が妨害されたような場合、相手方は条件を成就をしたものとみなすことができます。

4 期限

先に述べたように、期限とは将来の発生することが確実な事柄をいいますが、その発生することのみならず、発生の時点までも確定している場合を「確定期限」といい、発生すること自体は確実であるが、それがいつ発生するかは不確実である事柄を「不確定期限」といいます。

「10月31日にお金を返す」という場合は10月31日が確定期限ということになりますし、「私が死んだらこの家をあげる」という場合は、私の死亡が不確定期限ということになります。

期限付法律行為の期限未到来の間の当事者の地位も、条件と同様に考えられます。

5 期限の利益

期限が到来しないことによって、その間の当事者が受ける利益を「期限の利益」といいます。割賦払いの契約では、債務者が支払いを滞ったときには債務者は期限の利益を失い、即座に債務者は残額全部を支払わなければならなくなる「期限の利益喪失約款」がしばしば設けられます。

条件と期限のしくみ

要旨 条件とは、法律行為の効力の発生・消滅について、「将来、発生するかどうか不明の事実にかからせること」をいう。

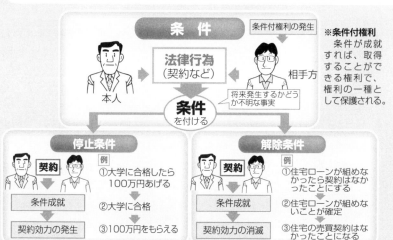

※**条件付権利**
条件が成就すれば、取得することができる権利で、権利の一種として保護される。

要旨 期限とは、法律行為の効力の発生・消滅または債務の履行について、「将来、到達することが確実な事実の発生時」をいう。

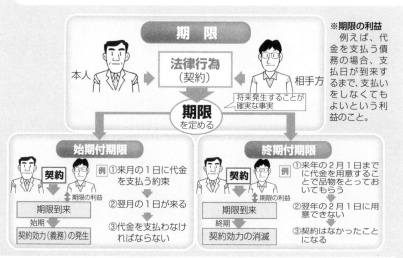

※**期限の利益**
例えば、代金を支払う債務の場合、支払日が到来するまで、支払いをしなくてもよいという利益のこと。

(条件が成就した場合の効果)
第127条① 停止条件付法律行為は、停止条件が成就した時からその効力を生ずる。
② 解除条件付法律行為は、解除条件が成就した時からその効力を失う。
③ 当事者が条件が成就した場合の効果をその成就した時以前にさかのぼらせる意思を表示したときは、その意思に従う。

総則 19 期間とその計算法

138条～143条

不動産の賃貸借契約などでは、通常、期間を定める

期間の満了で権利の得喪が生じる

☞期間は時効や不動産の貸借などで問題となるが、原則として、初日は不参入で計算する。

1 期間とは

私たちの生活の中で、期間が重要になる場面は数多くあります。次に出てくる時効もそうですが、それ以外にも「建物を2年間借りる」とか「3か月以内に支払う」等枚挙に暇がありません。

2 期間の計算方法（初日不算入の原則）

では、令和7年3月29日に建物を2年間賃借する賃貸借契約をした場合、その借主は何年何月何日までその建物を借りられるのでしょうか。契約書の中で何月何日までとはっきり定められていればそれによることで問題は生じませんが、そうした定めをせず、単に3月29日から2年間とされていた場合に問題が生じてきます。

この場合の計算方法は、令和7年3月29日は計算に含めず（初日不算入の原則）、令和7年の3月30日午前0時より2年間のカウントが開始されます。即ち、令和9年の3月29日の夜中である午後12時に2年間という期間が満了することになります。

なお、期間の末日が日曜日等の休日であり、その日に取引をしない慣習のある場合は、その翌日をもって期間が満了します。

この初日不算入の原則は、2年間というように「年」を単位にした場合に限らず、「～週間」「～日」というように「週」「日」を単位にして期間を定めた場合も同様に適用されます。例えば、会合の2週間前に通知するというような場合は、通知と会合との間に2週間の期間が必要ということですから、会合が6月30日に行われる場合は、6月30日から遡り、30日は含めず29日午後12時から時間の推移とは逆方向へのカウントが開始され、遡って6月15日午後12時（16日午前0時）で2週間となりますので、6月15日までに通知がなされなければならないということになります。

3 期間の計算方法（初日不算入の原則の例外）

この初日不算入の原則は、民法以外でも期間の計算方法が問題となる場合には適用される一般原則ですが、特別法によってこの原則が排除されている例がしばしばあります。

例えば、年齢計算を定める「年齢計算ニ関スル法律」によれば、年齢計算は時刻を問わずに出生日を算入して計算するものとされています。したがって、1月1日生まれの人は、その年の大晦日の経過によって満1歳となることになり、誕生日を迎えたときはもうすでに1歳年をとっていることになるわけです。

この他では、刑法における刑期の計算、刑事訴訟法における時効期間の計算、公職選挙法における議員の任期の計算等で初日を算入する規定が設けられています。

4 期間の計算方法（その他）

こういう定め方をする機会はあまりありませんが、～時間、～分など単位が1日の集まりではないような場合は、そのままその瞬間からカウントが開始されます。

期間と計算法のしくみ

要旨 期間は「○○日から○○日以内」などというように、ある時点からある時点までの隔たりで、初日は不算入とする原則がある。

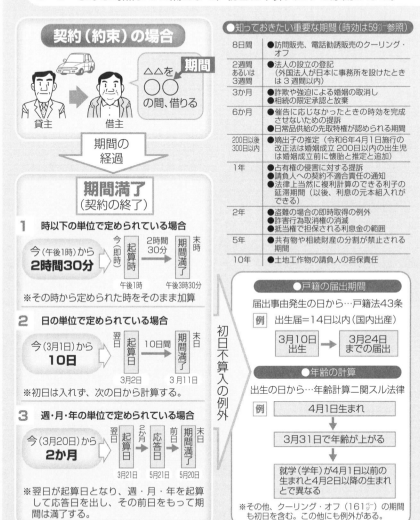

(期間の起算)
第139条 時間によって期間を定めたときは、その期間は、即時から起算する。
第140条 日、週、月又は年によって期間を定めたときは、期間の初日は、算入しない。ただし、その期間が午前0時から始まるときは、この限りでない。

総則 20 時効の完成と完成猶予

権利の上に眠る者は保護されない

144条～154条、158条～161条

時効は、一定の期間の経過で権利の消滅・取得が生じる制度で、利益を受ける者は時効の援用が必要。

時効は完成猶予することができる

1 時効とは

一定の時の経過とともに権利関係が変化する場合があります。他人に貸したお金を返してもらう権利をずっと放っておくと、10年間経つことでこの権利は消滅してしまいます。

これは、権利がなくなってしまう場合（消滅時効）ですが、これとは逆に、一定の時の経過とともに権利を得ることができる場合（取得時効）もあります。

時効制度に関しては、上の例での説明のように、時の経過によって、権利の取得、消滅などの権利変動が生じるとみる実体法説が判例・通説ですが、時の経過が権利変動を引き起こすわけではなく、時効は権利の証明手段の1つに過ぎないとする訴訟法説も存在します。

通説・判例の実体法説は、時効による権利変動の趣旨を、①永続した事実状態の尊重（取得時効の場合）、②権利の上に眠る者は保護に値しない（消滅時効の場合）、ということに求めています。

2 時効の完成・援用

時効が完成するには、一定期間の時の経過が必要です。その起算点は、取得時効においては事実状態の開始する占有開始時、消滅時効においては権利不行使の状態の開始する権利行使可能時とされています。

時効が適用されるためには、一定期間継続した事実状態の他に、時効による利益を受ける者が、その利益を受けるという意思表示をすることが必要です。この意思表示を「時効の援用」といい、判例・通説はこの時効の援用を権利変動を確定させるための停止条件と説明します。

このように、時効制度には時効による利益を受ける者の意思も尊重されており、時効の利益を受ける者は、時効が完成しても、その利益を放棄することができます。

3 時効の完成猶予と更新

時効の完成を阻止するための手段の1つは、例えば貸金の場合、貸主が貸金の返還を求める裁判を起こすことです。これにより時効の完成は猶予され、その後勝訴判決を得ることで時効の更新が生じ、それまでの時効の進行はリセットされ、あらためてゼロから再スタートとなります。

訴えの取下げなどで権利の確定にまで至らなかった場合は、そこから6か月間完成が猶予されるだけなので、当初の時効期間が経過していれば6か月後には時効が完成します。この部分は従来、裁判を起こせば直ちにリセットするとされていましたが、令和2年4月1日施行の改正法で、上記のように改正されました。注意が必要です。

時効の完成を猶予する事由としては、上の裁判上の請求の他、支払督促、強制執行、担保権の実行、仮差押・仮処分、催告、協議を行う旨の合意などがあります。

また、権利の承認があったときは、直ちに時効の更新が生じ、そのときから新たに時効期間が進行を始めることとなります。

時効制度のしくみ

  時効は、法律が定める一定の期間、事実状態が続いた場合にその事実を保護する制度である。

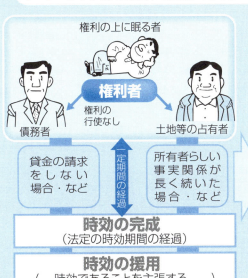

◆**時効の中断・停止の見直し**（147条〜154条）

　従来の民法規定では、時効の中断・停止に関しては多岐にわたる時効中断事由を定めていました。この規定が見直され、法改正（平成29年法律第44号。令和2年4月1日から施行）により、現行法では、時効の完成を猶予する「完成猶予事由」と期間をリセットして新たな時効を進行させる「更新事由」とに振り分け整理されました。

　例えば、裁判上の請求の場合、時効期間満了前に訴えを提起すれば裁判確定まで時効の完成が猶予されることになります。ただし、訴えを取り下げた場合は、訴えの取下げから6か月以内は時効の完成が猶予されます。また、時効期間満了前の催告では、催告から6か月以内に訴えの提起をしなければ時効が完成しますが、時効期間満了から訴えの提起までが、時効の完成が猶予される期間となります。

　なお、改正前の民法では、未成年者と成年後見人の時効の停止（旧法158条）、夫婦間の時効の停止（旧法159条）、相続財産に関する時効の停止（旧法160条）の規定がありましたが、現行法では「時効の停止」が「時効の完成猶予」となりました。こうした停止事由も「完成猶予事由」と位置づけた上で、天災等による時効の完成猶予期間を障害が消滅した時から2週間を、3か月に伸長し（161条）、また当事者間で権利について協議を行う旨の合意が書面または電磁的記録によってなされた場合には、時効の完成が猶予されるとする新たな猶予事由も新設されています（151条）。

総則 21 取得時効と消滅時効

一定の期間の経過で権利を取得、権利が消滅する

162条〜169条

☞時効には、一定の期間の経過で権利を得ることができる取得時効と権利を失う消滅時効とがある。

権利の取得か！権利の消滅か！

1 取得時効と消滅時効

ある事実状態が一定期間継続して、権利を取得する場合が取得時効であり、権利不行使の状態が一定期間継続して権利を失う場合が消滅時効です。

2 所有権の取得時効

他人の土地を時効取得するのは、どのような場合でしょうか。

民法は、「所有の意思」をもって「平穏・公然」に「他人の物」を「占有」した者は、その占有開始時に「善意・無過失」の場合は10年、「悪意」または「過失」のある場合は20年の期間の経過によって、時効が完成するものとしています。

取得時効の適用には、「所有の意思」が必要です。土地について所有者と利用契約を結び、その上に建物を建てて20年以上住んでいても、その他人の土地を時効取得することはできません。その土地の占有は利用契約によるものであり、「所有の意思」がないからです。この所有の意思は占有している者の内心の意思とは関係なく、その土地の占有の事情（この場合は利用契約）から客観的に判断されます。

「善意」とは、それが自分の土地でないことを知らない場合をいい、「悪意」とは知っている場合です。この要件は占有開始時に判断されますので、占有継続後に悪意となっても、10年の経過で時効が完成します。

占有とは事実として支配している状態をいい、固定資産税の支払い、利用状況等を総合的に判断して決定します。

3 所有権以外の財産権の取得時効

所有権以外の財産権にも取得時効が適用されます。その時効期間は所有権の場合と同様に占有者の善意、悪意等に応じて、10年、20年の時効期間が定められています。

地上権、永小作権、地役権等の用益物権や質権等占有を要素とする権利は取得時効の対象となりえますが、財産権でも抵当権のように占有を要素としない権利や、解除権のように権利行使の継続が予定されていない権利には取得時効の適用はありません。

債権も一般的には取得時効の適用は否定されますが、賃借権は占有を要素としている点で、取得時効の適用があるとするのが判例です。

4 消滅時効とは

取得時効とは反対に、一定の時の経過とともに権利を失う場合が消滅時効です。

消滅時効の時効期間は統一的に、①権利を行使することができる時から10年、または②権利を行使することができることを知った時から5年のどちらか早い方とされます。

なお、所有権や所有権に基づく物権的請求権等については、沿革的な理由もあって、消滅時効の適用はないとされています。

取得時効と消滅時効のしくみ

取得時効

一定期間所有等の意思をもって権利の行使をした者は、その権利を取得する。

●取得時効の期間（162条〜163条）

10年	●他人の物の所有権（所有の開始のとき善意無過失で、所有の意思を持って平穏かつ公然と占有） ●所有権以外の財産権（所有の開始のとき善意無過失で、自己のためにする意思を持って平穏かつ公然と行使）
20年	●他人の物の所有権（所有の意思を持って平穏かつ公然と占有） ●所有権以外の財産権（自己のためにする意思を持って平穏かつ公然と行使）

消滅時効

権利者が法律で定める一定の期間権利を行使しないと、その権利は消滅する。

●消滅時効の期間（166条〜169条）

〔債権等（166条）〕
①債権者が権利を行使することができることを知った時から5年間
②権利を行使することができる時から10年間
③債権または所有権以外の財産権は、権利を行使することができる時から20年間

〔人の生命または身体の侵害による損害賠償請求（167条）〕
①人の生命または身体の侵害による損害賠償請求については、上記②の「10年間」は「20年間」となる。

〔定期金（168条）〕
①各債権（定期金の債権から生じる金銭、その他の物の給付）を行使できることを知った時から10年間

〔判決で確定した権利（169条）〕
①10年より短い時効期間の定めがあるものであっても、その時効期間は10年となる。

◆消滅時効に関する期間の見直し（166条、167条、724条の2）
　従来の民法では、職業別の短期消滅制度が複雑で分かりにくいものでしたが、平成29年6月の改正（令和2年4月1日施行）により職業別の短期消滅時効は全て廃止され、時効期間についても「権利を行使することができることを知った時から5年」「権利を行使することができる時から10年」という新たな期間を定め、どちらか早い方の経過によって消滅時効が完成するものとして統一化しました。
　また、不法行為一般については従来どおりですが（724条参照）、生命・身体の侵害による損害賠償請求権については特則で損害および加害者を知った時から5年（724条の2）、不法行為債権全般に関する長期20年の期間制限について除斥期間ではなく、時効期間であることを明記しました。

知っておきたい民法の実用知識 1

1 1回の家賃の遅延で、家主はすぐに契約解除ができるか？

家賃の支払いは賃貸借契約における賃借人の義務ですが（601条）、そのわずかの遅延でも債務不履行により解除されてしまうのでは賃借人に酷でしょう。そうした実質的考慮から、その遅延が家主との信頼関係を破壊する程（3か月程度の遅延）でない場合、家主の解除権行使は権利の濫用として否定されます。　→18ページ参照

2 いったん決めた養育費は変えることはできないか？

夫婦が未成年の子を残して離婚する際、しばしば、両者の間で、「子が成年に達するまで、月々○万円を支払う」という養育費の合意がなされます。この合意は子が成年になるまで両者間を拘束しますが、合意当時、予期できない特別な事情が生じた場合、事後に増減額等、内容の変更が認められる場合もあります。　→事情変更の原則

3 高利の貸付けで、契約が無効となる場合があるのか？

金銭消費貸借では、利息制限法の所定金利を超える利息を定めると超過部分は無効となり、あまりにも高利の利息を定めると暴利行為にあたり、公序良俗に反する契約は無効（90条）として契約自体が無効となります。なお、出資法は、貸金業者の年20％を超える金利の契約を刑事罰の対象としており、また、貸金業者以外の場合は、年109．5％を超える利息の契約を刑事罰の対象としています。　→36ページ参照

4 部長が代表取締役の承諾なしにした契約は有効か？

法人の取引はその代表権のある者がなす必要があり、部長が代表取締役の承諾なしに法人としての取引をしても、その取引は無権代理（代表）として無効です。もっとも、相手方がその部長に代表権があると信じるのがもっともであるような場合、表見代理（代表）として、その取引の効果が有効に法人に帰属することもあります。　→48ページ参照

5 就学が4月2日から翌年の4月1日生まれの子なのはどうしてか？

学校教育法は、小学校への就学は満6歳に達した日の翌日以降と定めています。4月1日生まれの子は年齢計算ニ関スル法律（生まれた日も1日として計算）により、生後6年後の3月31日に満6歳となり、就学はその年の3月31日までに生まれた人と同様です。1日違いの4月2日生まれの人は翌年の入学です。　→54ページ参照

6 不在の人の土地上に、長年、木を勝手に植えていれば時効取得できるか？

取得時効の制度は、善意・無過失の者で10年、悪意・有過失者は20年の目的物の占有で目的物の所有権を取得できるとしています（162条）。他人の土地に木を勝手に植えるなどして占有を継続している者は、他人の土地であることを知っていても20年でその土地を時効取得できます。　→58ページ参照

7 時効後に貸金の一部を払うと時効の放棄となるのか？

時効期間が経過しても、時効の利益を受ける者はその利益を放棄することが可能です（146条）。そこで債務者が時効完成後に一部弁済した場合にどうなるかですが、時効完成後の承認については、時効完成事実を知らなくても援用は許されないのが原則です。ただし、債務者の無知に乗じる等の欺瞞的な方法で一部弁済がなされたような場合には、時効の援用権は喪失せず時効の援用を認めた判例があります。　→56ページ参照

8 内容証明で何回でも時効の完成が猶予できるか？

民法は催告に対し、6か月以内に裁判手続きをとることを条件に時効の完成猶予の効果を認めており（150条）、内容証明郵便の発送はこの催告にあたります。もっとも、この猶予は1回に限られるとされており、何回も内容証明郵便を発送して時効完成をどんどん先延ばしにすることはできません（同条2項）。　→57・120ページ参照

第2編 物権

175条～398条の22

民法のしくみ

民法は1050条から成る私人間のルールを定めた法律

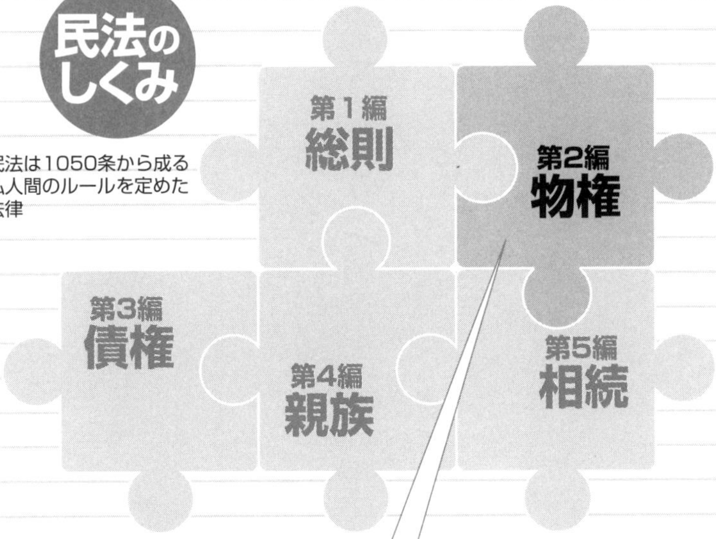

- 第1編 総則
- 第2編 物権
- 第3編 債権
- 第4編 親族
- 第5編 相続

◆物権編は、土地や家屋、自動車など一定の物に関し、人が持つ権利について定めています。定められた10の権利の範囲内で、自分が好きなように使用したり、移転したりすることができる権利が物権です。最近の物権法改正では、相隣関係と共有の規定を改正、所有者不明不動産に関する規定などが新設され、令和5年4月1日から施行されました。

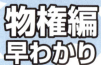

物権編は物の上に成り立つ権[利]

第2編・物権のしくみ

- **第1章 総則** (175条～179条) → 物権編共通の決まり
- **第2章 占有権** (180条～205条)
  - 第1節 占有権の取得
  - 第2節 占有権の効力
  - 第3節 占有権の消滅
  - 第4節 準占有
- **第3章 所有権** (206条～264条の14)
  - 第1節 所有権の限界
  - 第2節 所有権の取得
  - 第3節 共有
  - 第4節 所有者不明土地・建物管理命令
  - 第5節 管理不全土地・建物管理命令
  - ※208条削除

→ 占有・所有権

- **第4章 地上権** (265条～269条の2)
- **第5章 永小作権** (270条～279条)
- **第6章 地役権** (280条～294条)

→ 用益物権

- **第7章 留置権** (295条～302[条])

利等について定める

物権編・早わかり

※**物権編**では、物権の対象・種類・効力・変動から各種の物権の内容と効力およびこれらの権利の設定・移転について定めています。要するに人が物（財産）に対してどのような権利を持つかを定めた法律が物権編なのです。

■**総則** すべての物権に共通する決まりで、物権の種類、設定・移転などについての定めがあります。

■**占有権** 占有とは、一定の物を所持している状態をいい、この状態をそのまま権利として認めたものが占有権です。物権編では、占有権の取得・消滅などについて定めています。

■**所有権** 所有権は物を完全に支配し、利用することができる権利です。他の権利が物を一定の期間、一定の方法で支配するのと異なり、全面的かつ完全に支配するという点に特色があります。

■**地上権** 設定行為（契約など）により、地上権は他人の土地に建物を建てたりして、その土地を使うことができる権利です。なお、似たものに賃借権がありますが、これは物権ではなく債権であることに注意してください。

■**永小作権** 地上権と同様、設定行為（契約など）で、他人の土地を使う権利ですが、その目的が土地の耕作、牧畜のための場合です。

■**地役権** 設定行為（契約など）により、自分の土地の利益のために他人の土地をを使用する権利で、自分の土地に行くために他人の土地を通ったり（通行地役権）、他人の土地から水を引く権利などがあります。

■**担保物権** 貸金や代金の回収のためなどに、一定の物を担保とすることが、通常行われています。これには、留置権・先取特権（法定担保物権）、質・抵当権（約定担保物権）の4つがあります。また、この他に利用されているものとして、譲渡担保、代物弁済予約があります。

物権

1 物権と物権法定主義

権利の客体（対象）となる物

175条～179条

☞人は権利の主体で、物は権利の客体（対象）で、物の上に成り立つ権利は10種類に法定されている。

物権は物の上に成り立つ権利だ！

1 物権

民法は個人と個人との関係を権利・義務の関係として考えてゆきます。その際、現れてくる権利の中で最も代表的なものが「物権」と「債権」です。

物権とは、物を直接に支配する権利です。債権が直接にはその対象を債務者の行為（給付）とするのに対し、物権は物そのものを対象とします。

2 物権の性質（排他性）

物権は、物の直接支配を内容としますので、いったん物の上に物権としての支配が確立すると、それと両立し得ない支配を内容とする物権は成立し得ないことになります。物権のこの性質を物権の「排他性」といいます。

3 物権の性質（公示の必要性）

物権の排他性はすでに成立している物権と両立し得ない物権を排除しますので、これからその物について権利を取得しようとする第三者にとっては重大な問題となります。そこで、こうした第三者を保護するため、物についての権利の状況を第三者が知り得るような法的な公示の手段を講ずる必要が生じ、民法では登記・占有等にこうした公示としての役割を与えています（次項参照）。

4 物権の性質（一物一権主義）

1つの物権の客体は1つの物という原則を「一物一権主義」といいます。これは、1つの物には同内容の物権は成立しないという先に述べた物権の排他性を示す場合と、逆に1つの物権の目的は独立した1つの物であり、1つの物の一部や複数の物にわたって1つの物権が成立しないという物の独立性、単一性を示す場合とがあります。前者が物の支配という物権の本質からの直接の要求であるのに対し、後者は、物の一部や複数の物の上に物権を認めると公示が困難となるという物権における公示の必要性から導かれるものとされています。

5 物権法定主義

物権は、民法をはじめとする法律で規定されたもの以外に当事者が自由に創設することができません。これを「物権法定主義」と呼びます（物権の種類⇒右参照）。

当事者の自由な物権の創設は公示が不可能であるからです。

6 物権的請求権

物権の円満な支配状態が妨害され、またはそのおそれのある場合に、あるべき状態の回復または予防を求める請求権を物権的請求権といいます。

物権という権利が物の直接的支配を権利として保護する以上、その支配が何らかの理由によって侵害された場合にはそれに対しての救済手段が当然に必要となってきます。

このように、物権の権利者に与えられた侵害からの救済手段を物権的請求権と呼び、返還請求権、妨害排除請求権、妨害予防請求権の3種に分類されます（74ﾟ参照）。

物権法定主義のしくみ

　物権とは、人（自然人・法人）が物（動産・不動産）を直接支配する権利で、法律で定められたもの以外は認められない。

◆**民法上の物権の種類（10種類）**

【本権】
【制限物権】

❶ 占有権
物に対する事実上の支配（占有）をしている人にとりあえず認められる権利。

❷ 所有権
法令の制限内において、物を自由に使用・収益できる権利。
・入会権（共有の性質を有するもの）

❸ 用益物権（3種類）
他人の土地を一定の目的のために使用・収益する権利。
・地上権
・永小作権
・地役権

❹ 担保物権（4種類）
目的物を債権（貸金など）の担保とすることを目的とする権利。
・留置権 ┐
・先取特権 ┘ 法定担保物権
・質権 ┐
・抵当権 ┘ 約定担保物権

物権法定主義 ➡ 法律で定められた種類・内容のもののみ認められる

※占有権と本権　民法の物権編の規定では、まず占有権についての定めが置かれている。なぜ、所有権ではないのか、と不思議に思われる人もいるだろうが、民法は、まず事実上、物を支配している人を権利者（占有者）と認め、所有権などの本権に照らして問題があれば占有権の移転請求（引渡し）ができるという立場をとっている。ただし、自分の所有物だからといって勝手に占有者の承諾なしに持ってくること（自力救済）はできない。

（物権の創設）
第175条　物権は、この法律その他の法律に定めるもののほか、創設することができない。
（物権の設定及び移転）
第176条　物権の設定及び移転は、当事者の意思表示のみによって、その効力を生ずる。
（不動産に関する物権の変動の対抗要件）
第177条　不動産に関する物権の得喪及び変更は、不動産登記法（平成16年法律第123号）その他の登記に関する法律の定めるところに従いその登記をしなければ、第三者に対抗することができない。
（動産に関する物権の譲渡の対抗要件）
第178条　動産に関する物権の譲渡は、その動産の引渡しがなければ、第三者に対抗することができない。

物権 2　物権の変動と対抗要件

登記があれば第三者の権利主張に対抗できる

177条関連

☞登記があれば権利者であることを主張できる。無権利者からの取得は、登記があっても権利者になれない。

登記は不動産の戸籍のようなもの！

1　物権変動

人々は、様々な原因で物権を手にしたり、物権を失ったりします。こうした、物権の発生、変更、消滅のことを「物権変動」といいます。

2　物権変動と公示の必要性

物権は排他性を有する強力な権利です。ある物にある人の所有権が成立すると、同時に他の人の所有権は成立し得ません。したがって、Aの土地をBに譲渡し、所有権がBに移転した場合、CがAからその土地を買い受けても、実際はその土地はBの所有となっており、Cは所有権を取得できないことになります。

こうした事態を避けて取引の安全を図るためには、物権の現状を第三者に知らせ、物権変動があった場合にはその変動を何らかの形で公示する制度が必要となってきます。その公示方法として、民法は、不動産物権変動の場合は「登記」、動産物権変動の場合は「引渡し」を用意しています。

3　物権変動と公示方法

この物権変動についての公示方法を備えることで、物権変動に公示を不可欠なものとするかについては各国の立法例により異なります。

わが国では、物権変動については当事者の意思表示のみで完成し、登記等の公示方法は対第三者対抗要件とする「対抗要件主義」をとっています。

この意味は、物権変動自体は当事者間の意思表示のみで完成するものの、この物権変動に基づく権利関係をある一定の地位にある第三者に主張するためには登記等の対抗要件が必要であるということです。対抗要件を備えていないと、第三者の側がその物権変動を認めてくれない場合は、その物権変動を第三者に主張することができないわけです。

4　物権変動と公示の原則

上の対抗要件主義は、見方を変えれば、Aからその所有物を譲り受けようとするCは、たとえその物がAからBに所有権が移転していても、それに伴う公示方法が講じられていない以上、そのAからBへの移転を無視して自ら所有権を取得できるということを意味しています。

すなわち、上の対抗要件主義は、公示と実質が異なっている場合に、その公示に現れていない実質は無視できるという第三者の消極的信頼を保護することができるのです。

5　物権変動と公信の原則

公示の原則は、公示と異なる実質はないだろうという消極的信頼を保護するものですが、反対に、実質がなくても公示があれば公示通りの物権変動が生じているはずだという積極的信頼を保護する制度が公信の原則です。

わが民法は、動産に関しては即時取得の制度で公信の原則を採用しましたが、不動産については公信の原則は採用しませんでした。

物権変動のしくみ

第2編 物権
第1章 総則

要旨 物権は、さまざまな原因（売買など）により、発生・変更・消滅する。これを「物権変動」という。

物権変動

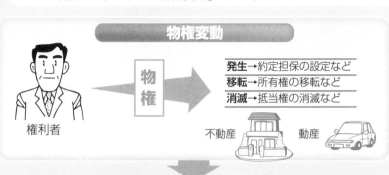

権利者 → 物権

- **発生**→約定担保の設定など
- **移転**→所有権の移転など
- **消滅**→抵当権の消滅など

不動産　動産

対抗要件の取得

権利者

不動産 → 登記

動産（不動産以外）→ 引渡し

不動産の場合、重要な財産なので、公示方法として登記が必要。登記がなくても当事者間では契約により物権変動が生じるが、第三者に対しては対抗（自分に権利があることを主張）できない。

動産の対抗要件は引渡しである。

〔注〕法定担保物権（留置権・先取特権）などは、対抗要件は不要。

対抗要件の取得の効果

権利者
（対抗要件取得）

権利主張

争い

権利主張

第三者
（対抗要件なし）

○　×

例 不動産の売主が2人に譲渡した場合（二重譲渡）、先に登記をした者が権利を取得する。

動産の即時取得

即時取得とは、処分権限なく動産を占有する者が、その動産を処分した場合に、取得者が善意（相手に処分権限がないことを知らないこと）、無過失（そのことを知らないことについて落ち度がないこと）の場合には、その権利を取得するというものである。これは、動産の対抗要件が引渡しということに起因する。

ただし、これは動産の場合で、不動産の場合には適用がない。例えば、権限なく不動産を占有している人（無権利者）から購入し、登記をしたとしても、権利（所有権）を取得することはできない。

物権 3 占有権はどういう権利か

180条〜205条

自分のためにする意思で物を所持することにより得られる権利

☞物を事実上支配している状態を認める権利で、多くの場合、後述する所有権も持っている。

持ち物には、原則、占有権がある!

1 占有権の意義

「占有権」とは、物の事実的な支配を保護する権利です。

その支配の根拠は一切問わずに、事実上支配していることによってこの占有権は生じます。例えば、泥棒が盗んだ宝石を自分の隠れ家に隠し置いているような場合、その泥棒はその宝石を支配するなんら正当な根拠を有していないわけですが、民法上は、その泥棒もその宝石に対する占有権を有するとして限られた範囲ではありますが、一定の保護が与えられているのです。

2 占有権の特殊性

このように、占有権はその支配の根拠を問わない点で特殊であり、他の物権と一線を画します。占有権は支配の事実のみを問題とする点で権利とするべきではないという主張もあるくらいですが、一応、今日の民法上、占有権も物権の1つとしての地位を与えられています。なお、占有権以外の所有権等、権利の根拠となる物権は、占有権に対して「本権」と呼ばれます。

占有権は事実そのものを問題としている点で相続の対象とはなり得ないのではないかという議論もあります。しかし、この点につき、通説・判例は、事実的支配も社会観念上当然に相続人に承継されるとして相続を認めています。

3 占有の要件

占有の要件は、①所持、すなわち物に対する事実的支配と、②自己のためにする占有意思、です。もっとも、占有意思といってもその有無は占有を生ぜしめた原因から客観的に判断されるものとされています。

4 占有の態様、種類

占有は様々な観点から分類されます。まず、占有は代理人によってもなすことができる関係で、この占有を誰がするかによって、自己占有と代理占有とに分けられます。占有者本人がみずから物を所持している場合が自己占有、本人が他人(占有代理人)の占有を通じて取得するのが代理占有です。また、占有が所有の意思に基づくものか否かで区別する自主占有と他主占有の区別も、取得時効のところで重要となってきます。

占有すべき権利(本権)がないにもかかわらず、本権があると誤信して占有している場合を善意占有、本権がないことを知りまたは疑いをもちながら占有している場合が悪意占有です。この善意占有はさらに、その善意について過失があるか否かによって、過失ある占有と過失なき占有に分かれます。また、瑕疵ある占有は、悪意・過失・強暴・隠秘・不継続など、占有に基づく完全な効果を生ずるのに妨げとなる事情を伴う占有で、瑕疵なき占有はこれらを伴わない占有です。これらは、費用償還請求の範囲に違いをもたらしてきます。

その他、占有の主体が単独人か複数人による単独占有と共同占有の分類もあります。

占有権のしくみ

要旨 占有とは、「自己のためにする意思」をもって「物を所持」する事実状態をいい、占有に基づいて所持者に認められる権利が占有権である。

占有権と他の物権（所有権など）との関係

　物に対する事実上の支配を、その原因のいかんを問わずに、とりあえず権利として保護したのが占有権である。

　したがって、盗人が盗品を所持している場合も、占有者としての権利がある。ただし、所有権など（本権）に基づき、正当な権利者からの占有権の移転請求があれば権利を失うことになる。

物権 4 占有権の取得と移転

通常は引渡しによって占有権を取得する

180条～187条

☞占有権の取得を第三者に対抗（主張）するためには、動産は現実の引渡し（物の支配の移転）等が必要である。

早く引渡しを受けた者が勝つ！

1 占有権の取得

占有権を取得するには、動産物権変動の対抗要件としての「引渡し」が必要です。この引渡しによる占有権の取得には、

①現実の引渡し、
②簡易の引渡し、
③占有改定、
④指図による占有移転

の4つの方法があります。

2 現実の引渡し

「現実の引渡し」とは、まさに現実に物の支配を移転することです。

Aという人が腕時計を所持しているとき、これをBという人に実際に手渡せば、その腕時計は現実の引渡しによってBに占有権が移転し、Bはその腕時計の占有を取得することになります。

3 簡易の引渡し

「簡易の引渡し」とは、すでに相手が物を支配しているときに、こちら側が相手に渡したことにする場合をいいます。

例えば、Bという人が腕時計を実際に手に持っていても、それがAの占有についての補助者としての地位で所持している場合は、Bの地位はAの「占有補助者」に過ぎず、腕時計の占有権をAは有しているのに対し、Bは有していないことになります。このように、BがAの占有補助者として腕時計を所持している場合に、これをAB間の意思表示でBに占有が移転したことにするような場合が簡易の引渡しです。

4 占有改定

「占有改定」とは、現実にはこちら側に物が置かれたままの状態で、相手方に占有が移転したことにするというものです。

Aが腕時計を所持し、占有権も有している場合に、AB間の意思表示でBに占有が移転したことにし、Aが占有補助者となる場合がこれにあたります。

簡易の引渡しの場合と比べますと、ともに意思表示のみで占有権の移転が生ずることは同じですが、最初に腕時計を所持していたものが占有補助者から占有主体に格上げとなるのが簡易の引渡し、占有主体から占有補助者に格下げとなるのが占有改定ということになります。

なお、占有補助者とは、店員が店の品物を物理的に手中にしているような場合で、機関にすぎないとされています。

5 指図による占有移転

「指図による占有移転」とは、第三者のもとに物が置かれたまま、相手方に占有を移転したことにするものです。

Cが腕時計を占有補助者としてAのために所持している場合、AB間の意思表示でBに占有が移転する場合です。

この場合、占有移転の当事者であるAB間の意思表示だけでは足りず、Cに対してAが命ずることが必要となってきます。現実に物を所持しているCに対して、自分が一体誰のために占有しているかを知らせる必要があるからです。

占有権の取得と移転のしくみ

 占有権は、「自己のためにする意思（占有の意思）」をもって、「物を所持」することで取得する。

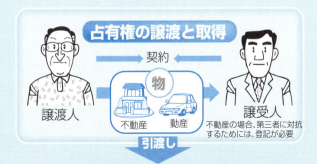

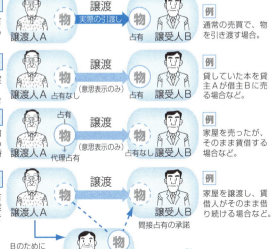

（注）○は物の引渡し前
○は現に物がある所

（占有権の取得）
第180条 占有権は、自己のためにする意思をもって物を所持することによって取得する。
（現実の引渡し及び簡易の引渡し）
第182条① 占有権の譲渡は、占有物の引渡しによってする。
② 譲受人又はその代理人が現に占有物を所持する場合には、占有権の譲渡は、当事者の意思表示のみによってすることができる。

物権 5 占有権の効力と消滅

188条〜205条

物を占有していれば、適法な権利者としての推定を受ける

☞占有権の争いはどういう権利（本権）に基づいて、占有しているのかに帰結する。

権利のない占有は無効！

1 占有権の効力

占有権の効力は、大きく、①一定の要件の下で占有自体に本権同様の扱いをしようとする本権取得的効力、②占有が本権を公示するという本権公示力、③占有そのものを保護する効力、という3つに分けることができます。

2 占有の本権取得的効力

占有の本権取得的効力はさらに、占有が本権に昇格するという効力と、占有が本権と同様の効果を認められるという効力とに細分されます。

本権昇格的効力の代表的なものは、取得時効ですが、この他に無主物や家畜外動物は一定の要件の下に占有が本権に昇格します。

本権同様の効力が認められる場合には、善意の占有者に認められる占有者の果実収取権、費用償還請求権、滅失毀損の損害賠償責任があります。

果実取得権限を伴う本権がないのに、これをあると誤信していた善意の占有者は、占有物から生じる果実を取得することができます。

占有者が必要費を支出したときは、原則として常に回復者にその費用の償還請求ができ、有益費の支出の場合は、価格の増加が現存する場合に限り、回復者の選択に従って、支出した費用額または現存の増加額のいずれかの償還を受けることができます。

占有者が自分の責めで占有物を滅失・毀損した場合、悪意（正当な理由のない）占有者等はその全部の損害を賠償する義務を負うのに対し、所有の意思ある善意（正当な理由のある）占有者はその行為により現に利益を受ける限度でのみ賠償すれば足ります。

3 本権公示的効力と即時取得

本権公示的効力としては、先に述べた動産についての占有の公示力が中心ですが、この他に本権の推定力、さらには公信力があります。

物の占有者は多くの場合は適法な本権者であるという経験則を基礎に、占有にはおそらく占有者が本権者であるだろうという推定力が与えられています。

さらに、民法は動産についてはこの推定に基づく信頼から取引に入った者を保護するという即時取得の制度を認めています。

4 占有そのものを保護する効力

占有そのものを保護する効力としては「占有訴権」があります。

占有訴権とは、占有者が占有を妨害され、または妨害されるおそれがある場合に、妨害者に対して妨害を排除し、またはそのおそれを排除することを請求して占有の回復・維持を図る権利で、その侵害の態様に応じて、占有保持の訴え、占有保全の訴え、占有回収の訴えの3種類があります。

5 占有の消滅

自己占有は占有の意思を放棄することや目的物の所持を失うことで消滅します。

占有権の効力の発生・消滅 のしくみ

 占有権を取得すると占有の効力が発生し、真の権利者といえども、自分で占有（者）を排除することはできない。

占有権の効力の発生

占有権者 — 自己のために占有する意思で所持 → 占有 — 物（不動産・動産）

物を占有している場合の効力

1 取得時効
時効で所有権を取得できる（162条）

2 即時取得
動産を取引行為で無権利者から買っても所有者になる（192条）

3 権利の推定
無権利者でも権利者と推定される（188条）

4 各種推定
所有意思・平穏・公然・善意の占有であると推定される（186条）

5 果実取得権
善意のときは果実を取得できる（189条）

6 費用償還請求権
保存費用や必要経費は返してもらえる（196条）

7 占有訴権
占有の回収・保全・保持を請求できる（197条）

※盗品・遺失物については、被害者・遺失者は2年間はその物の回復を請求できる（193条）

占有権の消滅

占有者 — ・所持を失う ・放棄 → 物（不動産・動産）

例　譲渡により目的物を譲受人に引き渡した場合
　　訴訟に負けて目的物を引き渡した場合
　　占有物を紛失した場合・など

占有訴権

占有が妨害されたり、奪われたりした場合には、訴えをもって、元通りにすることができる。
占有訴権には以下の態様がある。

① 占有を妨害されたとき → 占有保持の訴え → 妨害排除・損害賠償請求

② 占有を妨害されそうなとき → 占有保全の訴え → 妨害の予防・損害賠償の担保請求

③ 占有権を奪われたとき → 占有回収の訴え → 返還・損害賠償請求

（占有物について行使する権利の適法の推定）
第188条　占有者が占有物について行使する権利は、適法に有するものと推定する。
（即時取得）
第192条　取引行為によって、平穏に、かつ、公然と動産の占有を始めた者は、善意であり、かつ、過失がないときは、即時にその動産について行使する権利を取得する。

第2編　物権　第2章　占有権

物権 6 所有権はどういう権利か

所有権は物を全面的に支配する権利である

206条～207条

☞所有権があれば、法令の制限内で物を自由に処分・収益することができる。

通常、自分の持物には所有権がある

1 物権の分類

ここで物権をその内容面から分類してみます。

まず、占有という事実状態のみを根拠に認められる占有権と、事実状態とは無関係に、物の支配の権原を根拠に認められる本権とに分けることができます。

次に、本権は、物の全面的支配を内容とする所有権と、部分的支配のみしか有しない制限物権に分けることができます。

制限物権はさらに、その支配する権能に着目して、物の使用収益権能を支配する用益物権（地上権、永小作権等）と交換価値を支配する担保物権（質権、抵当権等）とに分けることができます。

2 所有権の意義

所有権は、その物の使用・収益・処分という支配権能のすべてを有する全面的支配権です。

したがって、物に対する支配という点では、制限物権（地上権など、65・85㌻表参照）は所有権の諸権能の一部が流出して生じたものということができ、制限物権はそれが所有者に帰属すると混同（140㌻参照）によって消滅することとなります。

また、物の全面的支配には時間的限界は付されないものとされ、したがって、所有権は消滅時効にかかることはありません。

3 物権的請求権

ここで、前述の物権的請求権を所有権を例に少していねいに見てゆくこととします。

物権的請求権は所有権に対する妨害の態様いかんで返還請求権、妨害排除請求権、妨害予防請求権に分類されます。

「返還請求権」は、所有者以外の者が目的物を占有している場合、その物の返還を請求する所有者の権利です。

他人が現に目的物を占有している場合に行使されるもので、その請求の相手方は現に占有を妨げている者になります。

所有権の行使が占有侵奪以外の方法で妨害されている場合に、その妨害の排除を請求する権利が「妨害排除請求権」です。

所有者に目的物の占有はあってもその行使が妨げられている場合にその妨害を排除しようという場合に行使されるもので、相手方は現に妨害状態を生じさせている者になります。

判例は、土地所有者が地上建物の収去土地明渡請求という形で妨害排除を求める場合に、地上建物が譲渡されていてもその譲渡の登記がなされていなければ、なお、名義人である譲渡人が相手方になるとしています。

将来、所有権の行使が妨害されるおそれのある場合、その妨害の予防を請求する所有者の権利が「妨害予防請求権」です。

現に妨害が生じているわけでなく、将来の妨害の蓋然性からその妨害を未然に防ぐ権利です。

所有権のしくみ

 所有権とは、法令の制限内において、物を自由に使用・収益・処分することができる全面的支配権をいう。

法令の制限内において自由

使用
所有物を自己の使用に供すること。例えば、家屋に住む、自分所有の車を自由に乗り回すなど。

収益
所有物の果実を収取すること。
- 天然果実
  くだもの
- 法定果実
  家賃収入
  利息

処分
所有物の譲渡・放棄、および物の物理的形状を変更すること。

所有権と占有権
　所有権（本権）を有している者は、占有権を有している場合がほとんどである。しかし、動産で遺失物や盗品などのように、占有が別の者に移り、所有者と占有者が異なる場合があり、こうした場合、相手に所有権に基づいて返還の請求ができる。
　なお、借家（アパートの賃貸など）では、賃借人が借家を使用しているが、これは代理占有といわれるもので、所有者にも占有権はある。

（所有権の内容）
第206条　所有者は、法令の制限内において、自由にその所有物の使用、収益及び処分をする権利を有する。
（土地所有権の範囲）
第207条　土地の所有権は、法令の制限内において、その土地の上下に及ぶ。

物権 7 所有権と所有権の限界

209条～238条

法令で一定の場合は所有権の権利が制限される

所有権も絶対の権利ではない

☞所有権は、相隣関係から生じる制約、あるいは用益物権・担保物権の設定等により制限される。

1 相隣関係

不動産の中でも土地は、固定し、互いに隣接し合う関係にあります。所有権が物に対する全面的支配権である以上、隣接する土地同士の土地所有権は、その行使にあたって互いの土地に何らかの影響を及ぼさざるを得ないこととなり、そこに何らかの調整が必要となってくるでしょう。

こうした隣接する土地所有者相互の関係を調整する規定を「相隣関係（規定）」といいます。具体的には、隣接した土地所有者同士で相手の土地を通行する関係や相手の土地を利用する関係等を規制する規定で、令和5年4月1日施行の改正法で、土地の利用・管理がより円滑化されました。

2 公道に至るための他の土地の通行権（1）

袋地、準袋地の所有者が、公路に出るために隣地（囲繞地）を通行できる権利を「公道に至るための他の土地の通行権（囲繞地通行権）」といいます。この権利を主張するのに、特に袋地についての登記は必要ありませんが、通行権者は袋地を利用するために必要な限度で、かつ、囲繞地にとって最も損害の少ない場所、方法で通行しなければなりません。通行権者は必要に応じて通路を開設することもできます。

一方、通行権者は、通行地の損害に対して償金を支払う義務があります。その支払いは、通路開設時の損害は一括して全額支払う必要がありますが、その他の損害は1年ごとに支払えば足ります。

3 公道に至るための他の土地の通行権（2）

分割・一部譲渡によって袋地となった場合には上の通行権については例外が設けられています。

通行権者は他の分割者または譲受人の所有地のみを通行する権利があります。囲繞地を通行する権利は囲繞地所有者から見れば、土地所有に付随する負担を強いられるものであり、積極的に袋地が作出された場合にまで受忍する必要はないということです。この場合、償金は分割時に処理されていると考えられますので、袋地所有者は償金を支払う必要はありません。

4 隣地の竹木

隣接地の竹木の枝が境界線を越えると、竹木の所有者に切除させることができます（次ペ・最近の法改正参照）。根が越境したときは自分で切除できます。

5 建物築造

民法では土地に建物を築造するときには、境界線より50cm以上の距離を要するとされています。しかし、建築基準法63条は、一定の建築物を境界線に隣接して設けることができるものとしています。この2つの規定の関係はどのように考えればよいでしょうか。

この点、判例は、建築基準法は民法の特則であり、同法の要件が満たされるような建築物については、民法の規定が排除されるものとしています。都市部の合理的土地利用を重視したものといえます。

所有権の制限のしくみ

　所有権は物に対する全面的な支配という強い権利だが、他の物権との関係や隣り近所や他者との利害関係との調整から一定の制約を受ける。

第2編　物権

第3章　所有権

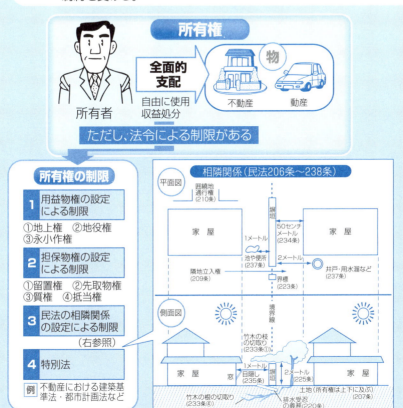

◆**最近の法改正**　相隣関係の規定の見直し（209条、213条の2等）　**令和5年4月1日施行**

「民法等の一部を改正する法律（令和3年4月28日公布）」により相隣関係の規定が見直され、隣地等の利用・管理の円滑化が図られました（令和5年4月1日施行）。具体的には、土地所有者は建物築造や修繕、境界線の調査などで隣地使用が必要な場合、旧法では、隣地所有者に「使用を請求」し許可を取る必要がありましたが、改正法では、隣地所有者や隣地使用者に対し、隣地への立入りや使用の目的・日時・場所・方法を通知するだけで、隣地を「使用できる」ことになりました（209条）。また、これまで根拠規定のなかった電気、ガス、水道などライフラインを自己の土地に引き込み、その継続的給付を受けるために必要な場合、導管等の設備を他人の土地に設置できる権利についても新たに明文化されました（213条の2）。ただし、分割により他人の土地を使用しなければ継続的給付を受けることができなくなった場合は、他の分割者の土地のみを使用できます（213条の3）。なお、越境した竹木については、旧法では竹木の所有者が切除に応じなければ裁判を起こすしかありませんでしたが、改正法では、竹木所有者が応じない場合や竹木所有者が不明な場合には、越境された土地所有者が切除できることになりました（233条）。

77

物権 8 所有権の取得

239条〜248条

所有権の取得原因には「承継取得」と「原始取得」とがある

☞売買、相続などの承継取得、時効、遺失物拾得などの原始取得により、所有権は移転する。

所有権は売買などで取得する

1 所有権の取得原因

所有権の取得原因については、前の人の権利を前提として所有権を取得する「承継取得」と前の人の権利を前提としないで、これとは無関係に所有権を取得する「原始取得」とに分けることができます。

承継取得は売買など特定の目的物を承継する「特定承継」と、相続など目的物を特定しない「包括承継」に分かれます。原始取得は、時効取得、即時取得、無主物先占、遺失物拾得、埋蔵物発見、添付に分かれます。

2 無主物先占、遺失物拾得、埋蔵物発見

現に所有者の存在しない動産、遺失物、埋蔵物は、所有の意思をもって、その物を占有することによって、所有権を取得します。

3 添付

「添付」とは、所有者の異なる2個以上の物が何らかの形で結合・混合し、それらを分離・復旧することが不可能ないし著しく困難となった場合、分離・復旧を認めないことをいいます。

こうした場合に分離・復旧を認めることは社会経済上の見地からも、当事者にとっても不利益であることからこうした制度が認められています。

この場合、所有権は原則として主たる物の所有者が取得し、所有権を失った者は取得者に対する利得償還請求権を取得することになります。添付により物の所有権が消滅すると、原則として、その物の上に存した他の権利もまた消滅します。

この添付には不動産の付合・動産の付合、混和、加工の4種類があります。

4 不動産の付合

「不動産の付合」とは、不動産と動産が結合して分離・復旧が社会経済的に困難な場合です。

この不動産の付合は、動産が独立性を失い、不動産の構成部分となってしまう「強い付合」と動産がなお独立性を保持している「弱い付合」とに分かれます。

不動産の付合においては、不動産所有者が動産の所有権も取得しますが、弱い付合の場合には、権原による動産所有者の所有権留保が認められています。

5 動産の付合

これは所有者を異にする数個の動産が結合した場合です。主たる動産の所有者が新所有者となり、主従の区別のないときは価格の割合に応じ共有となります。

6 混和

「混和」は、物が混じり合って識別ができなくなる場合で、その効果は動産の付合と同じです。

7 加工

「加工」とは、他人の動産に工作を加えて新たな物を作ることです。原料動産の所有者が加工物の所有権を取得しますが、加工により価値が著しく増加したときは加工者が新たな所有権を取得します。

所有権の取得のしくみ

要旨 所有権の取得原因には、契約、相続（承継取得）、無主物先占、遺失物拾得、埋蔵物発見（原始取得）、添付があり、時効も取得原因である（58ページ参照）。

所有権の取得原因

1 契約
購入などによる所有権移転による取得。
所有者 物→物 取得者

2 相続
相続により被相続人（死亡した人）から相続人への所有権移転による取得。
被相続人（所有者）物→物 相続人（取得者）

3 無主物先占
所有者の存在していない動産の取得。
（例）物←物 取得者
無主物

4 遺失物拾得
公告後3か月以内に所有者が現れなかった場合は、拾得者が所有権を取得。
物←物 遺失物拾得者
遺失物

5 埋蔵物発見
公告後6か月以内に所有者が現れなかった場合は、発見者が所有権を取得。ただし、他人の所有物の中で発見したときは発見者と所有者が折半。

取得者
↓
移　転
（所有権の取得原因）
↓
取得者

6 添付

①付合
所有者の異なる所有物が合体して、分離不可能あるいは分離することが不相当と見られる場合。

不動産と動産の付合
台所の改装（賃借人B）

A所有の不動産
↓
A所有となる

動産と動産の付合
革の提供A
革張りの椅子

内部の骨組みB提供
↓
主従の関係にあれば主の部分の所有者の所有となる。主従がなければ共有。

②混和
固形物、あるいは流動物が混じり合い、融和して分離できない状態になること。

固形物　穀物A 穀物B
流動物　液体A 液体B
↓
付合の場合の規定を準用。主従の関係にあれば主の部分の所有者の所有となる。主従がなければ共有。

③加工
他人の動産に工作（労力）を加えること。

（B）加工
木（材料）→材木
（A）所有
原則として、材料の提供者が所有者となる。ただし、加工物の値段が材料に比して著しく高価なときは、加工者の所有となる。

（無主物の帰属）
第239条① 所有者のない動産は、所有の意思をもって占有することによって、その所有権を取得する。
② 所有者のない不動産は、国庫に帰属する。

（遺失物の拾得）
第240条 遺失物は、遺失物法（平成18年法律第73号）の定めるところに従い公告をした後3箇月以内にその所有者が判明しないときは、これを拾得した者がその所有権を取得する。

物権 9 所有権の共同所有

物は共同で所有することができる

249条〜264条

☞共同所有には、共有・合有などがあり、1個の物の上に複数の人が所有権を分量的に分割して所有することを共有という。

共有は持分に応じて所有

1 共同所有の諸形態

生活を営んでいく上で、物を共同で所有することは少なくありません。こうした共同所有の形態として、民法上、共有、合有、総有という形態が考えられています。

2 共有

「共有」とは、数人がそれぞれ共同所有の割合としての持分を有して1つの物を所有することをいいます。

共有においては、持分譲渡は自由ですし、分割請求もいつでもできます。共有者の1人が持分権を放棄したり、相続人なくして死亡したような場合、他の共有者の持分が拡張します（共有の弾力性）。

なお、各共有者は、自己の持分については自由な処分が可能ですが、物全体についての行為には他の共有者との関係で問題が生じてきます。例えば、家屋の修繕等の保存行為は各共有者が単独でこれをなすことができますが、共有物の賃貸等の利用行為、共有地の地ならし等の改良行為は持分価格の過半数で決めます。また、共有物の売却や抵当権の設定等の処分は共有物の変更として全員の同意が必要です。

しかし、実際には、その行為が変更か、改良か、明確に判断できない場合も少なくありません。また、共有者が遠方にいたり、行方不明で連絡が取れない人がいる場合、全員一致の決定を得るのは困難です。

旧法には、このような場合の対処規定がなかったため、共有物の使用・管理の円滑化を図る法改正（令和3年法律第24号）がなされたのです（令和5年4月1日施行。詳しくは次項参照）。

3 共有物分割

共有者はいつでも共有物の分割請求が可能ですが、共有者間で5年を限度とする不分割特約を締結することもできます。分割方法は、協議が調わないときは裁判分割となり、現物分割が原則です。これが不可能または著しく価値を減少させるような場合、競売して代金を分けることになります。

4 合有、総有

合有というのは、各共有者が持分を潜在的には有しているのですが、持分譲渡の自由が否定され、また、目的物の分割請求も否定されているような共同所有形態です。民法上、組合財産に対する組合員の共同所有がこの合有と考えられています。

総有とは、各共同所有者の持分が潜在的にさえ存在しておらず、持分処分や分割請求は問題になり得ない共同所有形態です。民法上は入会権や権利能力なき社団の所有関係がこれであると考えられています。

5 建物区分所有

分譲マンション等の1つの建物を複数人で区々に所有する場合の所有関係については、区分所有法がこれを規定しています。同法は1つの建物を専有部分と共用部分に分け、前者に成立する所有権を区分所有権とし、後者は区分所有者全員の共有とすることで集合住宅の法的規制を図っています。

所有権の共同所有のしくみ

要旨 共同所有は、複数の者が1個の物を共同で所有する形態で、これには「共有」「合有」「総有」がある。

共同所有の形態

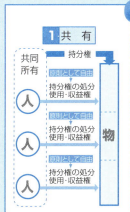

1 共有
持分権 — 原則として自由
- 持分権の処分
- 使用・収益権

複数の人が1個の物の上の所有権を分量的に分割して所有（持分権）すること。各所有者は、原則として持分権の処分や分割請求が自由にできる。

例 夫婦の財産

[注]遺産分割前の遺産については、共有か合有かの争いがある。

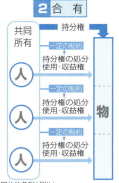

2 合有
持分権 — 一定の制約
- 持分権の処分
- 使用・収益権

団体的色彩が強い

各人が持分権を有する点では共有と同じだが、その目的によって各人の持分権の処分あるいは分割請求が制限あるいは禁止される。

例 組合財産（学説）

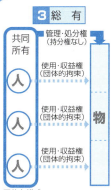

3 総有
- 管理・処分権（持分権なし）
- 使用・収益権（団体的拘束）

団体を構成

共同所有者の各人は、1つの団体を構成し、その団体（代表者）が物の管理・処分権を有し、個々の構成員は持分権を持たず、団体的拘束の下で物の使用・収益が認められる。

例 入会権
権利能力なき社団の財産

（共有物の使用）
第249条① 各共有者は、共有物の全部について、その持分に応じた使用をすることができる。
② 共有物を使用する共有者は、別段の合意がある場合を除き、他の共有者に対し、自己の持分を超える使用の対価を償還する義務を負う。
③ 共有者は、善良な管理者の注意をもって、共有物の使用をしなければならない。
※②、③は、改正民法（令和3年法律第24号）で追加（令和5年4月1日施行）。

物権 10 共有物の変更・管理

変更は共有者全員、管理は過半数の同意が必要

251条、252条他

☞ 不明所有者や所在不明の共有者がいる共有物の円滑な利用・管理ができるよう制度が見直された。

共有物の変更には全員の同意

1 共有物の変更・管理

共有物は、自分の持分については自由に処分できますが、売却や利用行為の見直しなど物全体に関わる行為は、他の共有者との関係で問題が生じます。例えば売却などの変更行為は他の共有者の全員一致の同意が必要ですし、共有物の利用や改良などの管理行為は各共有者の持分の価格の過半数で決めるのが、民法の建前です（前項「所有権の共同所有」、次☞図解参照）。

しかし、遠方にいる共有者や所在不明の共有者がいると、共有物の売却などの変更行為を考えても共有者全員で協議することは困難で、また全員一致の条件をクリアーするのも不可能です。そんな共有物の利用の円滑化を図るため令和5年4月1日の民法改正（令和3年法律第24号）によって、共有制度の規定が見直されました。

2 軽微な変更は管理行為

具体的には、軽微な変更（その形状または効用の著しい変更を伴わないもの）、共有物の管理者の選任および解任、短期賃貸借の設定方法などは管理行為と定め、各共有者の持分の価格の過半数で決められるよう改正されました（252条）。また、共有物を使用する共有者には、善管注意義務があることと、自己の持分を超えて使用する場合の他の共有者への対価の支払についても新たに明記されました（249条2項、3項）。

この他、共有者の中に不明共有者がいて変更行為や管理行為の協議ができない場合などに裁判所に請求し、不明共有者を除く残りの共有者だけで変更行為や管理行為を行えるようになりました。また、不明共有者の持分について、裁判所を利用して他の共有者に取得させる制度、相続財産で長期間放置された共有土地については相続開始から10年経過した場合、裁判所に請求して分割できる制度も創設されました（詳しくは次☞最近の法改正参照）。

3 所有者不明土地と建物共有制度の見直し

改正法による共有制度の見直しは、遺産分割未了で長期間放置されたままになった所有者不明土地建物や管理不全土地建物の存在と無関係ではありません。

総務省の「住宅・土地統計調査」によると、令和5年の全国の空家は900万2000軒、うち賃貸・売却用および二次的住宅を除く空家（長期間居住者が不在で人が住んでいない住宅、建替えなどのため取壊し予定になっている空家）は385万6000軒です。

この中には、社会問題になっている所有者不明・管理不全土地建物の予備群もあると考えられ、共有制度の見直しは、これら土地建物の利用の円滑化を図るためにも、大いに役立つ法改正といえます。

（共有物の変更）
第251条① 各共有者は、他の共有者の同意を得なければ、共有物に変更（その形状又は効用の著しい変更を伴わないものを除く。次項において同じ。）を加えることができない。（②略）

共有物の変更・管理のしくみ

要旨 形状や効用に著しい変更を伴わない軽微な変更、共有物の管理者の選任・解任などは、管理行為の決定方法同様に、各共有者の持分の価格の過半数で決められる。

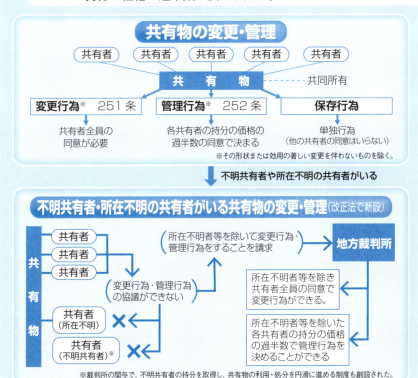

◆最近の法改正 **共有制度の見直し**（251条～253条、258条他）　**令和5年4月1日施行**

　従前の民法では共有物を管理するにあたって遠方在住者や所在不明の共有者がいると、実際には共有者全員による協議は容易ではなく、例えば全員一致の同意が必要な変更行為は難しい場合がありました。このことは、不明共有者がいる場合も同じで、その結果、例えば所有者不明土地建物などのように利用されないまま放置されてしまい、社会的問題になっているのです。

　令和5年4月1日施行の改正民法（令和3年法律第24号）では、このような共有物の利用の円滑化を図るため、不明共有者等を除く残りの共有者が裁判所に請求して、残りの共有者全員の同意で変更行為をすることが可能になりました。管理行為についても同じように、残りの共有者の持分の価格の過半数で管理行為を決めることができます（251条2項、252条2項。図解参照）。

　また、改正法では、共有者の中に不明共有者や所在不明共有者（「所在等不明共有者」という）がいる共有不動産について、裁判所は共有者の請求により、所在等不明共有者の持分を取得させることもできることになりました（取得共有者は時価相当額の支払いが必要。262条の2第1項、4項）。

　なお、遺産分割未了などにより長期間放置されたままの相続財産の共有物については、相続開始から10年経過した場合、裁判所は共有者の請求により、共有物の分割を命じることができることになっています（258条の2第2項、258条）。

物権 11 地上権はどういう権利か

他人の土地を利用する場合に活用

265条～269条の2

☞地上権は他人の土地を利用する権利で、建物の所有を目的とするものなどがある。

他人の土地を利用する権利

1 地上権の意義

「地上権」とは、植林および工作物（一切の建造物）所有を目的として他人の土地を利用する制限物権です。

例えば、自分の家を所有するために他人の土地を利用させてもらうような場合にこの地上権を利用することができます。

2 地上権と賃借権との比較

地上権と同じ目的を達成するために、物権である地上権設定契約ではなく、債権である賃借権を土地賃貸借契約によって設定することもできます。しかし、物権である地上権と債権である賃借権を利用する場合とでは、物権と債権の性質の差異に基づいて、利用権者に以下のような違いがでます。

まず、地上権は物権であり、その権利を他人に譲渡する場合にも土地所有者である地主の承諾は不要ですが、債権である賃借権では地主の承諾が必要となってきます。

また、第三者が勝手に土地を占拠してしまったような場合、地上権の場合は物権的請求権の行使として当然に妨害排除請求が可能ですが、債権である賃借権の場合は、当然には妨害排除の請求ができないことになります。こうした結論は妥当でないとして、判例・学説は賃借権しか有していない場合にもなんとか妨害排除を可能とするような構成を考え、判例は対抗力ある賃借権の場合、妨害排除も可能としています。

なお、存続期間については、地上権では永久の地上権も可能ですが、賃借権は最長50年（604条。建物の所有を目的とする場合には、借地借家法の普通借家権は30年以上）と定められています。

3 借地権

このように、同じ建物所有を目的として土地を利用する場合、物権である地上権と債権である賃借権とでは利用者の地位に大きな差異が生じますが、実際の建物所有のための土地利用は賃借権として設定されることが多いため、利用者保護のため建物所有のための土地利用は後述の借地借家法（170☞参照）によって、借地権として統一的に規制されています。

4 地上権の効力

地上権者は植林、工作物所有のために土地利用ができることは当然です。その存続期間については規定がないため、永久の地上権も可能とするのが判例です。地上権については地代の支払いはその要素とされていません。

5 区分地上権

地下または空間の上下の範囲を限って工作物を所有するための地上権を区分地上権といいます。

例えば、他人所有地の地下に地下鉄を敷設するような場合の地下地上権、送電線敷設のための空中地上権などです。その目的の範囲で利用権が確保できればよく、その余の土地利用権は所有者に残した方が妥当であるため、部分的な地上権が昭和41年の法改正によって認められました。

地上権のしくみ

要旨 地上権とは、工作物（建物・橋・池・トンネル）を作ったり、竹木を植えて林業を行ったりするために、他人の土地を使用することができる権利である。

地上権の取得

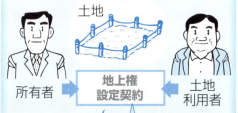

※法定地上権→106ページ参照

●土地の利用目的

●建物など工作物の所有

〔注〕建物所有の場合は、借地借家法の適用がある。

●竹木の所有

〔注〕農作物を植えることが目的の場合は永小作権

●存続（契約）期間

特に定めはなく、永久も可能。

●地上権設定契約

地上権の設定契約も通常の契約と同様に口頭でも成立する。ただし、後日に紛争を避けるには、契約書にしておくこと。

●地上権の登記

地上権は登記することができる。登記があれば、自分が地上権者であるとして、第三者に対して権利を主張できる（対抗要件）。

しかし、多くの土地所有者は登記をすることを望まない。登記は土地の所有者と地上権者（利用者）の共同申請が必要なので、登記のない地上権も多く存在する。

これでは地上権者は不安だが、建物の所有を目的（借地上に建物を建てる）とする場合は、建物の登記をすることにより、対抗要件を取得できる（借地借家法10条）。

地上権の移転・消滅

●地上権の譲渡による移転

●存続期間の満了

建物を所有の目的の場合には、借地借家法の適用があり、存続期間は30年以上となる（借地借家法3条）。なお、正当事由が土地所有者になければ更新される。

（地上権の内容）
第265条 地上権者は、他人の土地において工作物又は竹木を所有するため、その土地を使用する権利を有する。
（地代）
第266条① 第274条から第276条までの規定は、地上権者が土地の所有者に定期の地代を支払わなければならない場合について準用する。
② 地代については、前項に規定するもののほか、その性質に反しない限り、賃貸借に関する規定を準用する。
（地上権の存続期間）
第268条① 設定行為で地上権の存続期間を定めなかった場合において、別段の慣習がないときは、地上権者は、いつでもその権利を放棄することができる。ただし、地代を支払うべきときは、1年前に予告をし、又は期限の到来していない1年分の地代を支払わなければならない。
② 地上権者が前項の規定によりその権利を放棄しないときは、裁判所は、当事者の請求により、20年以上50年以下の範囲内において、工作物又は竹木の種類及び状況その他地上権の設定当時の事情を考慮して、その存続期間を定める。

物権 12 永小作権・地役権はどんな権利か

用益物権は他人の所有物を利用する権利

270条〜294条

☞永小作権・地役権は用益物権の一種で、契約により、他人の土地を使用・収益する権利である。

他人の土地の上に権利設定ができる

1 永小作(えいこさく)権

「永小作権」とは、耕作または牧畜をなすことを目的として、小作料を支払って他人の土地を利用する制限物権です。地上権と異なり、小作料の支払いが要素です。

元来、永小作権は荒蕪地を開墾した者に与えられた特権ともいうべき極めて強い権利であったのですが、近代所有権制度の確立とともに、制限物権の1つとして構成されることとなりました。

永小作権の存続期間は、20年以上50年以下とされています。この規定により、民法施行前からの永小作権も民法施行後50年で打ち切られました。

永小作権の設定契約には、今日では農地法による知事等の許可も必要です。また、対抗要件は通常の登記の他、農地法によって引渡しにも認められています。

永小作地の多くは農地改革の買収処分の対象となったため、現在では永小作権はほとんど見られません。

2 地役権

「地役権」とは、ある土地の便益のために、他人の土地を利用する制限物権です。例えば、通行のために甲地所有者が乙地を通行する権利などです（通行地役権）。この場合の甲地を乙地の地役を要するという意味で「要役地」、乙地を甲地の地役を了承するという意味で「承役地」といいます。

地役権は、要役地の所有者が誰かは関係なく、要役地から客観的に要請される権利なので、個人的便益のための地役権設定は認められません。また、客観的要請ということで、要役地が他人に譲渡された場合は、承役地上の地役権も当然に要役地の新所有者に移転し、所有権移転登記と別個に地役権移転登記は必要ないものとされています（「地役権の附従性」）。また、要役地からの客観的要請から、要役地が共有の場合、その共有者の1人が自分の持分に応じた地役権の放棄を欲しても、地役権は全部として存続します（「地役権の不可分性」）。

地役権はその態様により、継続地役権と不継続地役権あるいは表現地役権と不表現地役権とに分けることができます。観望地役権のように、地役権行使が絶え間なく行われる場合が継続地役権です。通行地役権は通路が開設されていれば継続地役権となりますが、開設されていない場合は不継続地役権です。土地の表面にパイプを設けて引水する引水地役権のように外部から認識される外形的事実を伴った地役権のことを表現地役権といいます。パイプが地中だと不表現地役権となるわけです。

地役権の存続期間については、特に定めがなく、地上権と同じく永久地役権も認められると解されています。

地役権の発生は設定契約が原則ですが、継続かつ表現の地役権には時効取得も認められます。通行地役権の時効取得につき、判例は、通路開設が要役地所有者によってなされることが必要としています。

永小作権・地役権のしくみ

永小作権

要旨 永小作権とは、耕作または牧畜をなすことを目的として、他人の土地を利用する権利。

永小作権の取得
- 所有者 — 土地 — 利用者
- 永小作権設定契約（登記できる）
- 耕作または牧畜のための土地利用
- 永小作権の譲渡・転貸可
- 存続（契約）期間 20年以上50年以下

永小作権の消滅
- 永小作権の放棄
- 存続（契約）期間の満了

地役権

要旨 地役権とは、土地の便益のために、他人の土地を利用する権利。

地役権の取得
- 所有者（A） 要役地A所有 / 承役地B所有 所有者（B）
- 地役権設定の対象となる土地
- 地役権設定契約（登記できる）
- 地役権設定の目的 ①用水、②通行、③引水
- 代価の支払い
- 存続（契約）期間制限なし
- ※取得時効により地役権を取得する場合もある（本文参照）

地役権の消滅
- 地役権の放棄
- 時効による消滅
- 存続（契約）期間の満了

■入会権
　民法が定める10種類の物権の1つである。入会権は一定の地域に居住する住民集団が、山林原野・漁場・用水等を総有的に支配する権利です。民法294条では、「共有の性質を有しない入会権については、各地方の慣習に従うほか、この章（地役権）の規定を準用する」と定めています。

（永小作権の内容）
第270条　永小作人は、小作料を支払って他人の土地において耕作又は牧畜をする権利を有する。
（地役権の内容）
第280条　地役権者は、設定行為で定めた目的に従い、他人の土地を自己の土地の便益に供する権利を有する。ただし、第3章第1節（所有権の限界）の規定（公の秩序に関するものに限る。）に違反しないものでなければならない。

物権 13 留置権はどういう権利か

295条～302条

債務の担保のために自分の所有物に担保権の設定ができる

債務の弁済を間接的に強制

☞留置権は担保物権の一種で、債務の担保のために、他人の物の占有者がその物を留め置く権利である。

1 担保物権総論

物権が、まず占有権と本権に、その本権がさらに所有権と制限物権に、その制限物権がさらに用益物権と担保物権に分かれることは先に見たとおりです。ここでは、そこにある担保物権について少し詳しく見てみたいと思います。

「担保物権」とは、債権の履行確保のために、物の上に債権者が優先的に権利行使を認められるという権利です。

担保物権はさらに法律の規定により当然に発生する法定担保物権と当事者間の意思表示によって発生する約定担保物権とに分けることができます。

民法の規定のうちでは、留置権・先取特権が法定担保物権、質権・抵当権が約定担保物権となります。

2 担保物権の性質

担保物権には4つの性質があると言われます。債権なきところに担保物権は認められないという「附従性」、債権が移転すればそれにつれて担保物権も移転するという「随伴性」、担保物権は債権全部の弁済を受けるまで存続するという「不可分性」、担保物権は、目的物の売却等により債務者が受ける金銭上も行うことができるという「物上代位性」がこれです。

3 留置権

「留置権」とは、他人の物を占有している者が、その物に関して生じた債権を有する場合、その債権の弁済を受けるまでその物を留置することによって債務者の弁済を間接的に強制することのできる法定担保物権です。

物を留置することで債務者に圧迫を加え、債務の弁済を促すという機能が期待されているわけです。

この制度の趣旨は、他人の物を占有する者がその物に関する債権を有している場合は、その債権の弁済を受けるまでその物の返還を拒めるとすることが当事者間の公平に合致するとの考えによるものです。相手方が履行するまでこちらも返還しないという側面は、後述の同時履行の抗弁権（148㌻参照）と共通しています。

留置権は、物の留置によって債務者を心理的に圧迫して弁済を促すことに本質がある以上、後述の優先弁済的効力は有していません。しかし、民事執行法上、留置物を競売する権利が規定されている関係で、実際上、優先弁済的効力を有するのと同様の機能を有するに至っています。

4 留置権の発生と消滅

留置権は法定担保物権であるので、法律で規定された一定の要件を満たした時に当然に発生します。それは、①目的物（留置物）と債権との牽連関係、②債権が弁済期にあること、③他人の者を占有していること、④占有が不法行為によって始まったものではないこと、です。

一方、消滅する場合としては、代担保の提供、留置物の占有の喪失があります。

留置権のしくみ

要旨 留置権とは、他人の物を占有している者が、その物に関して生じた債権の弁済を受けるまで、その物を留置する（引渡しを拒む）ことができる権利である。

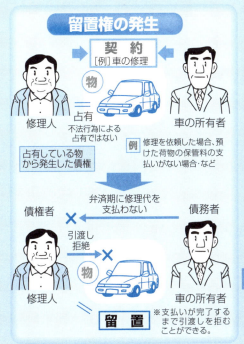

●留置権と優先弁済

留置権は、債務者からの弁済があるまで留置物の引渡しを拒むことができるので、支払いを事実上強制する作用がある。

これを一歩進めて、留置物を積極的に競売することもできる。債権者が留置物を競売して競落人が決まった場合、債権額だけ留置権者に支払わなければ、その物を受け取ることができないので、事実上は優先弁済となる。

なお、留置物から生じる果実からは、他の債権者に先立って優先的に弁済を受けることができる。

留置権の消滅

- 全額の支払いあるいは担保の提供
- 占有の喪失

（留置権の内容）
第295条 ① 他人の物の占有者は、その物に関して生じた債権を有するときは、その債権の弁済を受けるまで、その物を留置することができる。ただし、その債権が弁済期にないときは、この限りでない。
② 前項の規定は、占有が不法行為によって始まった場合には、適用しない。

（留置権の不可分性）
第296条 留置権者は、債権の全部の弁済を受けるまでは、留置物の全部についてその権利を行使することができる。

（留置権者による果実の収取）
第297条 ① 留置権者は、留置物から生ずる果実を収取し、他の債権者に先立って、これを自己の債権の弁済に充当することができる。
② 前項の果実は、まず債権の利息に充当し、なお残余があるときは元本に充当しなければならない。

（留置権者による留置物の保管等）
第298条 ① 留置権者は、善良な管理者の注意をもって、留置物を占有しなければならない。
② 留置権者は、債務者の承諾を得なければ、留置物を使用し、賃貸し、又は担保に供することができない。ただし、その物の保存に必要な使用をすることは、この限りでない。
③ 留置権者が前2項の規定に違反したときは、債務者は、留置権の消滅を請求することができる。

物権 14 先取特権はどういう権利か

債務者の財産の中から優先的に弁済を受けられる

303条〜305条

☞先取特権は法律に定めがある場合で、法律の定めに従ってのみ権利を行使することができる。

労働者の賃金等には先取特権がある

1 債権者平等の原則と優先弁済的効力

債務者に対して債権者が複数おり、債務者の総財産が全債権者の債権総額よりも少ない場合は、各債権者はその債権額を按分比例して分配することになります。これを「債権者平等の原則」といいます。

これに対し、先取特権(さきどりとっけん)の制度は、法律が一般の債権と比較してとくに保護すべき債権の種類を指定して、それらの債権に先取特権を与え、それらの債権については債務者の財産について他の債権者より優先して自分の債権の弁済を受けることができるとしたものです。特定の債権を保護する先取特権のこのような効力を「優先弁済的効力」と呼びます。

2 先取特権の意義

「先取特権」とは、法律の定める特別な債権を有する者が、債務者の財産から法律上当然に優先弁済を受ける権利です。

例えば、BはA社の従業員でBがA社に対して未払いの給料債権を有したままA社が破産したような場合、その破産手続きの中で、Bは債権額に応じた按分比例ではなく、他の通常の貸金債権者C、Dなどに優先してA社の総財産から弁済を受けることができるわけです。

先取特権のこうした性質は、ある種の債権に認められる特別の効力と把握することも可能ですが、民法は債権とは別個に存在する担保物権として構成しています。

民法が先取特権を認めるのは、ある種の債権を特別に保護しようとのものですが、その理由は社会政策的配慮であったり、当事者の意思の推測であったりと様々です。

3 先取特権の種類

先取特権はその目的が何であるか、すなわち、責任財産が何であるかによって分類されます。まず、大きく、債務者の総財産を責任財産とする「一般先取特権」と債務者の特定の財産を目的とする「特別先取特権」とに二分され、後者はさらに、債務者の特定の動産を目的とする「動産先取特権」と債務者の不動産を目的とする「不動産先取特権」とに分かれます。

一般先取特権は、債務者の総財産を目的としています。現行法では、共益費用、雇用関係債権、葬式費用、日用品の供給の4種類ですが、令和6年5月24日、離婚後の共同親権を認めた改正民法が公布され（2年以内に施行）、改正法施行後は「子の監護費用」も追加されます（次項参照）。

動産先取特権とは、債務者との特定の動産を目的とする先取特権のことをいいます。このうちでは、動産売買先取特権が重要です。目的物を引き渡した後に代金の支払いを受けられない売主を保護する制度として重要な機能を有しているからです。

不動産先取特権とは、債務者の特定の不動産を目的とする先取特権のことをいい、不動産保存、不動産工事、不動産売買の3つの先取特権が規定されています。これらは、登記が効力要件になっています。

先取特権のしくみ

第2編 物権
第8章 先取特権

要旨 先取特権とは、法律で定められた特別の債権を持っている者が、法律の規定に従って、債務者の財産から他の債権者よりも先に支払ってもらえる権利である。これは特定の債権者を保護する必要性から定められたものである。

●先取特権の発生

債権者 — 債務者
法律で定められた特別の債権（優先債権）
支払いがない ×

優先弁済 ← 他の債権者よりも先に弁済を受けられる
優先債権

●優先弁済の確保

一般先取特権の場合、優先債権であっても、債務者が他の債権者に支払ってしまえばそれまでである。

こうした場合の対策としては、債務者の財産の保全処分（仮差押え）が必要となる。また、倒産や破産などの場合は、債務者の財産は競売され、その代価から優先的に弁済がなされるが、これも財産がある場合の話である。

●先取特権の種類（優先債権となるものは15種類）

〔一般（総財産）の先取特権〕
①共益の費用
②雇用関係の債権
③葬式の費用
④日用品の供給の費用

※改正法（令和6年法律第33号）の施行後は、「子の監護費用」も一般先取特権に追加される（詳細⇒次項参照）。

〔動産の先取特権〕
①不動産の賃貸借費用
②旅館の宿泊料
③旅客または荷物の運送費
④動産の保存費用
⑤動産の売買費用
⑥種苗または肥料の代金
⑦農業の労賃
⑧工業の労賃

〔不動産の先取特権〕
①保存費用
②工事費用
③不動産の売買（利息含む）

〔注〕この他にも、民法以外の法律が定めるものとして、国税、地方税、社会保険料があり、民法規定の先取特権よりも優先される。

（先取特権の内容）
第303条 先取特権者は、この法律その他の法律の規定に従い、その債務者の財産について、他の債権者に先立って自己の債権の弁済を受ける権利を有する。

（物上代位）
第304条① 先取特権は、その目的物の売却、賃貸、滅失又は損傷によって債務者が受けるべき金銭その他の物に対しても、行使することができる。ただし、先取特権者は、その払渡し又は引渡しの前に差押えをしなければならない。
② 債務者が先取特権の目的物につき設定した物権の対価についても、前項と同様とする。

物権 15 先取特権の種類と優先弁済の順位

306条～332条

先取特権の対象物は債務の種類により異なる

総財産・動産・不動産から優先弁済

☞先取特権には、「一般先取特権」「動産先取特権」「不動産先取特権」がある。

1 一般先取特権

「一般先取特権」は債務者の総財産を責任財産とする先取特権です。民法は、①共益費用、②雇用関係、③葬式の費用、④日用品の供給を原因とする債権を有する者は、債務者の総財産の上に先取特権を有するとしています。なお、離婚後の子の共同親権を認めた改正民法（令和6年法律第33号）が施行される（公布から2年以内）と、「子の監護費用」もこの一般先取特権に追加されます（次☞図解下306条参照）。

①の「共益費用債権」とは、各債権者の共同の利益のためになされた債務者の財産の現状を維持する行為（債権者代位権の行使など）などにかかった費用債権のことです。これらの費用は各債権者の権利行使に不可欠なものなので、誰が支出してもこれを優先して回収させることが公平であるとの見地から認められているものです。

②の「雇用関係」から生じた債権に先取特権を認めたのは、被用者保護の社会政策的配慮によるものです。平成15年改正（平成16年4月1日施行）で、従前の「給料」より広められ、これに退職金も含まれることになりました。

③の「葬式費用債権」に先取特権を認めたのも①同様、公平を趣旨とするものです。

④の債務者またはその扶養すべき同居の親族およびその家事使用人の生活に必要な最後の6か月間の「日用品の供給によって生じた債権」にも先取特権が認められています。

これは先取特権を認めることにより、間接的に無資力に近い者の生活を保護しようとする社会政策的配慮によるものです。

2 動産先取特権

債務者との特定の動産を目的とする先取特権を「動産先取特権」といいます。民法は、①不動産賃貸借、②旅館（旅館、ホテルなど）の宿泊、③旅客または荷物の運輸、④動産の保存、⑤動産の売買、⑥種苗または肥料の供給、⑦農業の労務、⑧工業の労務という8種類の債権につき、動産先取特権を規定しています。もっとも、売主保護に資する動産売買先取特権を除いては、今日、重要性を失ってきています。

なお、従前規定には、公吏の職務上の過失を原因とする先取特権がありましたが、国家賠償法制定により削除されました。

3 不動産先取特権

債務者の特定の不動産を目的とする先取特権を不動産先取特権といいます。不動産保存、不動産工事、不動産売買の3種類の先取特権が規定されています。

不動産保存、不動産工事の先取特権は、前者では保存行為完了後直ちに、後者では工事を始める前に、この先取特権を登記することによって、先に登記されている先順位抵当権にも優先するものとされています。

しかし、不動産売買先取特権にはこの優先は認められません。売買は不動産の価値の維持、増大に寄与するものではないので、そこまでの保護は必要ないとしたのです。

先取特権の種類と内容のしくみ

第2編 物権　第8章 先取特権

要旨 先取特権は、債権の発生原因に応じて、一般の先取特権、特別の先取特権（動産の先取特権・不動産の先取特権）とがある。

1 一般の先取特権（306条）※

債務者の総財産に対して先取特権が認められる。

債権の種類	債権者	目的物
①共益費用…数人の債務者がいる場合に、財産の保存・生産・配当のために使った費用	共益使用を負担した人	債務者の総財産
②雇用関係…給料・退職金などの未払分	雇人	
③葬式費用…債務者の身分に相応の費用	葬式費用を負担した人	
④日用品供給の費用…債務者と同居の家族に供給した6か月分の費用	日用品を供給した人	優先弁済

特別の先取特権

2 動産の先取特権（311条）

債務者の一定の動産に対して先取特権が認められる

債権の種類	債権者	目的物
①不動産の賃貸借費用…賃料債権で地上権や永小作権の地代も含まれる	地主・家主	賃借人の備付けの動産・土地の果実
②旅館の宿泊料…宿泊代・飲食代	旅館	預かった手荷物
③旅客・荷物の運送費	運送人	受け取った荷物
④動産の保存費用	動産の保存者	保存した動産
⑤動産の売買代金…利息を含む	動産の売主	引き渡した動産
⑥種苗・肥料の代金	売主	これを用いた1年以内の果実（収穫物）
⑦農業の労務…最後の1年の賃金	労働者	労務によって生じた果実（収穫物）
⑧工業の労務…最後の3か月の賃金	労働者	労務によって生じた製作物

3 不動産の先取特権（325条）

債務者の一定の不動産に対して先取特権が認められる

債権の種類	債権者	目的物
①不動産の保存費用…保管・登記費用など	保存者	費用を支出した不動産
②不動産の工事費用…大工・技師・請負人の費用など	工事人等	
③不動産の売買費用…代価およびその利息	売主	優先弁済

（一般の先取特権）
第306条 次に掲げる原因によって生じた債権を有する者は、債務者の総財産について先取特権を有する。
　1　共益の費用　2　雇用関係　3　葬式の費用　4　日用品の供給　（※令和6年法律第33号施行後は、1共益の費用、2雇用関係、3子の監護の費用、4葬式の費用、5日用品の供給、の順となる）

（動産の先取特権）
第311条 次に掲げる原因によって生じた債権を有する者は、債務者の特定の動産について先取特権を有する。
　1　不動産の賃貸借　2　旅館の宿泊　3　旅客又は荷物の運輸　4　動産の保存　5　動産の売買　6　種苗又は肥料（蚕種又は蚕の飼養に供した桑葉を含む。以下同じ。）の供給　7　農業の労務　8　工業の労務

（不動産の先取特権）
第325条 次に掲げる原因によって生じた債権を有する者は、債務者の特定の不動産について先取特権を有する。　1　不動産の保存　2　不動産の工事　3　不動産の売買

物権 16 先取特権の効力と消滅

304・333条〜341条

先取特権のある債権は、優先弁済を受けられる

☞先取特権の行使によって、債務者の財産を競売して、その価額から優先的に弁済を受ける。

抵当権には劣る

1 先取特権の効力

先取特権はいうまでもなく優先弁済的効力が中心的な効力となりますが、その他にも物上代位性、対抗、追及力など種々の効力が様々な場面で問題となります。

2 物上代位性

「物上代位」とは、なんらかの理由で目的物が別個の代替物に転じた場合に、その目的物に代わる物の上にも効力が及ぶことを認める制度をいいます（304条）。

たとえば、担保物権が設定された建物が火災によって焼失してしまった場合に、その建物所有者の火災保険金の上にも効力を及ぼすような場合です（304条）。

この物上代位性は、特定の目的物の存在が前提となっていますから、総財産を目的とする一般先取特権には認められませんが、不動産先取特権、動産先取特権には認められています。

先取特権にこの物上代位が認められる理由については、担保物権保護の見地から法が政策的に特別に認めたものとする考え方（政策説）もありますが、先取特権は目的物の交換価値を把握する権利である以上、その権利の性質からの当然の要請とする考え方（当然説）が通説的理解です。

物上代位の行使にはその払渡しまたは引渡し前の差押えが必要です。この差押えが要求される理由につき、政策説の立場から、担保権者の保護要件として、担保権者自ら差押えをする必要があるとの考え方もありますが、判例・通説は当然説の立場から、単に目的物の特定のために要求されるものであり、担保権者自ら差し押さえる必要はないと解しています。

3 対抗力、追及力など

一般先取特権は不動産につき、登記がなくても一般債権者に対し、優先権を主張でき、また、不動産の工事、保存の先取特権は登記することによって、先順位の抵当権にも優先するなどの一般原則に対する例外が認められています。

また、動産先取特権は動産が第三者に引き渡されてしまうと、その目的物に対してはもはや先取特権は行使できず、物上代位に頼るしかありません。

4 先取特権の順位

1つの財産に複数の先取特権が競合する場合、先取特権相互の優劣を決め、その順に配当していくことが必要となります。

例えば、動産を目的物とする先取特権は、一般先取特権4種と動産先取特権8種の合計12種類なので、その12種間の優劣を決める必要があります。

一般の先取特権と動産の先取特権では、共益費の先取特権を除き、動産の先取特権が優先します。動産の先取特権相互間では、当事者の意思の推定に基づく不動産賃貸先取特権などが第1順位、強い公平の原則に基づく動産保存先取特権が第2順位、その他のものが第3順位となります（329条〜332条）。

先取特権の効力のしくみ

要旨 先取特権の中心的な効力は、目的物から優先的に弁済が受けられることである。これには、先取特権者自身が先取特権を実行（執行）する方法と、他の債権者が開始した執行手続きにより優先弁済を受ける方法とがある。

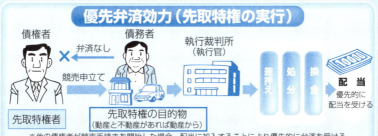

※他の債権者が競売手続きを開始した場合、配当に加入することにより優先的に弁済を受ける。

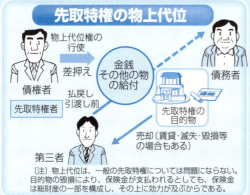

（注）物上代位は、一般の先取特権については問題にならない。目的物の毀損により、保険金が支払われるとしても、保険金は総財産の一部を構成し、その上に効力が及ぶからである。

※第三取得者の保護
　先取特権の目的物である動産が第三者に譲渡されても先取特権の効力に影響はないが、第三取得者に引き渡されると先取特権はこの物に対してすることはできない（333条）。

※不動産の先取特権の登記
　一般の先取特権では、不動産について、その登記がなくても、一般債権者に対抗（権利の主張）できる。ただし、抵当権など特別担保を有している者が登記しているときには、一般の先取特権は、この第三者に対抗することができない（336条）。
　先取特権の目的物が不動産の場合、第三者との優劣は登記の前後によることになる。

（先取特権と第三取得者）
第333条　先取特権は、債務者がその目的である動産をその第三取得者に引き渡した後は、その動産について行使することができない。
（先取特権と動産質権との競合）
第334条　先取特権と動産質権とが競合する場合には、動産質権者は、第330条の規定による第1順位の先取特権者と同一の権利を有する。
（一般の先取特権の効力）
第335条①　一般の先取特権者は、まず不動産以外の財産から弁済を受け、なお不足があるのでなければ、不動産から弁済を受けることができない。
②　一般の先取特権者は、不動産については、まず特別担保の目的とされていないものから弁済を受けなければならない。
③　一般の先取特権者は、前2項の規定に従って配当に加入することを怠ったときは、その配当加入をしたならば弁済を受けることができた額については、登記をした第三者に対してその先取特権を行使することができない。
④　前3項の規定は、不動産以外の財産の代価に先立って不動産の代価を配当し、又は他の不動産の代価に先立って特別担保の目的である不動産の代価を配当する場合には、適用しない。

物権 17 質権はどういう権利か

質権は約定担保物権の1つである

342条〜351条

☞質権は、担保として物を手元に置き、返済がないときにその物を売却して優先的に債権回収ができる権利である。

質権設定契約をする

1 質権

「質権」とは、債権者がその債権の担保として債務者または第三者（物上保証人）から提供を受けた物を占有し、かつ、その物につき他の債権者に先立って自己の債権の弁済を受けることのできる約定担保物権をいいます。

目的物の占有を債権者に移し、債権者は弁済があるまでこの目的物を留置することで、間接的に弁済を強制することができるとともに、弁済がない場合にはこの目的物を競売し、その売却代金から他の債権者に優先して弁済を受けることもできるわけです。

2 質権の効力

この目的物を留置する留置的効力と優先弁済を受けうる優先弁済的効力が質権の効力の中心です。また、優先弁済的効力が認められる関係で物上代位権（94ページ参照）も認められています。

質権の対抗要件は、質権の種類によって異なっています（次項参照）。

3 質権の成立

質権は、約定担保物権であることから債権者と質権設定者との質権設定契約によって成立します。

もっとも、質権は、目的物の留置にその特徴があることから、この質権設定契約は、目的物の占有を質権者に移すことが必要であり、要物契約です。

この点に関連して、質権に特有の問題として、質権者が目的物を設定者に任意に返還したときに、質権が消滅するかという問題があります。学説では、留置的効力も質権の本質的効力であり、これを放棄することは質権自体の放棄にあたるとして、質権が消滅するとの見解が有力ですが、古い判例には傍論で質権自体は消滅せず、単に質権設定についての対抗力を失うに過ぎないとしたものがあります。

4 転質

「転質」とは、質権者がさらに質入れするような場合です。

例えば、BがAに対して有する貸金債権の担保のために、A所有の壺を質入れさせたが、BがCから借金する際に、その担保としてAから預かった壺をさらにCに質入れしてしまうような場合です。

この転質にはBがAの承諾を得て行う「承諾転質」と、Aの承諾なく行う「責任転質」とがあります。

責任転質の場合、質権者は設定者より質物について権能を与えられていないため、この事案におけるBはCに対して何を質入れしているのか、すなわち、責任転質の法的性質をどう解するかに議論があります。この点については、質権そのものを質入れしているものとしたり、質権と債権を共同して質入れしている等種々の見解がありますが、通説は348条の「質物を転質することができる」とする規定を素直に解釈し、質物を質入れしているとする考えです。

約定担保物権と質権のしくみ

要旨 約定担保物権とは、契約により成立する担保物権で、これには質権・抵当権・譲渡担保がある。質権は、債務者または第三者から担保物の提供を受け、これを占有し、弁済がないときにその物から優先的に弁済を受けることができる物権である。

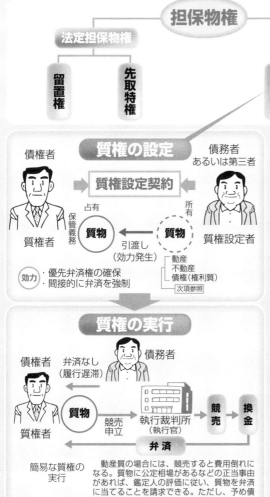

※流質契約の禁止

流質契約とは、例えば、弁済期にお金の返済をしなかったら、質権者が直ちに質物の所有権を取得する、などといった契約である。

このような契約は債権者が債権額にくらべ高額な質物について流質契約を結ぶことにより、不当な利益を得ることになるとの理由で、こうした流質契約は禁止され、これに反する契約は無効となる（349条）。

ただし、質屋営業法、公益質屋法（平成12年廃止）では、質屋の流質契約を認めている。また、商法上では、商行為によって生じた債権を担保とする場合にも流質契約は認められている（商法515条）。

（質権の内容）
第342条 質権者は、その債権の担保として債務者又は第三者から受け取った物を占有し、かつ、その物について他の債権者に先立って自己の債権の弁済を受ける権利を有する。

物権 18 動産質・不動産質・権利質

352条～366条

質権には3つの形態がある

質権の対象となる目的物（質物）により、制限が設けられている場合があるので要注意！

流質契約は原則、禁止！

1 質権の種類

質権は、目的物によって、動産質、不動産質、権利質の3種類に分類されます。

2 動産質

「動産質」とは、動産を目的とする質権のことです。

質権設定契約では、目的たる動産を引き渡すことが必要となります。動産質権にも即時取得の規定の適用があり、設定者が他人の物を自分の物であるかのごとく質物として引き渡した場合でも、即時取得により、質権が成立します。

動産質の対抗要件は占有の継続です。したがって、質物が第三者によって強奪された場合、質権者はその第三者に対しては質権を主張できず、質権に基づく返還請求は認められないので、こうした場合は占有回収の訴え（72☞参照）によることになります。

質権者が設定者に任意に質物を返還した場合、対抗力の喪失は当然として、さらに質権自体まで消滅するかの問題については前項で述べました。

3 不動産質

「不動産質」とは、不動産を目的とする質権のことをいいます。

不動産の引渡しを伴う質権設定契約によって成立し、対抗要件は登記となります。

不動産質権者は、動産質権と異なり、その目的たる不動産を用法に従っての使用・収益が認められます。しかし、その使用収益権の反面として、不動産質権者の被担保債権は、動産質のように元本の他にその元本から派生した利息には及ばず、元本に限られることになります。

不動産質権には存続期間が10年を超えてはならないという制限があります。過度に長期にわたり他人の不動産を使用収益することを回避する趣旨です。

不動産質権は、質権者にとっては管理が面倒、設定者にとってはその不動産を利用できないということから、ほとんど利用されていないのが現状です。

4 権利質

「権利質」とは、財産権を目的とする質権です。

譲渡性を有する財産権は、一般に権利質の目的とすることができ、債権・株式・無体財産権などがしばしば利用されます。

権利質の場合、平成15年改正（平成16年4月1日施行）により、質権成立に証書の交付が必要なのは手形等の証券的債権の場合のみとされ、要物性が一層緩和されました。

貸金債権などの指名債権（134☞参照）を権利質の目的とした場合、第三債務者に対する通知か、第三債務者の承諾が対抗要件となります。無記名債権の場合は動産とみなされるため、動産質と同様、証券の占有が対抗要件です。

質権者は、被担保債権が弁済期を徒過しても債務の履行がない場合、権利質の実行として質物である債権を自らの名で取り立てることができます。

質権の種類と設定・実行のしくみ

要旨 質権には、動産質、不動産質、権利質の３つの方法があるが、不動産質はほとんど利用されていない。

動産質

動産質とは、動産を目的（質物）とする質権のこと

動産質の例 ダイヤモンドの指輪を質物にしてお金を借りる。

質権の実行
〈優先弁済〉
①質物の競売
②簡易な質権の実行（目的物の取得）

不動産質

不動産質とは、不動産を目的（質物）とする質権のこと

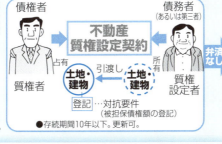

登記…対抗要件（被担保債権額の登記）
●存続期間10年以下。更新可。

〔注〕不動産質は、ほとんど利用されない。

質権の実行
〈優先弁済〉
①質物の競売
※使用・収益する権利がある。契約で別の定めがあればそれに従う。

権利質〈債権質の場合〉

権利質とは、権利を目的（質物）とする質権のこと。債権・株式・無体財産権などさまざまな財産の上に成立する

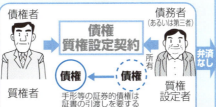

手形等の証券的債権は証書の引渡しを要する

指名債権質の場合は、第三債務者への通知または承諾が必要（対抗要件）。記名社債質は、会社の帳簿に質権設定の記入。指図債権質は、その証書に質権設定の裏書。

債権質の例 株を担保にお金を借りる。

質権の実行
①第三債務者に対する直接の取立て
※自己の債権額に対する部分に限る
②質物にとった債権の弁済期が質権者の弁済期よりも早く来る場合には、質権者はその金額を供託させることができる。

※**転質** 転質とは、質物を保管している債権者が、自分の借金などの担保のためにその質物をさらに質入れする場合である。この転質は認められている（348条）が、設定者の承諾が必要か否かについては問題とされていたが、現在は不要とされている。

物権

19 抵当権はどういう権利か
抵当権は約定担保物権の1つである

369条〜372条

☞担保には人的担保（保証人）と物的担保があるが、物的担保では抵当権が多く利用されている。

抵当権は担保の王者！

1 抵当権

「抵当権」とは、債務者または第三者が占有を移さないで債務の担保に供した不動産について、債権者が他の債権者に先立って、自己の債権の弁済を受けうる約定担保物権です。

占有を設定者のもとにとどめたまま、目的物の交換価値を把握して優先弁済的効力を有している点に本質的特徴があります。

抵当権設定者の側は目的物の使用・収益を継続できるので自己の負担する債務の返済に支障を来さないという利点があり、抵当権者の側も目的物自体には関心がなく、債務の弁済のみが興味の対象であることが多いため、今日では最も重要な担保物権の地位を占めています。

2 抵当権の効力

この点の詳細については次項に譲りますが、その効力を対抗するための対抗要件は、通常の不動産物権と同様に登記です。

3 抵当権の成立

抵当権は約定担保物権である以上、債権者と設定者との抵当権設定契約により成立し、登記は対抗要件となります。したがって、登記がなければ第三者に抵当権を設定していることの主張ができません。

4 抵当権の消滅

抵当権も物権である以上、物権の一般的な消滅原因、すなわち、目的物の滅失、放棄、混同により消滅しますし、また、担保物権に特有な消滅原因としての被担保債権の消滅に附従することによっても消滅します。しかし、この他に抵当権特有の消滅原因も存在します。

5 代価弁済、抵当権消滅請求等

その中でも抵当権に特徴的である代価弁済と抵当権消滅請求の制度等についてここで触れることにいたします。

「代価弁済」とは、抵当不動産につき所有権を買い受けた第三者（第三取得者）が抵当権者の請求に応じてその代価を抵当権者に弁済した場合、抵当権をその第三者のために消滅させる制度です。

「抵当権消滅請求」とは、第三取得者自らが代価を評価して抵当権者に対してその代価をもって抵当権を消滅させることを求める制度です。

いずれも抵当権の負担付不動産を取得した第三取得者を抵当権の負担から解放して、その地位を安定させることに向けられた制度ですが、前者が抵当権者の主導、後者が第三取得者の主導である点が異なります。

後者の抵当権消滅請求は従前の滌除の制度が抵当権者にとって脅威となるということで、平成15年改正（平成16年4月1日施行）により、請求権の要件を厳格にして抵当権者の負担を軽くしたものとなっています（107☞参照）。

この他古い判例には、第三取得者につき、被担保債権とは別個に、抵当権自体の20年の消滅時効を認めたものがあります。

抵当権のしくみ

第2編 物権 第10章 抵当権

要旨 抵当権とは、債権者が債務者から不動産の引渡しを受けない（占有を移転しない）で、この不動産を担保とし、債務者が弁済しないときは、その不動産から優先的に弁済が受けられる権利である。

●抵当権と質権

抵当権も質権も、債務者が期限内に債務の弁済をしない場合には、抵当物件や質物を競売して、その売得金から優先的に弁済が受けられるという点では同じである。

しかし、抵当権では抵当権設定後も抵当物件を占有して使用することができるのに対して、質権（不動産質）の場合には占有を移転（債権者に引き渡す）しなければならず、債務者は利用することができない。そのため不動産質はほとんど利用されていないのが実情である。

●物上代位

抵当家屋が焼失した場合、抵当権者はその火災保険金を優先的に受領することができる。このように抵当物件の目的物が焼失したり売却されたりしたとき、火災保険金や損害賠償金、売却代金の上に担保物権の効力が拡大することを物上代位という。

[平成15年の民法の一部改正]

担保制度の円滑化を図るという趣旨から、平成15年、民法等の一部改正がなされた（平成16年4月1日施行）。

改正内容は、①担保不動産の収益（果実）に対する抵当権の効力、②抵当権消滅請求（滌除を変更）制度の見直し、③一括競売の見直し、④短期賃貸借制度の見直し、などである。

（抵当権の内容）

第369条① 抵当権者は、債務者又は第三者が占有を移転しないで債務の担保に供した不動産について、他の債権者に先立って自己の債権の弁済を受ける権利を有する。

② 地上権及び永小作権も、抵当権の目的とすることができる。この場合においては、この章の規定を準用する。

20 抵当権の効力と処分

物権　373条〜398条

抵当権設定の登記があれば第三者に対抗できる

☞債権の弁済がなされない場合には、目的物を競売により換価して優先弁済が受けられる。

抵当権の順位は早い者勝ち！

1　抵当権の効力

　抵当権の効力の中で、最も重要なものは目的物を換価してその代金から配当を受けられるという優先弁済的効力です。この優先弁済的効力との関係で、抵当権も先取特権同様、交換価値を支配しているため、物上代位が認められています。

2　抵当権の被担保債権・効力の及ぶ範囲

　抵当権により具体的に担保される債権の範囲は、元本は当然担保されますが、利息分は質権と異なり、満期となった最後の2年分のものに限定されます。抵当権の場合、目的物の占有が設定者の下に残り、設定者がさらに残余価値を抵当に供して後順位の抵当権者が出現することも多く、それらの者を保護する必要があるからです。

　換価できる目的物の範囲は、目的物そのもの自体の他に、目的物に附加して一体をなしている物にも及ぶとされています。

　この規定との関係で、抵当権設定後に附属された畳などの従物に抵当権の効力が及ぶのかが問題となりますが、従来の判例は、設定後に附属させられた従物には抵当権の効力は及ばないとしています。しかし、最近の判例は、設定前後を厳格に区別せず従物に抵当権の効力が及ぶとする傾向があるといわれています。

　果実は使用収益権の成果なので、被担保債務の不履行があるまで（平成15年の改正前は「差押え等があるまで」）は、抵当権の効力が及びません。ただし、被担保債権に不履行があったときは、その後に生じた抵当不動産の果実（収益）に及びます（371条）。

3　抵当権の順位

　抵当権の場合、後順位の抵当権者の生ずることが多いことは前述のとおりですが、各抵当権者が優先弁済を受ける順位は登記の前後によることになり、その順位に応じて、第1抵当権、第2抵当権と呼ばれます。第1抵当権が弁済等により消滅した場合は、第2抵当権の順序が繰り上がり、第1抵当権となります（順位上昇の原則）。

4　抵当権の処分

　民法は被担保債権を固定化したまま、抵当権を操作する手段として、抵当権の処分と称する、①転抵当権、②抵当権の譲渡、③抵当権の放棄、④抵当権の順位の譲渡、⑤抵当権の順位の放棄、⑥抵当権の順位の変更という6つの方法を用意しています。

　「転抵当」とは、抵当権者が有する抵当権を担保に供することです。「抵当権の譲渡・放棄」は、抵当権者が無担保債権者に対して「自己の抵当権者たる地位」を譲り渡したり（譲渡）、主張しなかったり（放棄）することで、「抵当権の順位の譲渡・放棄」は、抵当権者が後順位抵当権者に対して、「先順位たる地位」を譲り渡したり（譲渡）、主張しなかったり（放棄）することです。「抵当権の順位の変更」は、被担保債権と切り離された順位の絶対的な変更です。

抵当権の効力のしくみ

要旨 債権の弁済がないときに、抵当物件から優先弁済を受けることができるというのが、抵当権の本質的な効力である。

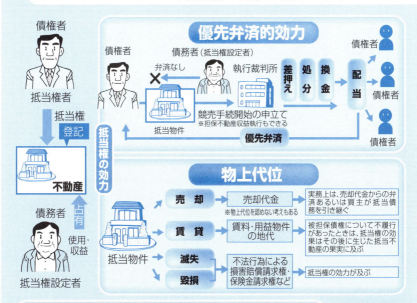

抵当権の効力に関する問題

1 抵当権の順位と順位の変更

抵当権は登記の順位に従って優先的に弁済を受ける。順位は変更できる（登記が必要）が、他の抵当権者に不利になってはならない。
また、抵当権の放棄、順位の放棄もできる。

2 被担保債権の範囲

元本について担保する。抵当権者が利息や地代や小作料などのように定期に支払われる債権を持っているときは、満期のきた最後の2年分について抵当権により担保される。

3 抵当権設定登記

登記がなければ、第三者に対して抵当権者としての権利を主張できない。ただし、債務者との関係では効力があり、競売申立てはできるが、債権者が複数のときは一般債権者として扱われ優先弁済はない。

●転抵当

転抵当とは、債権者が自分の持つ抵当権を債務の担保に提供することをいい、その性質は転質とよく似ている。この場合、そのことを登記（付記登記）をしておかないと第三者に対抗できない。

（抵当権の順位）
第373条 同一の不動産について数個の抵当権が設定されたときは、その抵当権の順位は、登記の前後による。
（抵当権の順位の変更）
第374条① 抵当権の順位は、各抵当権者の合意によって変更することができる。ただし、利害関係を有する者があるときは、その承諾を得なければならない。
② 前項の規定による順位の変更は、その登記をしなければ、その効力を生じない。
（抵当権の被担保債権の範囲）
第375条① 抵当権者は、利息その他の定期金を請求する権利を有するときは、その満期となった最後の2年分についてのみ、その抵当権を行使することができる。ただし、それ以前の定期金についても、満期後に特別の登記をしたときは、その登記の時からその抵当権を行使することを妨げない。
② 前項の規定は、抵当権者が債務の不履行によって生じた損害の賠償を請求する権利を有する場合におけるその最後の2年分についても適用する。ただし、利息その他の定期金と通算して2年分を超えることができない。

物権 21 根抵当権はどういう権利か

継続的な取引などで活用される

398条の2〜398条の22

☞根抵当権とは、継続的な取引の場合などに、予め一定の額を設定(極度額)、その額まで担保する制度。

担保設定では便利な制度！

1 根抵当権の意義

抵当権が特定の被担保債権を担保するものであるのに対し、一定の範囲に属する不特定の債権を、一定の極度額の限度において担保する抵当権として「根抵当権」が認められています。

例えば、ある事業を行っている人が、銀行から事業資金を借りる場合、新たな借り入れをするたびに抵当権を消滅させたり、再度設定したりするのでは手間がかかるため、この増減する銀行との継続的取引によって生ずる債権を被担保債権とできれば好都合です。こうした実務上の要請により、根抵当権の制度が昭和46年に新設されるところとなりました。

2 根抵当権の特質

根抵当権は、一定範囲の不特定の債権の担保であるため、個々の債権と根抵当権との結びつきが抵当権より弱く、附従性、随伴性は緩和されたものとなっています。

もっとも、根抵当権も抵当権と同様、換価競売によって優先弁済権を実現するものである以上、遅くとも換価のときまでには被担保債権を特定する必要があります。

この被担保債権特定の期日は元本確定期日と呼ばれ、平成15年改正（平成16年4月1日施行）で根抵当権者はいつでも確定請求ができるものとされました（設定者も3年経過後は請求可能）。

3 根抵当権の設定

根抵当権も約定担保物権であるため、その成立は設定契約によります。

この場合、被担保債権の範囲、債務者、極度額の3つは根抵当権の本質的要素であるため、必ず定める必要があります。確定期日は設定契約の際に定まっている必要はないため、設定契約の本質的要素ではありませんが、実務上は設定契約の段階でこれを同時に定めることが多く見られます。

4 根抵当権の変更

根抵当権の変更には、極度額の変更、被担保債権の範囲の変更、債務者の変更、確定期日の変更があります。

このうち被担保債権、債務者、確定期日の変更は元本確定前に限り、利害関係人の承諾なく自由になすことが可能ですが、元本確定後はできません。

これに対し、極度額の変更は元本確定の前後を問わずなすことができますが、利害関係人の承諾を要するとされています。極度額は後順位抵当権者、転根抵当権者等の地位に重大な影響を及ぼすからです。

5 根抵当権の処分

普通抵当権と異なり、転根抵当、全部譲渡、分割譲渡、一部譲渡のみが元本確定前に限って認められています。分割譲渡と一部譲渡とは似ていますが、分割譲渡がなされた場合、元の根抵当権は分割されて独立した2つの根抵当となりますが、一部譲渡がなされた場合、元の根抵当権はそのままに、複数人がその1つの根抵当権を共有することとなります。

根 抵 当 権 のしくみ

根抵当権とは、経済取引などで、その間に債権額が増減するような場合に、将来、一定の決算（確定）期日において弁済されない貸越額や約束手形の未決済額を担保するために、一定の限度額（極度額）を決めてあらかじめ設定された抵当権である。

第2編 物権

第10章 抵当権

● 根抵当権の被担保債権
根抵当権が設定できる債権は一定のものに限られている。
① 債務者との特定の継続的取引契約により生じた債権
② 債務者との一定の種類の取引によって生じた債権
③ 特定の原因に基づき債権者・債務者間に継続して生ずる債権
④ 手形上または小切手上の債権

● 根抵当権の元本の確定期日
① 元本の確定請求の場合
(1) 担保権設定者は、根抵当権の設定のときから3年を経過したときは元本確定を請求でき、請求から2週間で確定
(2) 根抵当権者はいつでも元本の確定を請求でき、請求のときに元本は確定
(3) 上記(1)(2)は元本の確定期日の定めがある場合には適用されない
② 根抵当権の確定事由
(1) 競売手続き、担保不動産収益執行の手続き開始または372条において準用する304条の差押え
(2) 根抵当権者が滞納処分によって差押えをしたとき
(3) 根抵当権者が抵当不動産に対する競売手続きの開始又は滞納処分による差押えがあったことを知ったときから2週間を経過したとき
(4) 債務者または根抵当権設定者が破産手続開始の決定を受けたとき

（根抵当権）
第398条の2 ① 抵当権は、設定行為で定めるところにより、一定の範囲に属する不特定の債権を極度額の限度において担保するためにも設定することができる。
② 前項の規定による抵当権（以下「根抵当権」という。）の担保すべき不特定の債権の範囲は、債務者との特定の継続的取引契約によって生ずるものその他債務者との一定の種類の取引によって生ずるものに限定して、定めなければならない。
③ 特定の原因に基づいて債務者との間に継続して生ずる債権、手形上若しくは小切手上の請求権又は電子記録債権（電子記録債権法（平成19年法律第102号）第2条第1項に規定する電子記録債権をいう。次条第2項において同じ。）は、前項の規定にかかわらず、根抵当権の担保すべき債権とすることができる。

22 抵当権の実行はどのように行うのか

物権 — 実行手続きは民事執行法に定める方法で行う

民事執行法など

☞具体的な手続きは、地方裁判所に抵当権に基づく競売の申立てをすることにより行う。

抵当権の実行は民事執行法による

1 抵当権の実行

「抵当権の実行」とは、抵当権の有する優先弁済権を具体化する手続きで、民事執行法に規定されています。

抵当権を実行するには、まず、抵当権の目的物の所在地を管轄する地方裁判所に抵当権実行の「申立て」をなし、これに基づき「競売開始決定」が送達され、差押えの効力が発生します。この後、競売が実施され、買受人があらわれて「売買許可決定」がなされると、買受人は代金を納付して目的物の所有権を取得し、抵当権は消滅します。その後に「配当手続き」がなされ、ここで、抵当権者は他の債権者に先立って配当を受けることによって優先弁済権を実現することになります。

2 抵当権実行と土地建物関係

更地の抵当権者は抵当権設定後、その上に建物が築造された場合には、土地と建物を一括して競売することができます（優先権は土地部分の代価のみ）。平成15年改正（平成16年4月1日施行）で建物の築造者は問わないものとされ、債務者以外が築造した場合も対象となります。

一方、抵当権設定時にすでに土地建物が同一所有者の下で存在し、競売によって所有者が異なるに至った場合には「法定地上権」が発生します。すなわち、土地、建物を有するAが建物だけに抵当権を設定した場合、抵当権が実行されると買受人Bは建物の所有権を取得しても土地の利用権がなく、建物収去・土地明渡しの請求を受けます。逆に、土地のみが抵当に入っている場合では、競売により建物所有者Aが土地の買受人Bからの建物収去・土地明渡しの請求を受けることとなります。こうした不都合を回避するため、建物所有のための法定の土地利用権（前のケースではB、後のケースではA）を認めたのが法定地上権です。

3 抵当権と賃借人

抵当権と賃借人との関係も対抗関係に立ち、その優劣は対抗要件具備の先後関係で決するのが原則です。しかし、抵当権登記に劣後する賃貸借登記しか有しない賃借人も自己に優先する抵当権者の同意および同意の登記を備えれば抵当権者に対抗できます（平成15年改正で新設）。また、対抗できない場合でも、その建物が抵当権実行により競売され、買受人が出現しても、その買受のときから6か月は明渡しを猶予されます。

従来の短期賃貸借の制度が詐害目的で利用されることも多かったことから、平成15年改正で利益調整が図られました。

4 共同抵当の場合の配当

「共同抵当権」（複数の不動産をまとめて目的とする1つの抵当権）者が任意の不動産から優先弁済を受けられるとすると、後順位抵当権者に不測の損害を与えます。

そこで、民法は後順位抵当権者を保護し、公平を図るため、各不動産の価格に応じて共同抵当権の被担保債権の負担を分ける等の規定を設けています。

抵当権実行のしくみ

要旨 不動産競売の申立ては、目的不動産の所在地を管轄する地方裁判所（執行裁判所）に申立書を提出して行う。

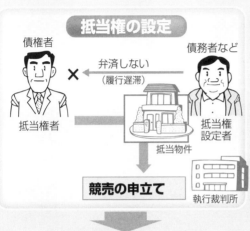

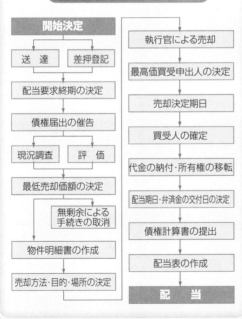

●滌除制度の見直しと抵当権消滅請求

抵当権が設定されている不動産の所有権を得た（買った）第三者は、抵当権者に代価または金額を提供して抵当権消滅請求をすることができる（379条）。なお、平成15年の改正により、抵当不動産の所有権を取得した者に限られ、地上権や永小作権を取得した者については除外された（平成16年4月1日施行）。

この他、同改正では、以下の変更があった。

①抵当権実行通知義務の廃止
抵当権者は、抵当権を実行しようとする場合に、あらかじめ第三取得者に抵当権を実行する旨の通知をすることが必要だったが、この必要がなくなった。

②抵当権消滅請求をすることができる期間
第三取得者は、抵当権実行としての競売による差押えの効力発生前に、抵当権消滅請求をする必要がある（382条）。

③競売申立期間の伸長および増加買受義務の廃止
抵当権者が第三取得者から抵当権消滅請求を受けた後2か月以内に競売の申立てをしないときは、第三取得者の提供額を承諾したものとみなされる（384条1号）。

競売において買受けの申出がなく最終的に競売手続きが取り消された場合、承諾擬制の効果は生じない（384条4号）。また、競売の申立てを取り下げる場合には、登記した他の債権者の承諾を要しない。

なお、増加競売の制度（もし、競売において第三取得者が提供した金額より10分の1以上高価に抵当不動産を売却することができないときは10分の1の増加をもってその不動産を自ら買い受けるというもの）が廃止された。

●担保不動産収益執行の創設

従来の抵当権の実行方法は、競売および物上代位による賃料の差押えの2つだったが、平成15年の民事執行法の改正により、抵当不動産の賃料収益を抵当権者が受領できる担保不動産収益執行が創設された（平成16年4月1日施行）。

物権 23 譲渡担保・仮登記担保・所有権留保

担保には実務上から生まれた非典型担保もある

仮登記担保法など

☞いずれも元は実務上の必要から生まれた担保制度だが、暴利を防ぐため清算義務などがある。

譲渡担保はよく利用されている

1 非典型担保

民法に規定された担保以外にも、現実には多くの担保方法が存在しており、こうした担保手段を「非典型担保」といいます。

民法上の担保は、実行手続きが煩雑な割に安価でしか換価できない、民法は動産抵当を認めない、などを主な理由として、実務界は長年にわたり、次々に法の予想しなかった担保を作りだしてきました。

こうした非典型担保は物権法定主義に反するものとして従来否定的な考え方も存在しましたが、現在では慣習法に根拠を有するとして物権法定主義には反しないものと考えられています。

非典型担保には、仮登記担保・譲渡担保・所有権留保の他、相殺予約・代理受領・ファクタリング等種々のものがありますが、前3者が非典型担保の代表的なものということができます。

この3者の担保方法が民法上の担保と比較して異なる点は、いずれも担保権者がその担保目的物の所有権を取得、ないし移転すべき所有権の留保が行われている点にあります。

2 譲渡担保

「譲渡担保」とは、債権担保のために、物の所有権を債権者に譲渡することによって、信用授受を得る制度をいいます。

債務者が被担保債務を弁済した場合は、目的物の所有権は債務者の下に戻りますが、弁済をしない場合は、譲渡担保権者が譲渡担保権を実行することになります。

この実行方法としては、第三者に売却してその代金から優先弁済を受けるという処分清算と、譲渡担保権者自らが所有権を取得し、超過額を債務者に返還するという帰属清算とがありますが、いずれの場合でも、債権者が超過額をも取得するのは不当であるので、債権者には清算義務が認められています。

3 仮登記担保

貸金債権を担保する目的で、債務者または第三者所有の不動産につき、代物弁済予約や停止条件付代物弁済契約を締結し、これを原因とする所有権移転請求権保全の仮登記をなし、貸金債権の弁済が得られない場合にはその不動産自体を代物弁済として取得できる権利を確保しておくことが戦後、実務上盛んに利用されるようになりました。

こうした状況を受け、昭和53年に「仮登記担保契約に関する法律」が制定されるに至り、それまで判例によって認められていた債権者の清算義務が明定されるところとなりました。

4 所有権留保

「所有権留保」とは、売主が目的物の引渡しを終えても、売買代金が完済されるまで目的物の所有権を売主の下に留保しておく制度で、自動車等の消費商品の割賦払売買契約の際にしばしば用いられています。

譲渡担保・仮登記担保のしくみ

譲渡担保

譲渡担保とは、担保しようとする物の所有権を債権者に移し、一定の期間内に弁済すれば、これを再び返還するという担保制度である。

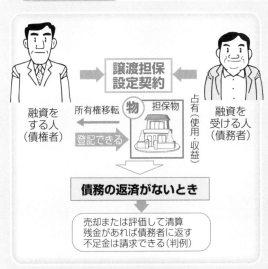

譲渡担保の典型例

①融資を受ける者（債務者）が融資をする者（債権者）に担保の目的となる物を売却し、その物は債務者の手元に置き、一定期間内に貸金を返済すれば、その物を取り戻すことができると約するような場合（売渡担保・売渡抵当）→買戻特約付売買、再売買契約

②債権者と債務者が消費（金銭）貸借契約をなし、債務者が担保として所有権を移転する場合（狭義の譲渡担保）

①と②の違いは、①が債権債務関係が残らないのに対して、②は債権債務関係が残る。

仮登記担保

仮登記担保とは、仮登記を利用して行う担保方法で、これには代物弁済予約と売買予約がある。

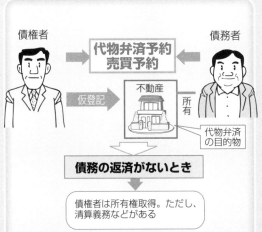

●債権者の所有権取得の手続き

①債務者への通知
　その通知が到達した日から2か月を経過しなければ所有権を取得できない。

②清算義務
　債権と所有権を取得する不動産の価額の間に差があれば、清算金を2か月以内に支払わなければならない。

③債権者が正当な清算金の支払いをするまでは、元本と遅延損害金を提供して不動産の受戻しができる（清算金支払いと所有権移転登記の同時履行）。

知っておきたい民法の実用知識 2

1 占有権と所有権とはどちらが強いのか？

占有権はその原因と関係なく、占有という事実状態をそのまま保護しようとするものなので、泥棒BがもちぬAから宝石を盗んで保管している場合、宝石の所有権はAに、占有権はBにあることになります。この場合、Aから所有権を理由とした返還請求に対し、Bは応じざるを得ないことは当然ですので、この意味で所有権の方が権利として強力ということはいえるでしょう。
→65ページ参照

2 所有権は物権だが、売買などでの引渡請求権も物権か？

売買により、買主は目的物の引渡請求権を取得します。この引渡請求権は物を目的とするものですが、引渡しはあくまで売主から自発的になされるべきものであり、その意味で買主のこの目的物への支配は間接的なものに過ぎません。物権は物の直接支配を本質とする権利ですから、買主のこの引渡請求権は物権ではなく、あくまで、売買契約によって発生する債権ということになります。
→74・114ページ参照

3 権利のない者から不動産を購入し、登記した場合は自分の物になるか？

事例で考えてみましょう。AからBへの売買がなされたにもかかわらず、その登記が未了の状態で、さらにCがAから権利を取得しようとする場合（いわゆる二重譲渡）、BとCとは対抗関係に立ち、先に登記を具備することで権利を取得できます。もっとも、真の権利者がCであるにもかかわらず登記名義がなんらかの理由でAになっているような場合は、Bは登記を具備しても、登記に公信力がない以上、権利者とはなれず、原則として権利を取得できません。
→66ページ参照

4 盗まれた物の権利はどんな場合も主張することはできないのか？

AがBに宝石を預け、その預かった宝石をBがCに売ってしまった場合を考えてみます。不動産と異なり、動産の占有には公信力が与えられていますので、前主の占有を信頼して動産を取得した者はその権利を即時取得できます（192条）。したがって、Cがその宝石の所有権を取得し、反射的にAは所有権を失う以上、Cに対して権利の主張をすることはできないことになります。もっとも、この即時取得の制度は、目的動産が盗品と遺失物の場合に、被害者と遺失者に2年間の回復請求権を認めています。したがって、AがBに宝石を盗まれた場合であれば、Aは2年間に限り、Cに対する権利主張が可能となります。
→72ページ参照

5 先取特権と抵当権はどちらが優先するのか？

先取特権も抵当権も目的物からの優先弁済権を有する担保物権ですので、その優先関係が問題となります。特別先取特権（不動産先取特権）は一般先取特権に優先するのが原則であり（329条2項）、特別先取特権相互の順位は、保存→工事→売買の順となります（331条）。また、特別先取特権のうち、不動産保存・工事の先取特権は登記によって抵当権にも優先するものとされます（339条）。したがって、既登記不動産保存先取特権→既登記不動産工事先取特権→抵当権→未登記不動産保存先取特権→未登記不動産工事先取特権→不動産売買先取特権の順序で優先弁済がなされていくこととなります。
→92ページ参照

6 抵当権設定後の短期賃貸借の保護はどうなったか？

旧民法395条の短期賃貸借保護規定は、不当に抵当権者を害するとして批判が強かったため、平成15年の法改正（平成16年4月1日施行）により、短期賃貸借制度は廃止となりました。すなわち、抵当権者に対抗できる賃借権の設定には抵当権者の全員の合意の登記を必要とし、さらに抵当権者に対抗できない賃貸借の競落人に対抗できる期間も従来の最長3年から、競売による買受以降の6か月が限度となっています。
→106ページ参照

第3編 債権

399条〜724条の2

民法のしくみ

民法は1050条から成る私人間のルールを定めた法律

- 第1編 総則
- 第2編 物権
- 第3編 債権
- 第4編 親族
- 第5編 相続

◆債権編とは、他人に一定の行為を請求できる権利のことです。第1章の総則では債権一般の原則を、また第2章以下では、契約、事務管理、不当利得、不法行為といった債権の成立原因等について定めています。なお、本編については大幅な改正が行われ、令和2年4月1日までに施行されました。最近の改正としては、社会のデジタル化に伴う改正があります。

債権編では、債権の効力および債権

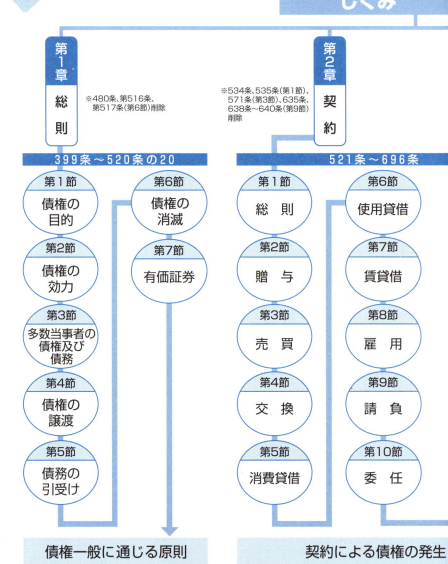

の成立原因等について定める

債権編・早わかり

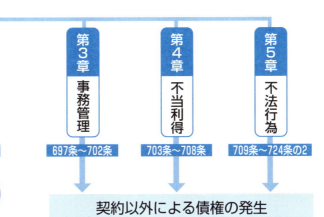

第3章 事務管理	第4章 不当利得	第5章 不法行為
697条〜702条	703条〜708条	709条〜724条の2

契約以外による債権の発生

第11節 寄託
第12節 組合
第13節 終身定期金
第14節 和解

※**債権編**は、債権総論と言われる「総則」、債権各論と言われる第2章以下から成り立っています。そして総則では主に債権の効力について、債権各論では、債権の発生、変更、消滅などについて定めています。

■**総則** 債権一般に通じる原則について定めています。その内容は、債権の目的（債権の内容）、債権の効力（債権の内容の実現）、多数当事者間の債権関係（保証債務・連帯債務など）、債権の譲渡、債務の引受け、債権の消滅、有価証券の7項目です。

■**契約** 物の売買に見るように、当事者の契約によって権利義務関係が発生します。第2章では、債権の発生を目的とする債権契約について詳細な規定を設けています。契約の成立や効力および13種類の契約（典型契約）から成り立っています。

■**不当利得** 契約によらない債権の発生もあり、不当利得もその1つです。不当利得とは、正当な理由がないのに一方が得をし、片方が損をする場合のことで、これは不公平であることから、返す義務（不当利得返還義務）があると定めています。つまり、返還請求権＝債権が発生します。

例としては、借金の返済を2度した場合などがあります。

■**不法行為** 不法行為も契約によらない債権の発生の1つです。不法行為とは、故意または過失により、他人の権利または利益を侵害して損害を与える違法な行為で、加害者は損害賠償の責任を負うことになります。債権関係で言えば、被害者の加害者に対する損害賠償請求権という債権が発生することになります。

例としては、交通事故の加害者は被害者に対して損害賠償をしなければならない、などがあります。

債権

1 債権とはなにか

債権は相手に一定の行為を請求できる権利

399条～411条　☞いちばん多いのは、お金の貸し借りで、貸主（債権者）は借主（債務者）に対して弁済請求権（債権）を持つ。

債権は、請求権だ！

1 債権

民法は個人と個人との関係を権利・義務の関係として考えてゆきます。その際、現れてくる権利の中で「物権」と並んで重要なものが「債権」です。

債権とは、「他人（債務者）に一定の行為を請求する権利」です。例えば、お金を貸した相手に対して借りたお金を返せという権利、物を売った人が買った人に対して代金を支払えという権利などが典型例です。

2 債権の目的

物権が物を直接に支配する権利であり、物権の目的は「物」であったのに対し、債権は債務者に一定の行為を請求する権利ですから、債権の目的は「債務者の一定の行為（給付）」ということになります。

3 債権と物権の異同

物権は、物を直接に支配することを内容とし、それ故に1つの物権と相反する物権は成立し得ない（排他性）のですが、一方、債権の場合はその目的が債務者の給付であり、債務者という人格が介在する以上、その目的の支配は考えられません。

したがって、債権には排他性がなく、相反する債権も成立し得るのです。例えば、ある歌手がAという劇場と出演契約を結べば、Aはその歌手に対していついつにA劇場で公演せよという債権を持つことになりますが、同時にBという劇場が同じ日に公演するようにその歌手と出演契約を結んでも、B劇場の債権もA劇場の債権と同時に成立し得ることになります。もちろん、その歌手はどちらか一方の義務しか果たせません。しかし、A劇場の債権があるからB劇場の債権は成立しないということにはならず、果たされなかった債権者はその歌手に対しての損害賠償請求という形で保護されることになります。

4 債権の分類

債権は債務者の給付を目的とするものですから、その給付の種類によって分類することができます。

まず、債権の種類としては、給付内容を物の引渡しを目的とするものが代表的形態で、給付の内容が債務者の物の引渡しを内容とする「与える債務」と、それ以外の「なす債務」とに大きく分けることができます。

「与える債務」は、その与える物が特定物か不特定物であるかによって、特定物債務と不特定物債務に分類でき、債務不履行のところで重要となってきます。

「なす債務」は債務者の物の引渡し以外の行為を内容としますが、例えば、「塀をつくらない債務」というような消極的なものも含まれます。

なす債務は代わりの人ができるかという観点から「代替債務」と「非代替債務」とに分類でき、後述の強制履行の場合に問題となってきます。

なお、債務には、A債務かB債務のどちらかを選択して履行するという「選択債務」の形態も存在します。

債権制度のしくみ

要旨 債権は、他人に一定の行為を請求する権利で、請求する人を債権者、請求される人を債務者という。

1 債権（請求権）の発生

債権者　　債務者

債権・債務の発生原因

①契約成立による債権・債務の発生
　→521条以下（民法上の契約以外の場合もある）
②事務管理による債権・債務の発生
　→697条（186㌻参照）
③不当利得による債権・債務の発生
　→703条（188㌻参照）
④不法行為による債権・債務の発生
　→709条（190㌻以下参照）

債権・債務の発生

債権の種類	内容	特色と問題点
特定物債権	特定物の引渡し	引渡し前の善管注意義務 危険負担
種類債権	種類・分量のみを定めた不特定物の引渡し	特定時期
金銭債権	金銭の引渡し	履行不能は生じない 履行遅滞は遅延利息の賠償
選択債権	数個のうちのいずれかの引渡し	選択債権者はだれか 特定の有無
任意債権	他の物を代わりに引き渡してもよい	代用債権はなにか

2 債務者の義務の履行

受領　　弁済
[例]・金銭の支払い
　　・物の引渡し

債権者　　債務者

履行完了

2 債務不履行

「債務不履行となる場合」

- **履行遅滞**
→履行が約束の日より遅れた場合
- **履行不能**
→引き渡す約束をした物が消失した場合など
- **不完全履行**
→引き渡した物に瑕疵（キズ）があった場合・など

契約解除 損害賠償請求

※詳細⇒122㌻参照

3 債権・債務の消滅

※債権の消滅事由は
①弁済（473条以下）
②代物弁済（482条）
③供託（494条以下）
④相殺（505条以下）
⑤更改（513条以下）
⑥免除（519条）
⑦混同（520条）
⑧時効（166条以下）

消滅

※詳細⇒136㌻以下参照

（債権の目的）
第399条 債権は、金銭に見積もることができないものであっても、その目的とすることができる。

第3編　債権

第1章　総則

債権 2 金銭債権と利息債権

請求権を持つ者が債権者、義務を負う者が債務者

402条〜411条関連

☞代金の支払請求権や貸金の返済請求権、賃金の支払請求権などがこれに当たる。

元本の返済と利息請求権

1 金銭債権

金銭債権とは、一定額の金銭の引渡しを目的とする債権（金額債権）をいい、これを反対から見た金銭債務は与える債務の典型です。

2 金銭債権の特殊性

金銭は代替物の極限ともいうべきもので、金銭債権のそうした性質から、後に述べる債務不履行（122 ☞参照）による損害賠償について、特則（419条2項）が定められています。すなわち、金銭債務の損害賠償は、実害とは無関係であり、債権者は、損害の生じたことを証明する必要はありませんが、それ以上の損害が仮に存在してもその損害賠償を請求できません。

また、債務者の故意・過失は要件ではないので、不可抗力によって履行遅滞を生じたと主張しても、責任を免れることはできません。例えば、大震災のため、返済期日に債権者宅に返済に行くことができなかったとしても、法定の利率による履行遅滞による賠償責任を負います。

3 利息と法定利率

金銭の貸借にあっては、元金の返還とともに、元金を使用した期間に対応した一定の比率（利率）によって計算される金銭（利息）の支払いの合意がしばしばなされます。

利息が発生する場合、その利率は別段の意思表示がない場合は、その利息が生じた最初の時点における法定利率によります。令和7年は、法定利率の規定が見直された改正法施行時点（令和2年4月1日）と変わらず、年3％のままです。

利率は、本来当事者の合意により自由に定められますが、貸主と借主の経済的な力関係から不当に高利な利率が設定されかねません。そこで、利息制限法は金銭消費貸借について、利息、遅延損害金（後述）に関し制限を設けています（次☞下段参照）。

4 利息制限法による制限利率

利息制限法による上限金利は、元本が①10万円未満の場合、利率は年20％まで、②元本が10万円以上100万円未満の場合、利率は年18％まで、③元本が100万円以上の場合、利率は年15％まで、となります。

なお、出資法は、貸金業者についての上限利率を年20％とし、これを超える利率については刑事罰の対象としています。

5 利息と遅延損害金

ところで、貸金等の支払を求める訴訟では、「被告は、原告に対して、100万円およびこれに対する令和7年1月13日から支払済みまで年15％の割合による金員を支払え」などの判決がよく見られます。

この請求の内訳は、100万円が元本で、貸付日から返済期日までの部分が利息、その翌日以降支払済みまでの部分は遅延損害金となります。

なお、利息制限法は、金銭消費貸借の遅延損害金部分の率についても上限を設けており、賠償額の予定は制限利率の上限の1.46倍としています。

金　銭　債　権 のしくみ

要旨 金銭債権とは、一定額の金銭の支払いを受けることを目的とする債権で、これには代金、貸金、賃金などの債権がある。

1 金銭債権の発生

〔契約による金銭債権の発生原因〕
① 売買契約による代金支払債権
② 金銭貸借契約による金銭債権
　元本債権・利息債権（下記参照）
　がある
③ 労働契約による賃金支払債権など

発生原因
契　約
※事務管理・不当利得・不法行為でも発生する。
債権者　　債務者
金銭債権の発生

◆利息債権のしくみ

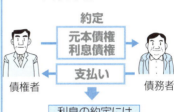

約定
元本債権
利息債権
支払い
債権者　　債務者

利息の約定には一定の制約がある

▶利息制限法→この制限利率を超えた部分は無効で、超過部分は、まず元本に充当される。
▶出　資　法→この金利を超えると刑事罰がある。

2 債務の履行・債権の消滅

債務の履行
支払い（弁済）
債権者　　債務者
債権の消滅
債務不履行124㌻参照

※**契約がない場合**　利息についての契約がなければ無利息。利息を払う約束はあるが、金利の約束がない場合は、法定利率となる。

※**法定重利**　1年分以上の額の利息の支払いが遅延している場合には、催告をし、それでも支払いがなければ意思表示をして元本に組み入れをすることができ、複利となる。

※**約定金利と法定金利**　金利の約束がある場合、その約束に従って金利を払う。ただし、上記利息制限法、出資法による制限がある。
　法定金利は法律上認められた金利で、公平の観点から、約定がなくても法律が特に規定して利息を認めた場合である。

◆**法定利率に関する見直し**（404条）
　平成29年法律第44号（民法の一部を改正する法律）によって見直される前は、法定利率は民事年5％、商事年6％でした。法定利率は明治期における民法・商法の制定以来見直しがされておらず、市中金利を大きく上回る状態が続いていたのです。
　そこで、改正法では商事法定利率を廃止し、民事・商事の区別なく上記の施行時に年3％へ法定利率を引き下げるとともに、法定利率が将来市中の金利と大きく乖離した場合への手当として、法定金利を市中の金利の変動に合わせて緩やかに上下させる変動制を導入しました。この変動制は3年を「1期」とし、「1期」ごとに変動するというもので、その算出方法は、日本銀行が公表している過去5年間の貸出約定平均金利の平均から「基準割合」を計算し、直前変動期の基準割合と当期の基準割合との差に相当する割合を直前変動期における法定利率に加算・減算するというものです（令和2年4月1日施行）。
　なお、法定利率は中間利息の控除（交通事故の逸失利益の場合など）や遅延損害金にも適用されます。

債権

3 債権と法律上の保障

債権は法律により、強い保障がなされている

412条〜414条関連

☞強制履行、権利侵害に対する妨害排除・損害賠償請求、受領遅滞に伴う契約解除・損害賠償請求などがある。

任意に支払わなければ強制履行

1 履行の請求

債権は権利として、法律上、どのような保障が与えられているのでしょうか。まず、債権とは、債権者が債務者に対して一定の行為を請求することができる権利である以上、債権者は裁判の場以外でも債務者に対して履行を請求でき、もし、債務者が任意にその債務を履行すれば、その給付内容が正当なものとして法律上保障されます。

2 強制履行

債務者が任意に履行しないような場合、債権者は、強制的に債権の内容を実現するように国家機関に働きかけることができます。近代法は自力救済を禁じた代わりに、国家機関を通じた権利の実現を保障したのです。この国家機関を通じた債権内容の強制的実現を、任意の履行と比較する意味で、強制履行（民事執行法上の強制執行）と呼んでいます。

民法は、債務者の人格に過度の強制を加えることのないように配慮しながら、直接強制、代替執行、間接強制の3つの強制履行の方法を規定しています。

3 債権に基づく妨害排除請求

以上は、債権の債務者の給付を求める権利としての性質上、当然に導き出されるものといえますが、これ以外にも債権に対して法が与えている効力が存在します。

権利の不可侵性からすれば、債権にも物権と同様に、侵害を排除する効力が認められるべきでしょう。もっとも、侵害はある程度の継続するものである必要がありますから、実際に妨害排除請求権が問題になるのは、物の利用を目的とする賃借権等の場合です。

4 第三者による債権侵害

第三者が債権を侵害した場合には、それを不法行為（190㌻参照）として損害賠償請求することも可能です。以前は、債権は対債務者についてだけの相対的な権利にすぎないとしてこれを否定する見解もありましたが、現代では、債権も法的な保護を受ける必要があること、債権の相対性は直接的な効力を問題にする場合の性質に過ぎないものであるとして、債権侵害の不法行為性が認められています。

5 受領遅滞

受領遅滞とは、債務の履行にあたって、受領その他債権者の協力を必要とする場合で、債務者が債務の本旨に従った提供をしたにもかかわらず、債権者が債務の履行を受けることを拒んだり、または債務の履行を受けることができないため、履行が遅延している状態になることをいい、民法上、この受領遅滞も債権の効力の1つとして規定されています。

この場合、債務者が不利益を免れるという意味で消極的な保護を与えるべきことは争われませんが、さらに進んで、債務者に解除権や損害賠償請求権までも認めるべきかについては、受領遅滞の法的性質とあいまって議論があります。

債権の効力のしくみ

要旨 債権の効力で中心的なものは、約束等に従い、債権者は債務の履行を受けること（受領債権）ができるということである。

1 債権の発生

〔債権の発生原因〕売買、金銭貸借、賃貸借などの契約、不法行為（損害賠償債権）などがある。

2 債務の履行・債権の消滅

- **確定期限**→その期限の到来のとき
- **不確定期限**→期限の到来を債務者が知ったとき
- **期限の定めなし**→履行の請求を債務者が受けたとき

この期限に履行なし

〔履行遅滞〕履行期に債務の履行ができないと、履行遅滞となる。

※**受領遅滞** 債権者が債務の履行を拒否した場合などでは、債権者の受領遅滞となる（本文参照）。

〔履行がないとき〕
任意に履行がないときは履行を請求し、それでも履行がないときは、裁判所に申し立てて、下記の方法で履行を強制できる。

① **直接強制**
　裁判所の執行官が強制的に実行する。
② **代替執行**
　債務内容を第三者に実行させ、その費用を債務者から取り立てる。
③ **間接強制**
　債務内容の実現があるまで、損害賠償を取り続ける。

債権・債務の消滅

※債権の消滅事由⇒136㌻以下参照

※**責任なき債務** 強制執行を受けない債務を責任なき債務という。当事者が強制執行をしない旨の特約をすることによって責任なき債務となる。

※**自然債務** 責任なき債務の1つで、弁済を強制できない債務のことで、消滅時効にかかった債権、賭博の不法原因による給付などがある。

◆**原始的不能の場合の損害賠償規定の新設**（412条の2第2項）
　原始的不能とは、契約成立の時点で既に債務が履行不能になっている場合をいいます。従前の民法では、この原始的不能の場合に債権者が債務不履行に基づく損害賠償請求ができるかどうかにつき明文の規定がなく、実際、契約成立の時点で既に履行不能である以上、そのような契約は無効であり、したがって、こうした場合は債務不履行による損害賠償請求は不可との考えが有力でした。
　しかし、履行不能になったのがたまたま契約成立前というだけで、債務者に帰責事由がある場合でも債務者が損害賠償責任を免れるのは不当である、とも考えられます。こうした観点から、平成29年6月2日公布の改正民法（平成29年法律第44号）では、原始的不能の場合には債権者は履行の請求はできないものの、債務不履行に基づく損害賠償請求をすることを妨げないとする規定が新設されました。この規定は、令和2年4月1日から施行されています。

債権 4 債権回収とその手段

債権回収では自力救済は許されない

最終的には訴訟で！

414条関連

☞内容証明郵便による督促から法的手段による支払督促、民事調停、訴訟などの方法がある。

1 債権回収とは

債権は、債務者の給付を目的とする権利なので、債務者が任意の給付をしない場合、債権者は、その債権の回収を図るという問題に直面します。債権回収には、以下のような手段があります。

2 交渉による回収

まず、債務者に対する履行の催促でしょう。債務者が給付しない場合としては、単に忘れているだけという場合もありますので、いきなり強硬な手段に訴えかけるのは穏当ではありません。

なお、債権回収は他人に依頼することも可能です。平成10年、「サービサー法」が成立し、それまで弁護士にしか許されていなかった債権回収業が民間業者に開放され、適正な債権回収が図れるような措置が講じられています。

3 内容証明郵便

次は、債務者に「内容証明郵便」を発送することです。内容証明郵便とは、郵送した文書の内容と発信した日付を郵便局が証明してくれる郵便です。通常は、配達証明も付けて発送され、この配達証明により、文書が確かに相手方に送達されたことも証明できます。

内容証明郵便は訴訟提起の準備として利用されることが多いため、債務者に訴訟提起を意識させることで、債務の履行に努力させる実際上の効果を期待できます。弁護士名義での発送であればなおさらです。

4 法的手続による回収①（簡易裁判所の手続き）

以上の手段で解決しない場合、債権者は法的手続きによることになります。民法はいくつかの手続きを用意しています。

まず、簡易裁判所での手続きとして、「調停」「支払督促」「少額訴訟手続き」があります。

調停とは、裁判官1名と調停委員2名で構成される調停委員会が間に入って、当事者双方の譲歩を引き出して解決を図る手続きです。話合いがつき、調停調書に記載されると訴訟の確定判決と同様の効果を生じます。

支払督促とは、申立人の申立てにより、書類審査だけで発布される命令です。相手方の異議がなければ仮執行宣言を得て強制執行することも可能です。

少額訴訟手続きとは、60万円以下の金銭の支払いを求める訴えを原則として1回の期日で審理を終え、直ちに判決を言い渡す手続きです。

5 法的手続による回収②（訴訟手続き）

訴訟は判決という形で公権的な判断が下される最も厳格な手続きです。この判決は債務名義となり強制執行も可能となります。

なお、訴訟による場合は、勝訴判決まで相当程度の期間を要するため、債務者が資産を処分してしまう事態が生じ得ます。こうした事態への対策として、一定の保証金を納めて簡易・迅速な命令を得る仮差押等の「保全処分」も用意されています。

債　権　回　収 のしくみ

第3編　債権
第1章　総則

要旨 債務者が任意に債務の履行をしない場合は、履行の強制をすることになり、これは法的手続きが必要で、債務者の物を勝手に持ってくるなどの自力救済は許されない。

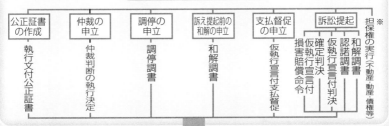

※強制執行は判決や公正証書などの債務名義が必要であるが、債務名義を取るまでの間に、債務者の財産が隠匿されたり第三者に譲渡されれば、強制執行は空振りに終わる。
　そこで、将来の強制執行を確実にするため、それに先立って仮差押手続きをとることが多くある。仮差押えは債務者の財産の処分権能を奪うので、相手と有利な交渉ができる。

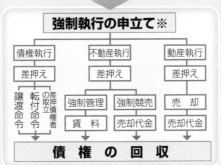

※担保権（質権、先取特権、抵当権等）の実行手続きには、原則として強制執行の手続きが準用されている（民事執行法）。

（履行の強制）
第414条① 債務者が任意に債務の履行をしないときは、債権者は、民事執行法その他強制執行の手続に関する法令の規定に従い、直接強制、代替執行、間接強制その他の方法による履行の強制を裁判所に請求することができる。ただし、債務の性質がこれを許さないときは、この限りでない。
② 前項の規定は、損害賠償の請求を妨げない。

債権 5

義務を負う者が約束を守らないと債務不履行

債務不履行と債務者の責任

415条関連

☞債務不履行の形態には、履行遅滞、不完全履行、履行不能とがある。

1 債務の不履行

債権者は債務者に対し、債務の履行を請求できますが、債務者が債務の本旨に従った履行をしない場合を債務不履行といいます。

債務不履行は、その不履行の内容によって、①履行遅滞、②不完全履行、③履行不能の3つの態様に区別することが可能です。

①履行遅滞とは、履行が可能であるのに履行期を過ぎてしまったような場合、②不完全履行とは、履行はなされたがそれが不完全な場合です。③履行不能については後述します。

2 履行不能

債務の履行が契約その他の債務の発生原因及び取引上の社会通念に照らして不能である場合を履行不能といいます。

履行不能のうち、債権成立時に既に履行が不能であった場合を原始的不能、債権成立後に不能となった場合を後発的不能といいます。

履行不能の場合、債権者の履行請求権は消滅することとなりますが、債務者がそれに代わる権利や利益といった代償を得た場合、債権者は自らの被害の限度においてその代償の譲渡を求めることができます（代償請求権）。

3 債務不履行による損害賠償

履行不能の場合も含め、債務者に債務不履行があった場合、債権者は債務者に免責事由がない限り、債務者に対して損害賠償責任を追及できます。

債権者が損害の補てんを受けることができなければ、債権の権利としての意義がほとんどなくなってしまいますし、こうした損害を債務者に補てんさせることが当事者間の公平にも資するからです。

例えば、債権者Aが債務者Bから建物を引き渡してもらうことを内容とする債権が約束の期日になされなかったため、Aに余分な家賃支出といった損害が生じた場合、Aはその家賃の支出を損害としてBに請求できることとなります。

4 損害賠償責任からの免責

債務不履行が「契約その他の債務の発生原因及び取引上の社会通念に照らして債務者の責めに帰することができない事由」に基づく場合は債務者は損害賠償責任を負いません。

このように、免責の有無は債務の発生原因に則して判断されますので、帰責事由と過失とは必ずしも一致するものではありません。

債務の履行に履行補助者を用いた場合、履行補助者の行為が契約及び取引上の社会通念に照らして債務者の責めに帰すべきか否かを判断することになります。

なお、債務者が履行遅滞に陥っている場合に当事者双方の責めに帰することができない事由によって履行不能が生じた場合、その履行不能は債務者の責めに帰すべき事由によるものとみなされます。

債務不履行制度のしくみ

要旨 債務不履行とは、債務者が債務の本旨に従った履行をしないことで、債権者はその損害の賠償等を請求できる。

※**取立債務と持参債務**
　取立債務とは、債務者の住所または営業所で履行することになっている債務。
　持参債務とは、債権者の住所または営業所で履行することになっている債務。
　当事者が取立債務と決めたり、法律で特に定めがある場合を除き、持参債務が原則である。
　持参債務では、債務者が持参して履行しないと、履行遅滞となる。

●債務不履行には、以下の3つの類型がある

態様	内容	要件	効果
履行遅滞	履行期が過ぎても債務者が履行しない場合	①債務者に責任があること ②履行が可能なのに履行が遅れていること ③遅滞が違法なこと	①損害賠償（遅延賠償、塡補賠償） ②契約解除権
履行不能	債務成立後、債務者側の故意・過失によって履行不可能となった場合	①債務者に責任があること ②債務発生後に履行ができなくなったこと	①損害賠償（塡補賠償） ②契約解除権 ③代償請求権
不完全履行	履行はしたが、不完全だった場合	①債務者に責任があること ②履行が不完全であること	①履行の請求（追完可能なとき） ②損害賠償（遅延賠償、塡補賠償） ③契約解除権

※**原始的不能**　すでに焼失している家屋を売る契約は、はじめから履行が不可能であり、このような場合を原始的不能といい、契約は不成立となる。

◆**債務不履行による損害賠償の帰責事由の明確化**（415条）
　債務不履行による損害賠償の請求には債務者に帰責事由が必要とされますが、この要件は、現行規定より前は、債務不履行のうちの履行不能の場合についてのみ規定されており、履行遅滞等その他の場合には規定されていませんでした。また、この帰責事由の内容も条文からは明らかになっていません。
　こうしたことから、平成29年6月2日に公布された「民法の一部を改正する法律（平成29年法律第44号）」では、従前の裁判実務を踏襲して、履行不能に限らず債務不履行一般について、債権者は損害賠償の請求ができるとし、債務者に帰責事由がない場合はこの限りではない、と明文で定めています。また、帰責事由の解釈については、契約および社会通念に照らして判断される旨を明記しました。この改正規定は、令和2年4月1日から施行されています。

債権 6 債務不履行と損害賠償の請求

損害賠償をするには損害が発生していること

因果関係がポイント！

416条〜422条の2

☞損害賠償には、填補賠償、遅延賠償があり、賠償額の算定では損益相殺・過失相殺がなされる。

1 損害賠償請求権

債務不履行の効果で、最も重要なものは、損害賠償請求権の発生です。この損害賠償請求権が発生するには、債務不履行があることに加えて、①債権者に損害が生じたこと、②その損害が債務不履行と因果関係があることが必要です。

2 損害

債権者が損害賠償請求をするのに必要な損害は、財産的損害に限らず、非財産的損害（精神的損害）もあります。この精神上の損害賠償を慰謝料といいます。

財産的損害は、既存の利益の減少である積極的損害だけでなく、債務不履行がなければ得られたであろう利益（逸失利益）という消極的損害も含まれます。

3 因果関係

債権者に生じた損害のうち、どの範囲までが賠償の対象となるかについては、債務不履行と「相当因果関係」のある損害と説明されます。

債務不履行から通常生じる損害（通常損害）と特別の事情によって生じた損害（特別損害）のうち、当事者が予見可能であったものがこの相当因果関係の範囲に含まれるものとされています。

4 損害賠償額の算定基準時

債務不履行によって損害が発生した場合、いつの時点の価格で賠償額を算定すべきかについて、判例は、原則として債務不履行時を基準とし、その後の価格騰貴で損害額が拡大したような場合、その価格騰貴は特別事情であるとし、予見可能であれば騰貴価格の賠償を認めるという立場をとっています。

5 損害賠償の性質

履行遅滞に基づく損害賠償請求の場合、債権者は依然として本来の債権の履行を請求できますから、その損害賠償は、原則として、履行が遅れたことによる損害賠償（遅延賠償）となります。

履行不能の場合は、追完可能な場合であれば遅延賠償、追完不能であれば填補賠償となります。

6 損益相殺

債務不履行が、債権者に損害を与えると同時に、利益を与えた場合、損害からその利益を控除したものが損害賠償額となります。債権者が保険に加入しており、保険金の支払いを受けたような場合です。

7 過失相殺

債務不履行について、債権者にも過失がある場合、損害賠償の全額を債務者に負担させることは公平に反します。このような場合、賠償の責任および範囲の適用を制限しようというのが過失相殺です。

8 賠償額の予定

賠償額の予定とは、当事者があらかじめ債務不履行の発生することを予想して、賠償する額の合意をした場合のことです。商取引などでは、契約条項に賠償額の予定を入れたものが多くあります。

債務不履行と損害賠償のしくみ

　債務不履行による損害賠償の請求では、①債権者に損害が生じたこと、②その損害と債務不履行との間に相当因果関係があることが必要。

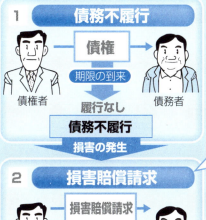

〔損害賠償の性質・内容〕
① 遅延賠償　債務の履行が遅れたために生じた損害の賠償。本来の給付の請求もできる。
　　（例）家屋の引渡しが遅れたためにその間の家賃相当額を賠償。家屋の引渡し（本件の給付）請求もできる。
② 塡補賠償　債務者の過失で履行不能となったり、履行遅延のために本来の給付を受けても仕方がない場合に、本来の給付に代えて、お金で賠償する場合。
　　（例）債権者の不注意で家屋が焼失し、債務（引渡し）の履行が不能となった場合。家屋相当額（時価）が損害だが、代金と相殺され、差額が支払われる。
③ 遅延利息　金銭債務の履行が遅れた場合に支払われる損害賠償金。遅延利息は、債務者の責めに帰すべき事由がなくても、また実損害がなくても、一定の金額（約定利率あるいは法定利率による）が支払われるという特徴がある。

相当因果関係にある損害が過失相殺・損益相殺される（本文参照）

※債務者が損害賠償として、その物の全額を支払ったときは、その物の権利を取得（例：預かっていた時計の紛失で、損害賠償後に時計が出てきた場合、債務者がその権利を取得）

●違約金と賠償額の予定
　違約金は、契約を結ぶときにあらかじめ、契約違反すると一定の金額を債権者に支払うことを定めておくこと。違約金はその取決めによって制裁金として損害賠償とは別途支払われるものであったりするが、はっきりしない場合、民法は賠償金の予定であるとしている。
　賠償額の予定とは、債務不履行があった場合の一定の損害賠償を契約の際にあらかじめ定めておくこと。債務不履行につき、債務者側に責任があるか、損害がいくらになるかなどに関係なく、定めた賠償額が請求できる反面、予定以上の損害であっても請求できない。

（損害賠償の範囲）
第416条① 債務の不履行に対する損害賠償の請求は、これによって通常生ずべき損害の賠償をさせることをその目的とする。
② 特別の事情によって生じた損害であっても、当事者がその事情を予見すべきであったときは、債権者は、その賠償を請求することができる。
（損害賠償の方法）
第417条　損害賠償は、別段の意思表示がないときは、金銭をもってその額を定める。
（過失相殺）
第418条　債務の不履行又はこれによる損害の発生若しくは拡大に関して債権者に過失があったときは、裁判所は、これを考慮して、損害賠償の責任及びその額を定める。

債権 7 債権者代位権と詐害行為取消権

一定の場合、債権者は債務者の財産に介入

423条～426条

☞債務者に代わり代金取立等ができる権利が債権者代位権。債務者のした行為を取り消す権利が詐害行為取消権。

債権管理は重要！

1 責任財産

債務者が債務を自発的に履行してくれない場合、債権者は民事執行手続きによって債務者の財産を強制的に換価し、その満足を図ることになります。すなわち、究極的には、債務者の財産が債権者の債権の引当てとなっているのです（「責任財産」）。したがって、債権者にとっては、債務者の財産が確保されていることは重大な関心事となってきます。

債権者と債務者の財産とのこうした関係から、民法は、一定の場合、債権者に対し、債務者の責任財産を確保するため、債務者の財産管理に介入することを認めています。これは「責任財産保全制度」といい、債務者が財産減少を放置している場合に介入する債権者代位権と、債務者が積極的に財産減少を企図している場合に介入する詐害行為取消権とが認められています。

2 債権者代位権

AはBに対して1000万円の貸金債権を有していますが、BはCに対する1000万円の債権の他めぼしい財産がありません。BのCに対する債権が時効消滅してしまいそうな場合、AはBに代わってCに対する債権を行使し、時効の完成を猶予することでBの財産減少を防ぐことができます。

この債権者の権利が「債権者代位権」です。この債権者代位権は債権者が他人である債務者の財産管理に介入するものなので、責任財産維持という要請から厳格な要件が必要とされています。被保全債権が弁済期にある金銭債権で、無資力の債務者が未だ権利行使をしておらず、その権利が一身専属でないことなどがそれです。

3 債権者代位権の転用

債権者代位権は本来、責任財産保全のための制度なので被保全債権は金銭債権であることが必要です。しかし、判例は、必要かつ有効である場合、金銭債権以外の特定債権保全のために債権者代位権の転用を認めています。

例えば、不動産がA→B→Cと移転したが登記がAの下に残っているとき、Cは一定の場合、Bの持つ移転登記請求権をBに代わって（代位）Aに行使できます。

4 詐害行為取消権

AがBに対する1000万円の債権を有しているとき、Bが唯一の財産である1000万円相当の土地をCに贈与してしまったような場合、Aはその贈与を取り消してBの下にその土地を戻させることができます。

この債権者の権利が「詐害行為取消権」です。これも債権者代位権同様、責任財産保全のための制度なので、被保全債権が金銭債権であること、債務者が無資力であること、債務者に債権者を詐害する意思のあること、債務者の相手方（受益者）も債権者を害することを知っていたこと(悪意)、などの厳格な要件が必要とされています。

なお、改正法によって、詐害行為取消権の効果は債務者にも及ぶこととされました。

債権者代位権・詐害行為取消権 のしくみ

債権者代位権

債権者代位権とは、債権者が自分の債権の保全に必要な場合に、債務者が行使を怠っている財産上の権利について、債権者が債務者に代わって行使すること。

例 一般財産が全債務より不足している債務者が、第三者に対して有している代金を取り立てない、時効の完成猶予の手続きをとらないなどの場合、債権者が債務者に代わって行う。

※金銭債権以外でも債権者代位権は認められる（本文参照）。

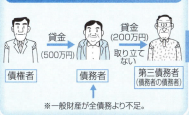
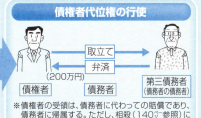

詐害行為取消権

詐害行為取消権とは、債権者が自分の債権を保全する必要がある場合に、債務者がした不当な財産処分を取り消し、一般財産に取り戻す権利。

例 一般財産が全債務より不足している債務者が、第三者に不当に安い価格で不動産を売却したり、贈与や債務の免除をした場合など。一部の債権者への弁済、正当な価格による不動産の売却も詐害行為とする判例もある。

※詐害行為取消権は、債務者の一般財産が全債務に対して不足する場合に限られる。

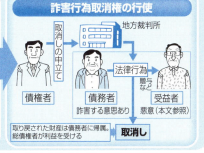

◆**債務者の責任財産の保全のための制度**（423条の3、424条の6など）　令和2年4月1日施行

　従前の民法では、責任財産の保全のための制度として、債権者代位権と詐害行為取消権の制度が定められていました。ともにその具体的内容については判例によって形成されてきており、債務者や第三債務者の利益保護等を考慮してルールの明確化、合理化を図る必要性が指摘されていました。

　そうした観点から、平成29年6月の改正民法（平成29年法律第44号）では、債権者代位権につき、金銭債権等を代位行使する場合には債権者は自己への支払等を定めることができること、債権者の権利行使後も被代位権利についての債務者の処分（自ら取立その他の処分）は妨げられないこと、債権者が訴えをもって代位行使するときは債務者に訴訟告知しなければならないことなどを定めています（423条の3、5、6）。また、詐害行為取消権につき、債権者は債務者がした行為の取消しとともに逸出財産の返還（それが困難なときは価格の償還）を請求できること、詐害行為取消しの訴えでは受益者を被告とし、債務者への訴訟告知を要することを定めるとともに、その要件についても類似の制度との整合性をとりつつ具体的に明確化しました（424条の6、7、424条の2～4）。

債権 8 多数当事者の債権・債務

数人の債権者、数人の債務者がいる場合

427条～445条

☞各当事者が平等の割合で権利を有し、あるいは義務を負うのが原則である。

連帯債務などがある

1 多数当事者の債権・債務関係

多数当事者の債権・債務関係とは、1個の同一の給付を目的とする債権または債務が多数の者に帰属しているような関係をいいます。

民法上、①分割債権・債務関係、②不可分債権・債務関係、③連帯債務、④保証債務の4つに分類されていますが、この他に解釈上認められているものとして⑤不真正連帯債務があります。

2 分割債権・債務

債権者に対し、300万円の債務を負っている者に相続が開始し、相続人が債務者の3名の子であるような場合、債権者は各相続人に対して、それぞれ100万円ずつしか請求できません。もともとの300万円の債権がそれぞれ独立の3つの100万円の債権に分割されてしまうからです。したがって、1人の者が無資力の場合、債権者は他の2名から200万円の弁済を受けるに止まり、債権者にとっては予想外の損害が生じることになります。

3 不可分債権・債務

しかし、債務や債権の目的が性質上不可分である場合には、相続が発生しても債権や債務は分割されません。したがって、例えば不可分債務の場合、債権者は債務者のうちの1人に債務の全部の履行を請求することも可能です。

4 連帯債権

債権の目的が性質上可分なものであっても、当事者間の意思で分割させないものとすることも可能です。この場合、その債権は連帯債権となって、複数の債権者のうちの1人が債務者に対して全部の履行を請求することができます。

5 連帯債務

性質上可分な「債務」を当事者間の意思で「連帯債務」とすることも可能です。

この場合、債権者は複数の債務者のうちの1人に債務の全部の履行が請求でき、ある者が全額弁済すれば、他の債務者も債務を免れ（絶対効）、後は、各債務者間の求償によって処理されることになります。

なお、絶対効はこれ以外に更改・免除、相殺、混同について認められています。

6 不真正連帯債務

「不真正連帯債務」とは、連帯債務のうちでも、各債務者間に緊密な関係がないため、1債務者について生じた事由が他の債務者に影響を及ぼさず、また、負担部分も存在しないため、求償関係も当然には生じない、とされるものです。

不真正連帯債務において、絶対効が生じるのは、弁済、相殺等の債権者を満足させる事由だけで、その他は相対効（他の債権者・債務者に影響を及ぼさないこと。具体的には438条は適用されないなど）しか認めないことで債権者の保護を図っています。

共同不法行為の被害者の有する損害賠償請求権が、これにあたる代表的なものです。

多数当事者の債権のしくみ

要旨 多数の債権者あるいは債務者がいる場合の法律関係は、債権・債務の内容によって異なる。

1 多数当事者と可分債権(債務)の法律関係
※可分債権とは、複数に分割することができる債権のこと(金銭債権など)。

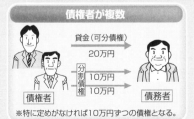

2 多数当事者と不可分債権(債務)の法律関係
※不可分債権とは、複数に分割できない債権のこと(動物の引渡しなど)。

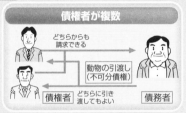

3 連帯債務の法律関係
同一債務につき2人以上の債務者がいる場合

4 不真正連帯債務の法律関係
連帯債務者のうち、債務者間に緊密な関係がない場合

◆**連帯債務に関する見直し**(441条ただし書)

　従前の民法では、連帯債務者の1人に対する履行の請求、および連帯債務者の1人についての債務の免除、消滅時効の完成は他の連帯債務者にも効力が生じる絶対的効力が規定されていました。しかし、履行の請求の絶対的効力を認めると、1人に対して履行の請求があった場合に他の連帯債務者がいつの間にか履行遅滞になっているという事態が生じます。また、免除の絶対的効力は債権者の意思に反する恐れもあります。さらに、消滅時効の絶対的効力は債権者が全ての連帯債務者に対し時効完成の阻止を図る必要があり、債権者の負担が大きいものとなっていました。そこで、平成29年6月の改正法(平成29年法律第44号)は連帯保証の場合を含め、当事者の別段の意思の表示がない限り、これら絶対的効力を他の連帯債務者には効力を生じない相対的効力に改めたのです(令和2年4月1日施行)。

債権 9 保証債務と保証人の責任

債権の回収を確実にする保証制度

446条〜465条の10

☞保証人には、通常の保証人と連帯保証人があり、主たる債務者が履行できない場合、代わって履行する。

保証人になるのは危険！

1 保証債務

「保証債務」とは、ある債務（主たる債務）の履行がない場合に、他の者が負担する主たる債務と同一内容の給付を目的とする債務です。例えば、BがAに対しての借金を返済できないような場合には、Bに代わってCが弁済するというように合意しておく場合です。この場合、BのAに対しての返済債務を「主たる債務」、Bを「主たる債務者」、CのAに対し負担する債務を「保証債務」、Cを「保証人」と呼びます。

同じく債権担保に利用される約定担保物権については物権の個所で述べましたが（96ページ以下参照）、この保証は担保のため、他人である保証人の資力を引当てとすることから、担保物権が「物的担保」と呼ばれるのに対し、「人的担保」と呼ばれます。

2 保証債務の性質

保証債務は、主たる債務と同一内容の給付を目的とはしますが、あくまで主たる債務とは別個の債務となります。

もっとも、保証債務は主たる債務の担保であることから、主たる債務に附従し、随伴するという担保物権同様の性質があります（次ページ図解参照）。また、この保証債務の付随的性質から、主たる債務に生じた事由は、原則として保証人に効力を及ぼしますが、保証債務に生じた事由は、弁済など主たる債務を満足させるもの以外は主たる債務に影響を及ぼしません（なお、弁済の場合には、保証人には主たる債務者に対する求償権が認められます）。

また、保証債務はあくまで主たる債務が履行されない場合に補充的に履行されるものなので、債権者がいきなり保証人に請求してきたり、強制執行してきたような場合には、保証人には、それぞれ、「まず、主たる債務者に催告せよ」との「催告の抗弁権」、「主たる債務者への強制執行を検討せよ」との「検索の抗弁権」が認められている他、債権者には主たる債権の履行状況につき保証人に情報提供をする義務も求められます。

3 保証債務の成立

保証債務は保証契約によって成立します。この保証契約の当事者は債権者と保証人です。

実際上、保証人が保証契約を締結する場合は、主たる債務者からの依頼によることが多いでしょうが、主たる債務者は保証契約の当事者にはなりません。

なお、保証契約は書面（あるいは電磁的記録）でしなければ効力が生じません。

4 連帯保証債務

保証人が主たる債務者と連帯して保証債務を負担する場合を「連帯保証」と呼びます。

この連帯保証には補充性がないので、連帯保証人には催告、検索の抗弁権が存在しません。このように債権者にとっては単なる保証債務よりも有利な内容なので、現実の取引では単なる保証よりも、連帯保証の特約が結ばれている場合がほとんどです。

保証債務のしくみ

要旨 債権の担保の方法には物的担保と人的担保の2種類があり、人的担保には保証人、連帯保証人がある。

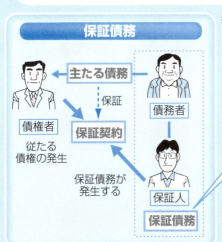

※保証契約は、債権者と保証人間の契約で、主たる債務者が債務を弁済しない場合などに、主たる債務者に代わって弁済する旨の約束である。

〔保証債務の性質〕
①主たる債務と同一内容の債務の責任を負う。
②主たる債権に関する権利の発生・変更・消滅につき運命を共にする(附従性)。
(例)主たる債務者の弁済による債務が消滅すれば、保証債務も消滅する。
③主たる債権の処分に従って移転し、これと運命を共にする(随伴性)。
(例)主たる債権が譲渡されたら、保証債務も新債権者との関係に移転する。

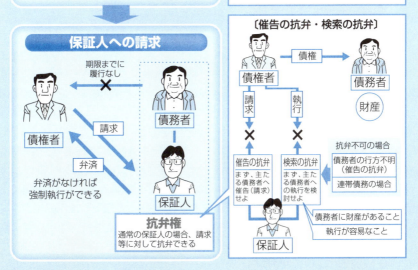

(保証人の責任等)
第446条① 保証人は、主たる債務者がその債務を履行しないときに、その履行をする責任を負う。
② 保証契約は、書面でしなければ、その効力を生じない。
③ 保証契約がその内容を記録した電磁的記録によってされたときは、その保証契約は、書面によってされたものとみなして、前項の規定を適用する。

債権 10 保証と各種の契約

保証契約は債権者と保証人との契約

456条・465条の2関連

☞保証には、通常保証、連帯保証の他に、共同保証、根保証（継続的保証）など様々なものがある。

保証形態は多くある！

1 共同保証

同一の主たる債務について数人の保証人がある場合を「共同保証」といいます。

共同保証の複数の保証人には、債権者に対して平等の割合で分割された額についてのみ保証債務を負担すればよいという「分別の利益」が認められています。例えば、主債務が100万円で2名の共同保証人がある場合は、各共同保証人は、債権者に対して50万円の保証債務を負担します。

もっとも、保証人相互間で全額の弁済の特約をつけた「連帯保証」の場合は、各共同保証人は分別の利益を有さず、債権者に対し、100万円の保証債務を負担します。

また、共同保証人の中でも主債務者の連帯保証人は分別の利益を有しません。

2 根保証（継続的保証）

根保証とは、一定期間の間に生じる不特定の債務を保証するもので、継続的取引から生じる債務の保証を目的とする「信用保証」、賃貸借契約上の賃借人の債務の保証、「身元保証」の3つの類型に分類されています。根保証は、保証されるべき被保証債務が契約時点に明確でないため、保証人の責任が過酷なものとなる危険性があります。

3 保証契約に関する改正（平成16年）

①保証契約の書面作成

全ての保証契約につき、契約書等の書面（電磁的記録でも可）の作成を要求し、これのないものを無効としています。

②貸金等根保証契約（根保証人の責任限定）

融資に関する個人の根保証契約に限ってですが、保証人の責任限定として、(1)金額の面から、保証限度額（極度額）の定めを要求し、これのないものを無効とする、(2)期間の面から、5年以内の元本確定期日の定めを要求し、これを超える期間を定めても、期日の定めないものとして契約の日から3年後が元本確定期日となる、(3)主債務者が強制執行を受ける等があった場合は、その後の融資については保証債務の負担が及ばない、といった改正が施されています。

4 根保証契約の改正

個人根保証につき改正法（令和2年4月1日施行）は、極度額の定めの義務付け、および主債務者の死亡等特別事情がある場合の根保証の打ち切りの規定を、貸金等債務以外の根保証（賃貸借、継続的売買契約など）にも拡大しています（保証期間の制限は見送り）。

また、事業用融資における第三者保証を厳格な要件の下でのみ許容するものとし、事業用融資の保証契約は、公証人があらかじめ保証人本人から直接その保証意思を確認しなければその効力を生じないと定めています（この部分のみ令和2年3月1日施行）。

さらに、改正法は、主債務者による保証人への財産および収支状況等についての情報提供義務、期限の利益喪失についての債権者から保証人への情報提供義務、主債務者の履行状況についての債権者から保証人への情報提供義務の規定を新設し、保証人の保護を図っています。

債権確保のしくみ

要旨 債権確保のための人的制度には、連帯債務・連帯保証・保証債務などがある。下表で、債権者に有利な順に並べ解説。

1 連帯債務 債権者にとっては強力な手段

〔債権額300万円、連帯債務者3人のケース〕

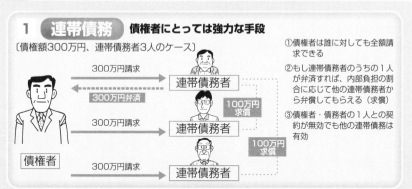

① 債権者は誰に対しても全額請求できる
② もし連帯債務者のうちの1人が弁済すれば、内部負担の割合に応じて他の連帯債務者から弁償してもらえる(求償)
③ 債権者・債務者の1人との契約が無効でも他の連帯債務は有効

2 連帯保証 人的担保で、保証債務より強い

〔債権額300万円、連帯保証人2人のケース〕

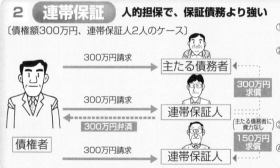

① 債権者はだれにでも全額請求できる
② もし連帯保証人のうちの1人が全額弁済すれば、主たる債務者からは全額、主たる債務者に資力がない場合、他の連帯保証人からは内部負担の割合に応じて弁償してもらえる(求償)
③ 主たる債務が無効なら保証債務も無効となる
④ 債権者は主たる債務者より先に連帯保証人に請求してよい

3 保証債務 人的担保で、債権者にとっては一番力が弱い

〔債権額300万円、保証人2人のケース〕

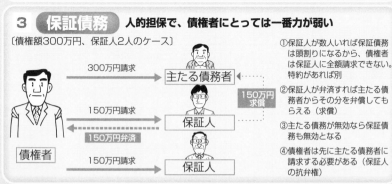

① 保証人が数人いれば保証債務は頭割りになるから、債権者は保証人に全額請求できない。特約があれば別
② 保証人が弁済すれば主たる債務者からその分を弁償してもらえる(求償)
③ 主たる債務が無効なら保証債務も無効となる
④ 債権者は先に主たる債務者に請求する必要がある(保証人の抗弁権)

(保証人の要件)
第450条① 債務者が保証人を立てる義務を負う場合には、その保証人は、次に掲げる要件を具備する者でなければならない。
1 行為能力者であること。 2 弁済をする資力を有すること。 (②③略)

債権 11　債権の譲渡と債務引受

債権は、契約により移転することができる

466条～472条の4

☞債権の移転には債権譲渡と債務引受とがあり、同一の権利・義務が移転する。

移転の方法には制約がある

1 債権譲渡とは

売買契約で物を買って、その物の所有権を取得できるのと同様、債権や債務も売買等の法律行為によって移動させることができます。

「債権譲渡」とは、債権をその同一性を保ちながら、契約により移転する場合です。「同一性を保ちながら」というのは、譲渡の前後でその債権が別の新たな債権となるものではないということです。

なお、平成29年6月の民法改正（平成29年法律第44号）で、現在および将来の債権を一括して譲渡する集合債権譲渡担保も明文規定で認められました。

2 指名債権譲渡の対抗要件

債権譲渡は、ある権利における権利者の変動を生じる点では物権変動と同様です。民法は、ここでも成立要件と対抗要件との2段の構成を採用し、債権譲渡自体は当事者間の合意のみによって成立しますが、それを当事者以外の第三者に対抗する場合は、別途、対抗要件を必要としています。

指名債権譲渡（現行条文では「指名債権」の用語は「債権」と変わった）は、第三者が債務者である場合は、譲渡人の債務者に対する通知または債務者の承諾です。

債務者以外の第三者に対抗する場合は、前記の通知または承諾が確定日付のある証書によってなされていることが必要です。ただし、一定の場合、特例法により対抗要件具備の簡易化が認められています。

3 債権譲渡制限特約

債権譲渡を債権者・債務者間の特約で禁止または制限する場合があります（譲渡制限特約）。こうした譲渡制限特約に反してなされた譲渡は改正前は原則無効と考えられていましたが、改正法は制限特約が付されていても債権譲渡自体の効力は妨げられず、譲受人がその特約について知っていたか、あるいは重大な過失によって知らなかった場合のみ債務者は譲受人からの請求を拒むことができるとされました。こうした場合の譲受人には、債務者に対して譲渡人への履行を催告する、供託を請求するといった手段が認められることでその保護が図られています。

4 債務引受とは

「債務引受」とは、債務の同一性を保ちながら、契約により債務を引受人に移転することです。

移転により旧債務者が債務を免れる「免責的債務引受」の場合と、従来の債務もそのまま存続しながら旧債務者と並んで、新債務者も同一内容の債務を負担する「重畳的債務引受」の場合とがあります。

5 契約上の地位の移転

契約当事者としての地位をそのまま移転する契約が「契約上の地位の移転」です。

この場合、賃貸借契約を例にすれば、賃貸人の賃料債権、目的物を使用収益させる義務のみならず、契約そのものについての解除権、取消権等も同時に移転します。

債権譲渡・債務引受のしくみ

債権譲渡

債権を譲渡することは、原則として認められている。ただし、債務者あるいは第三者に対抗（自分に権利があることを主張）するためには一定の手続きが必要である。

例 お金が必要になり、返済の履行期前に割り引いて債権を譲渡する場合・など

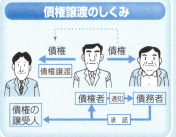

〔債権の形式とその譲渡方法〕

形式		実例	譲渡の方法
指名債権※	債権者の特定した債権 ※現行条文は「指名債権」は「債権」となった	証券的債権に属さない普通の債権はほとんどこれに属する	譲渡人・譲受人間の効力 →債権譲渡契約 債務者に対する効力 →通知または承諾 債務者以外の第三者に対する効力 →確定日付ある証書による通知または承諾
指図債権	証券によって示され、特定の人またはその指図した人に支払われる債権	手形・小切手・倉庫証券・貨物引換証、船荷証券・株式などがこれに属する	〔民法〕譲渡人・譲受人間の効力 →債権譲渡契約 第三者に対する効力 →裏書・交付 〔商法〕すべての人に対する効力 →裏書・交付
無記名債権	証券によって示され、何ら債権者を特定せず、その正当な所持人に支払われる債権	商品券・乗車券・観覧券（入場券）	〔民法〕譲渡人・譲受人間の効力 →債権譲渡契約 第三者に対する効力 →引渡し

※通知または承諾は、譲受人の債務者に対する対抗要件
※第三者に対する対抗要件は、確定日付のある証書による通知または承諾

債務引受

債務を現在の債務者から他の者（引受人）へ移転することを債務引受という。改正により明文化された。

例 営業・企業が一括して譲渡された場合。
担保物件が譲渡され、譲受人が同時に被担保債務を引き受ける場合など。

※債務の引受方法は、債権者・債務者・債務引受人の三者の合意により、また債権者・債務引受人の合意によりなされるが、この場合は債務者の意思に反しないことを要するとされている。
なお、債務者・債務引受人の合意のみではなしえないとする考えが有力であったが、近時、なしえるとする肯定説が有力となっている。
（詳しくは下欄参照）

◆**債務引受に関する規定の明文化**（472条、470条）
従来、民法には債務引受についての規定がなく、平成29年6月の法改正（平成29年法律第44号）で、債権編第1章総則の第5節として「債務の引受け」が新設されました（令和2年4月1日施行）。
改正法では、債務者の責任が消滅する免責的債務引受につき、債権者・引受人間の契約で債権者がこれを債務者に通知したときに効力が発生するとしつつ、債務者・引受人間で契約し、債権者が承諾することによってもできる旨を定めています。なお、引受人は債務者に対し求償権を取得しませんが、債権者は債務者の承諾なしに担保権・保証を引受人が負担する債務に移すことができます。
一方、債務者の責任が引受人と併存して存続する併存的債務引受については、債権者・引受人間の契約で行います。また、債務者・引受人間で契約し、債権者が引受人に対し承諾することによってもできると定めています。併存的債務引受の場合は、引受人は債務者と連帯して債務を負担しますし、引受人の求償権もあります。

債権

債権は弁済などにより消滅する

12 債権の消滅 – ①弁済

473条～504条

☞契約に従い、金銭債権は金銭の支払い、一定の物の引渡しを受ける債権はその物の引渡しにより消滅する。

弁済で債権は消滅

1 債権の消滅原因

債権も権利である以上、時効、取消し等の権利一般の消滅原因によって消滅します。

債権特有の消滅原因として、最も重要なのは「弁済」です。債権は、債務者の給付を目的とする権利ですから、弁済によってその目的が実現されれば、当然に消滅します。

2 弁済による債権の消滅

弁済は、債務の内容を実現する債務者または第三者の行為です。「債務の履行」と同じ意味で、履行は実現過程に重点を置いた表現であるのに対し、弁済は債権の消滅という結果に重点を置いた表現といえます。

弁済は、債務の内容どおりにする必要があります。その具体的内容について、当事者間に取り決めのない場合に備えて、民法はいくつかの任意規定を置いています。例えば、弁済の場所については、債権者の住所地でなす（持参債務の原則）などです。

3 第三者の弁済

弁済は第三者もできますが、弁済について正当な利益を有する者ではない第三者は、原則として債務者や債権者の意思に反して弁済はできないものとされています。

4 弁済の提供

弁済は、多くは債権者と債務者の協力によって可能となります。金銭支払い、物の引渡しなどの「与える債務」は、債権者の受領が必要で、債権者の協力がないと弁済の実現が得られません。このような場合、債務者ができるだけのことをすれば、債務者が特段の不利益を被らないように配慮すべきといえます。このように債務者としてできるだけの債務内容実現の行為をすることを「弁済の提供（履行の提供）」といいます。

5 弁済の充当

債務者が同一債権者に対し、同種の目的を有する多数の債務を負担する場合に、弁済として提供された給付が全債務を消滅させるに足りないときは、これをどの債務の弁済に充てるかを決定する必要が生じます。これを「弁済の充当」といい、民法は指定のないときは弁済期の到来しているものを先に充当する等の規定を設けています。

6 弁済による代位

債務者以外の者が弁済した場合（第三者弁済）、弁済者が、債務者に対して取得する求償権を確保するため、弁済によって本来なら消滅するはずの債権者の債務者に対する債権（原債権）およびその担保権を行使することを認める制度があります。

これが「弁済による代位」の制度で、弁済によって消滅した債権者の権利が、求償権の範囲で弁済者に移転することになります。

正当な利益を有している者（保証人等）の第三者弁済の場合は、当然に債権者に代位します（法定代位）が、そうでない者は、債権者の同意がなければ弁済による代位をなすことができません（任意代位）。任意代位に債権者の同意を必要とした結果、わが国で任意代位はほとんど用いられず、実務上は、もっぱら法定代位となっています。

弁済と債権の消滅 のしくみ

要旨 弁済とは債務者が正当な給付をなして債権を消滅させることである。第三者の弁済によっても債務は原則として消滅する。

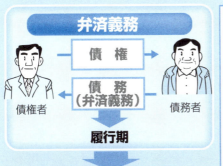

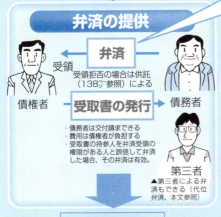

〔弁済における問題〕

1 優先弁済
複数の債権者のうちのある者が、他の債権者よりも先に弁済を受けることで、債務者の財産が総債務より少ない場合に問題となる。
優先弁済を受けられるのは、担保物件の先取特権（90㌻参照）、質権（96㌻参照）、抵当権（100㌻参照）がある場合で、この他、特別法による税金や健康保険、労災保険、年金保険などの保険料がある。

2 法定充当
弁済の充当（本文参照）は、契約があるときは契約に従い、契約がないときは債務者が指定することができ、債務者が指定しないときは債権者が指定できる。
債務者も債権者も指定しないときは、法律の規定により、①弁済期にあるもの、②債務者の利益の多いもの、③弁済期が前にあるもの、④各債務の額に応じて弁済、となる（488条）。

（第三者の弁済）
第474条① 債務の弁済は、第三者もすることができる。
② 弁済をするについて正当な利益を有する者でない第三者は、債務者の意思に反して弁済をすることができない。ただし、債務者の意思に反することを債権者が知らなかったときは、この限りでない。
③④略

◆**最近の法改正** ☞ **受取証書のデジタル化**（486条） 令和3年9月1日施行
　債務者（弁済をする者）は債務を弁済（例えば借金の返済）した場合、債権者（弁済を受領する者）に対し、その弁済と引換えに受取証書の交付（上図・受取書の発行参照）を請求できます（486条）。受取証書をもらい忘れると、後日、債権者側から再度弁済を求められることもあります。
　この受取証書に関する民法規定が、令和3年5月、「デジタル社会の形成を図るための関係法律の整備に関する法律（令和3年法律第37号）」によって改正され、請求方法が追加されました。債務者は従来の証書交付を請求する方法（同条1項）の他、証書交付に代え、その内容を記録した電磁的記録の提供も請求できることになったのです（同条2項）。

債権 13 債権の消滅－②代物弁済・供託

「弁済」以外にも債権が消滅する場合がある

482条・494条〜498条

☞約束の物に代えて他の物を給付するのが代物弁済、供託所（法務局）に供託して弁済するのが弁済供託。

暴利は許されない！

1 「弁済」以外の債権の消滅原因

債権の消滅原因の中心は、前項で述べた「弁済」です。この他、厳密には、債権の目的自体が実現する場合ではないのですが、目的実現に準じて考えられることから、債権の消滅原因とされているものとして、「代物弁済」と「供託」とがあります。

2 代物弁済とは

代物弁済とは、本来の債務の弁済に代えて、弁済者の所有する他の物の給付（異なる給付）を現実に行うことによって、債権を消滅させる契約です。

代物弁済は契約なので、債権者、弁済者間の合意が必要です。また、代物弁済契約は異なる給付が現実に行われてはじめて本来の債務が消滅するという要物契約です。債権は、あくまで本来の目的である給付を行うのが原則である以上、合意だけでは、まだ、本来の債権は消滅させる必要はないということです。

この要物性について、異なる給付が所有権の移転等の物権変動である場合、本来の債務の消滅のために対抗要件の具備までも要するかという問題があります。この点について判例は、代物弁済の目的物の所有権移転は、原則として代物弁済の合意をした時点で生じるが、本来の債務の消滅は、物権変動における第三者対抗要件（66ﾟ参照）の具備までがなされてはじめて生じるものとしています。

代物弁済は、しばしば、予約されることで債権担保に利用されます。例えば、AがBに500万円を貸すにあたり、期限に返済しないときはB所有家屋の所有権をAに移転する旨の予約をしておくような場合です。

3 供託とは

供託とは、弁済者が、弁済の目的物を債権者のため供託所に預けることをいい、有効に供託がなされた時点で本来の債務は消滅します。例えば、家賃や地代を賃貸人が受領しない場合に行われ実際の紛争の解決の場面では、供託物の処理が問題となる場合が非常に多く見られます。供託は極めて実務に直結した制度といえます。

供託ができる場合は、①債権者が弁済の受領を拒む場合（受領拒絶）、②債権者が弁済を受領できない場合（受領不能）、③弁済者の過失なくして債権者を確知することができない場合（債権者不確知）です。

債権者は、供託物から弁済を受けようとすれば、所定の手続きに従い、供託所から交付を受けることができます（供託物引渡請求権）。なお、供託物が金銭の場合、特に還付請求権という表現が使われます。

供託者の側は、債権者が供託を受諾せず、または供託を有効と宣言した判決が確定しない間は、いったん行った供託を撤回していつでも供託物を取り戻すことができます（供託物取戻請求権）。

金銭および有価証券の供託の場合は法務局等、物品供託の場合は、法務大臣指定の倉庫業者または銀行が供託所となります。

代物弁済・供託のしくみ

債権の消滅原因には、弁済の他に、弁済類似のものとして、代物弁済、供託がある。

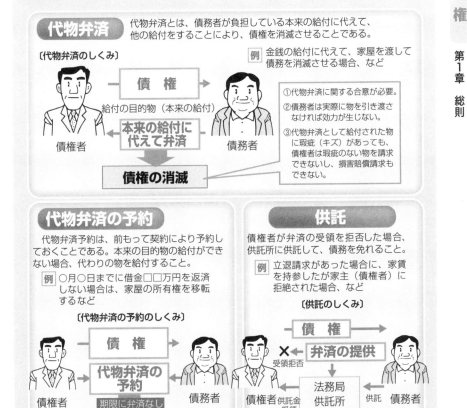

◆弁済（第三者弁済）に関する見直し（474条）
　従前の民法では、利害関係を有しない第三者は債務者の意思に反して弁済することはできず、また、債権者は利害関係を有しない第三者からの弁済を拒むことができないとされていました。これですと、債務者の意思に反していることを知らない債権者が受けた弁済が後に無効になるおそれがあるのに、債権者は見知らぬ第三者から弁済をしたい旨の申し出があった場合には、原則拒絶できませんでした。
　そこで、平成29年6月の改正法（平成29年法律44号）によって、「弁済をするについて正当な利益を有する者でない第三者」の弁済が債務者の意思に反する場合でも、そのことを債権者が知らなかったときにはその弁済を有効とし、また「正当な利益を有する者以外の第三者」は債権者の意思に反して弁済することができないと定めて、債権者の保護を図ったのです（令和2年4月1日施行）。

債権 14 債権の消滅－③相殺等

債権は「相殺」などでも消滅する

505条～520条

☞「弁済等」以外の債権の消滅原因には、「相殺」「更改」「免除」「混同」がある。

相殺による債権回収は多い！

1 「弁済等」以外の債権の消滅原因

債権の消滅原因としては、目的が実現した場合の他、目的の実現が不要となった場合の相殺（そうさい）、更改（こうかい）、免除をここで説明します。なお、債権はこの他、目的の実現が不可能となった場合の「履行不能」によっても消滅します。

2 相殺とは

同種の目的を持つ債権（例えば、いずれも金銭給付が目的である場合）を2人がお互いに有している場合、一方当事者の他方に対する意思表示によって、双方の債権を対当額で消滅させることを「相殺」といいます。

BがAに対し、200万円の売買代金債権、AがBに対し、100万円の貸金債権を有している場合に、Bの意思表示のみによって、100万円の範囲で双方の債務を消滅させるような場合です。

実際の便宜と結果の公平に着目して認められた制度で、その担保的効力が重視されています。自分が持つ債権について債務者が任意に支払ってくれない場合でも、その債務者に対する自分の債務と相殺することで、債権を回収したのと同様の効果を得ることができるからです。

相殺の意思表示をする側の債権を「自働債権」、相殺を受ける側の債権を「受働債権」といいます。なお、人の生命・身体の侵害による損害賠償債務を受働債権とする相殺などは禁じられています。

相殺を有効にするためには、双方の債務が「相殺適状」にあることが必要です。相殺適状とは、①同一当事者間に相対立する同種目的の債権が存在し、②双方の債権が弁済期にあること、です。この相殺適状の際に③相殺の意思表示を相手方になして、相殺します。

相殺による債権消滅の効果は、相殺適状を生じた時まで遡及します。

3 更改とは

「更改」とは、同一性を有しない新たな債務を成立させることによって、旧債務を消滅させる契約です。

代物弁済が、現実の給付によって債務を消滅させるのに対し、更改は、新債務を成立させることで旧債務を消滅させます。また、更改での新旧両債務には同一性がないため、旧債務に付随している保証債務などは、新債務に引き継がれないのが原則です。

4 免除とは

「免除」とは、債権を無償で消滅させることを目的とする債権者の単独行為です。単独行為であるので、相手方の意思と無関係に行うことが可能です。

5 混同とは

「混同」とは、相対立する法律上の地位が同一人に帰属して権利が消滅することです。

債権と債務が同一人に帰属した場合、なお債権を存続させておくことは無意味であるので、物権同様、債権においても権利が消滅します。

相殺・更改・免除・混同 のしくみ

要旨 債権は弁済（136㌻参照）により消滅するが、相殺・更改・免除・混同によっても消滅する。

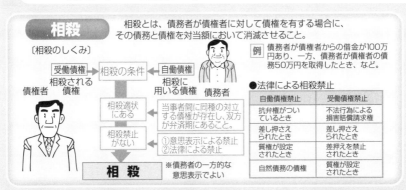

◆相殺禁止に関する見直し（509条）

　相殺は、相互に相手に対し債権を有するA、Bがいる場合、一方の意思表示により対当額につき双方の債権を消滅させる制度です（相殺する側の債権を自働債権、相殺される側の債権を受働債権という）。ただし、不法行為債権を受働債権として相殺することは、不法行為の誘発防止、現実の弁償により被害者保護を図る観点から禁止されていますが、双方過失のある交通事故などでは、当事者の一方が無資力で他方に資力がある場合、資力ある側のみが実際に賠償を余儀なくされるとの不都合が生じていました。

　そこで、平成29年6月の改正法（平成29年法律第44号）は、相殺が禁止される受働債権を、①加害者の悪意による不法行為に基づく損害賠償請求、②生命・身体を侵害する不法行為に基づく損害賠償請求に限定し、それ以外は相殺可能と改めたのです（令和2年4月1日施行。本文参照）。

　また、この改正では、債権編第1章「総則」に、第5節「債務の引受け（470条～472条の4。134㌻～135㌻参照）」および第7節「有価証券（520条の2～520条の20）（改正前の469条～473条は廃止）」が新設されました（112㌻。債権編早わかり参照）（この2節も令和2年4月1日施行）。

債権 15 債務整理と方法

破産法など債務者救済の制度がある

破産法など

☞個人の債務整理法には、「任意整理」「特定調停」「個人再生」「自己破産」の手続きがある。

最後の手段は自己破産！

1 債務整理

令和5年の破産件数は7万8215件でした（司法統計年報。新受件数）。実際の多重債務者は、全国で50万人とも100万人とも言われています。こうした多重債務者の債務に何らかの法的手立てを講ずることを「債務整理」といいます。

2 債務整理手続きの種類

債務整理手続きは大きく、裁判外の整理手続き（①任意整理）と裁判上の整理手続きとに分かれ、後者はさらに、②特定調停、③個人再生手続き、④自己破産手続き等に分かれます。これらの手続きの選択は債務者の負債状況を中心に債務者自身の意向も考慮して決定されていくことになります。

3 任意整理

「任意整理」とは、債権者との交渉によって、債務の弁済計画を立てていく場合です。

通常、弁護士が債権者に「介入通知」を送付して、債務者の「取引履歴の開示」を求めた上で、これを利息制限法に基づいて「引直し計算」をする等して債務を減額し、その金額を基準として将来の利息を考慮しないで、債権者と分割払い等の和解交渉をします。

引直し計算により、債務者の「過払い」の状態が判明した場合は、債権者に対して過払金の返還を求めることになります。

なお、貸金業法の改正により貸金業者の貸出し金利にも利息制限法が適用になります。

4 特定調停

「特定調停」とは、裁判所を間にして債務の減額や分割払いについて、債務者と債権者の合意を形成していく金銭債務調整調停手続きのうち、「特定調停法」による特則が適用される手続きです。

この特則には、①執行手続きの停止を無担保で求められる、②業者の取引履歴開示を事実上強制できる、など債務者にとって有力な規定が設けられています。

5 個人再生手続き

「個人再生手続き」とは、非事業者である個人（給与所得者等再生）および零細な個人事業者の再生（小規模個人再生）を念頭に設けられた、通常の民事再生手続きの特別規定の適用ある手続きをいいます。

原則として債務者は、将来の収入から減額された3年間の分割弁済を行い、残債務については免除を受けるという形での再生を想定しています。また、住宅ローンのある個人が住宅を維持したまま再生を目指せるよう「住宅資金特別条項」もオプションとして利用できるようになっています。

6 自己破産手続き

「自己破産手続き」とは、債務者が破産手続開始の決定を受け、財産は清算して換価し、債権者に配当を実施し、配当がない債務について免責許可の決定により支払責任を免れる手続きです。

債務者に財産がほとんど存在しない場合は、破産手続開始の決定の際に、清算・配当手続きを行わない旨の「同時廃止」の決定がなされます。

債務整理のしくみ

債務整理には、個人（自然人）の債務整理と会社の債務整理とがある。民法には規定はなく、特別法による。ここでは個人の債務整理のしくみを概説する。

1 任意整理
話合いにより、返済期間を延ばしてもらったり、返済総額を減額してもらう整理法である。

2 特定調停
特定調停法による借金整理で、支払不能に陥る恐れがある場合に、簡易裁判所に申し立てる。

3 個人再生
民事再生法の特則に個人再生があり、経済的に窮境の状況にある個人が地方裁判所に申し立てて行う。債務の一部免除を受け分割払いで支払う。

4 自己破産
破産法による借金整理で、支払不能の場合に破産宣告を受け、免責（債務の免除）を得ることができる。ただし、財産が一定以上ある場合は、処分・換価されて、債権者に配当される。

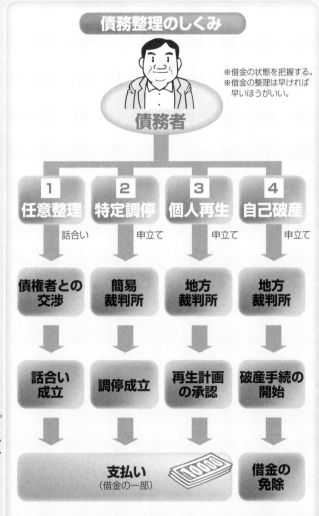

※借金の整理は、本人が行うことはなかなか困難。依頼するかどうかは別として、まず、弁護士などの専門家に相談すること。

債権 16 総論

契約とはなにか

契約により権利・義務関係が発生する

☞契約は当事者の合意により自由にできる(契約自由の原則)が、法律により一定の制約がある。

法令違反の契約は無効!

1 契約とは

「契約」は、当事者間の例えば、売ろう・買おうという「意思表示の合致」です。

人々は社会生活において、様々な法律行為により権利関係を構築してゆくわけですが、そうした法律行為のうちで最も重要なものが契約です。

契約は、最も一般的な債権の発生原因であることから、民法は、債権各論中、他の債権発生原因である事務管理、不当利得、不法行為に先立って規定を設けています。

2 契約自由の原則

何人も法令に別段の定めがある場合を除き契約するかどうかを自由に決定できますし、契約当事者は法令の制限内において契約内容を自由に決定することができます。

この契約自由の原則は、近代私法の基本原則の1つとされ、その内容には、①契約締結の自由（契約を締結するしないの自由）、②相手方選択の自由、③内容決定の自由、④方式の自由（書面・口頭など方式）をも含むとされています。

この基本原則については、従前民法では明文規定がありませんでしたが、令和2年4月1日施行の改正法（平成29年法律第44号。521条など）で明文化されました。

もっとも、今日では、借地借家法、労働基準法などの特別法により、契約自由の原則は修正を余儀なくされています。

3 契約の分類

効果や態様から様々に分類できます。

まず、その効果に着目した「双務契約」と「片務契約」の分類が重要です。双務契約は、契約の効果として当事者双方が契約の本体的な（対価的な意味がある）債務を負う場合で、売買や賃貸借がその例です。一方、片務契約は、贈与や無償寄託のように当事者の一方のみが本体的債務を負担する契約で、後述の「同時履行の抗弁権」「危険負担」の規定は双務契約にのみ適用されます。

また、契約により負担する本体的債務が相互に対価的に有償であるか否かによる「有償契約」「無償契約」の区別も重要です。双務契約であれば有償契約であるといえますが、その逆の、有償契約であれば双務契約とは限りません。例えば、利息付消費貸借契約は有償、片務の契約となります。有償契約には売買の規定が準用されます。

また、契約成立の要件に着眼した「諾成契約」と「要物契約」の区別もあります。意思表示の合致のみで成立する契約が「諾成契約」で、意思表示の他に物の引渡しその他の給付をして初めて成立する契約が「要物契約」です。賃貸借、売買、贈与は諾成契約で、消費貸借、使用貸借、寄託は要物契約です。

他に、民法における規定のされ方による「典型契約」と「非典型契約」の分類もあります。典型契約(有名契約)は、民法に規定する売買以下の13種の契約のことです。非典型契約(無名契約)は、典型契約以外の契約で、リース契約、クレジット契約のように実務では典型契約に劣らず重要です。

契約のしくみ

要旨 契約とは、通常２人以上の当事者が合意することによって、権利義務関係を作りだすことをいう。

1 契約の成立

※契約はいくつかの種類に分類できる（下参照）。
※書面にしておくと後日の証拠となる。
■同意・取消・債務免除・寄付行為・遺言などは単独でできる。

〔契約自由の原則〕
　契約の内容や形式、および契約を結ぶ結ばないは自由だという原則。これには例外がある。
●内容面からの規制　法令による規制があり、借地借家法や労働基準法では、法律に定めた条件でなければ、契約ができない（無効）。
　また、附合契約（保険契約や労働契約など）では、一方の当事者が契約内容を決めているので、契約内容についての自由はないといえる。
●方式面からの規制　法令上、書式が要求されている場合があり、これには婚姻（届）、遺言（書）などがある（要式行為）。
●締結の自由の規制　独占的な企業や公共的な事業では、契約当事者の一方に締結が強制されている（電気・ガス・水道・鉄道・郵便・医師・公証人など）。

2 契約成立の効果

※双務契約では、双方に権利と義務が発生する。

●契約の種類と内容

1 双務契約　当事者双方に債権・債務関係がある場合

〔双務契約—（例）売買〕

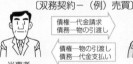

2 片務契約　当事者の一方だけが義務を負う場合

〔片務契約〕

贈与
使用貸借
消費貸借

3 その他

①有償契約と無償契約
　有償契約は、売買や賃貸借のように、経済的な対価が支払われる契約。これに対して無償契約は、経済的な対価が支払われない契約（例：贈与契約）。

②要式契約
一定の方式を備えた場合に成立する契約（例：婚姻、遺言など）。

③諾成契約と要物契約
　諾成契約は、当事者の意思表示の合致により成立する契約で、物の引渡しがなければ成立しない契約が要物契約。民法の定める典型契約のうち、消費貸借、使用貸借、寄託が要物契約で、他は諾成契約。

④一時的契約と継続的契約
　一時の給付を内容とする契約が一時的契約。一定期間継続する給付を内容とするものを継続的給付契約という。

債権 17 契約の成立

契約は当事者の合意により成立する

521条～532条

☞契約成立の過程には、「申込み」⇨「承諾」⇨「成立」の順序がある。

申込みの撤回が問題

1 契約の成立

前項で、契約は売ろう、買おうの意思表示が合致したときに成立すると述べましたが、より正確には、契約は「申込み」の意思表示と「承諾」の意思表示の合致があって成立することになります。上の例では、「売ろう」が申込みの意思表示、「買おう」が承諾の意思表示となります。

2 申込み

申込みは、相手方とある特定の内容の契約を締結しようとの意思をもってなされる一方当事者の申出です。

申込みと似ていますが、これとは異なるものに、「申込みの誘因」というものがあります。例えば、ファストフード店に「アルバイト募集、時給1,100円」の貼り紙があったとき、これを申込みとみると、誰かが「雇って欲しい」と申し出ると、これが承諾の意思表示となり、面接もなしに、直ちにこの瞬間、雇用契約が成立してしまうことになってしまいます。この場合の貼り紙は、申込みの誘因、すなわち、相手方に申込みをさせようとする意思の通知と考えなければなりません。

申込みは、その意思表示が到達したときに効力を生じます。申込みの発信後、到達前に申込者が死亡したような場合、その申込到達時の効力には影響がないのが意思表示をする場合の原則ですが、契約では、相手方が到達前に死亡の事実を知ったときには、申込みの効力は生じません。申込みの効力を否定しても、相手方に不測の損害を与える心配はないからです。

申込みも意思表示である以上、いったん効力が生ずれば、撤回できないのが原則です。しかし、申込みに承諾期間が定められていない場合、永遠に申込みに効力があるとするのは申込者に酷であるので、この場合、承諾の意思表示が到着するに必要な期間経過後は撤回できるとされています。

3 承諾

承諾は、契約を成立させることを目的として特定の申込みに対してなされる意思表示です。申込みに対して承諾がされることによって契約が成立する場合、契約はいつの時点で成立するかについては、承諾の発信時とする発信主義と承諾の到達時とする到達主義との2通りの考え方があります。

令和2年4月1日施行の改正民法（平成29年法律第44号）は承諾の効力発生時を到達時とするため（97条1項）、契約の成立時期についても到達主義によることになります（現行規定）。したがって、相手方が承諾の通知を発信したものの申込者に到達しなかった場合には契約は成立しません。また、申込者の申込みの後、申込者が撤回の通知、相手方は承諾の通知をそれぞれ発信したような場合、それぞれの通知の到着の先後で契約の成立の有無が決します。

なお、承諾の意思表示の発信時に契約が成立すると定めた改正前の規定（旧526条）は、法改正により削除されました。

契約成立のしくみ

要旨 契約は当事者の一方が申し込み、申込みを承諾した場合に当事者の意思は合致し、契約は成立する。

〔申込みに関する問題点〕
①広告と申込み
　不動産の広告を見て、買いますと言った場合に、契約が成立するわけではない。広告は申込みではなく、申込みの誘引にすぎず、売主は、買いますという相手方の申込みを受けて、支払能力等を判断して、売る（承諾する）かどうかを決めることになる。
②申込みの撤回
　承諾の期間が定めてある場合はその申込みの到達によって効力が生じるが、承諾の期間が定めてなかった場合には、承諾通知をするのに相当な期間内は申込みを撤回することはできない。

〔承諾に関する問題点〕
①承諾の期間を定めた申込みがあった場合、期間内に承諾がなければ、申込みの効力はなくなる（523条2項）。
②承諾の期間を定めていない申込みの場合、承諾通知を出した後に申込みをやめたいという通知が到着しても、承諾の通知を受け取るのに相当な期間内であれば、申込みの撤回はできないので、契約は成立する（525条1項）。
③あらかじめ承諾の通知を不要とする意思表示があったり、取引上の慣行によって承諾の通知が必要ない場合には、承諾の意思表示と認める事実があった場合に契約は成立する（527条）。

■懸賞広告　一定の行為をした者に報酬を与えるという広告を単に懸賞広告といい、優等者だけに報酬を与えるという広告を優等懸賞広告という。懸賞広告は同じ方法によらなければ取り消すことはできず、指定した行為を行った者が出る前でなければならない、などの規定がある。

◆契約の成立に関する見直し（525条2項、3項）
　従前民法には承諾の期間を定めないで行った申込みの効力については、隔地者間の場合の規定がありましたが、対話者間の場合は規定がありませんでした。そこで、平成29年6月の改正民法（平成29年法律第44号）では、対話が継続している間であればいつでも申込みの撤回は可能とし、対話継続中に承諾がなされなければ申込みは効力を失う、とする規定ができました（令和2年4月1日施行）。
　また、隔地者間の契約成立について従前民法は発信主義がとられていましたが、これだと申込者が知らない間に契約が成立し、申込者が不測の損害を受ける恐れがあること、迅速な契約成立については今日電子メール等を利用すればよいことから、改正法では、隔地者間の場合でも承諾の意思表示が相手先に到達したときに効力が発生すると定めたのです（旧法526条1項〔隔地者間の契約の成立時期〕の削除および現行規定97条1項の適用）。

債権 18 契約の効力

契約が成立すると双方に権利・義務が発生

533条、536条〜539条

☞同時履行の抗弁権、危険負担、第三者のためにする契約などの規定がある。

契約に従い義務の履行

1 契約の効力

契約により発生する権利義務関係については、特別の性質があります。ここで、AB間で、A所有の甲建物をBに売却する売買契約という例でこれを見てみます。

2 同時履行の抗弁権

売主Aが買主Bに対して、甲建物の引渡しをしないで売買代金の支払いを求めてきた場合、Bは甲建物の引渡しを受けるまでは代金の支払いを拒むことができます。

双務契約では、双方の債務は互いに対価的関係にあるので、双方の負担する債務は引換えに履行するのが公平です。ここで、Bが自己の債務の履行を拒絶できる権利を「同時履行の抗弁権」といいます。一方が同時履行の抗弁権を有している場合、その履行拒絶は違法とはならず、相手方は、自己の債務の弁済を提供するまでは、債務不履行による解除や損害賠償請求はできません。

3 原始的不能

ＡＢ間の売買契約の目的物である甲建物が実は契約成立前に地震で倒壊していた場合、意思表示の時点で目的物が存在しないので、その引渡債務は原始的に不能として発生しません。とすれば、対価関係にある代金請求権も発生しないとするのが公平でしょう。したがって、原始的不能を目的とする契約は、その契約自体が効力を生じない（無効）ものとされます。

4 危険負担

では、地震による倒壊が契約の成立後で、履行期前の場合はどうでしょうか。甲建物の引渡債務はやはり（後発的な）不能により消滅しますが、代金債務も同時に消滅するとすべきかは微妙な問題を含みます。

これは、契約成立後の債務消滅リスクを負うのはどちらかという「危険負担」の問題です。債権者（買主）が危険負担をし、代金支払義務はなお残存するとする「債権者主義」、買主の代金支払義務も同時に消滅（債務者が危険を負担）する「債務者主義」による立法があります。

こうした問題につき、令和2年4月1日施行の改正法（平成29年法律第44号）は従来の規定を整備し、建物が倒壊した場合、反対給付の代金支払いを拒絶できるものと、規定を改めました。債務者主義的な解決ですが、反対給付が消滅するものではない点でやや特殊な内容となっています。反対給付を消滅させたい場合、買主は履行不能による解除をなす必要があります。

なお、倒壊が買主に責任があるような場合などは、買主は支払いを拒むことができません。実際の取引では、「移転登記の際に危険が移転する」というような特殊な解決を図ることが多いようです。

5 第三者のためにする契約

「第三者のためにする契約」とは、契約内容に第三者に利益を与える特約が含まれている場合です。例えば、前記の例でいえば、Bが代金を第三者のCに支払うといった特約があるような場合です。

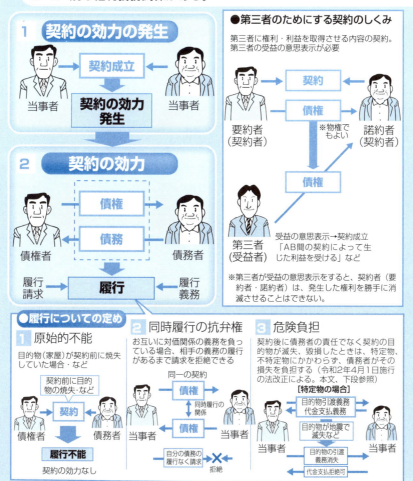

◆**危険負担に関する見直し**（536条・567条1項）

　双務契約の一方の債務が債務者の責めに帰すべき事由によらないで履行不能となった場合を定める危険負担につき、従前の民法規定は債権者の負う反対給付債務が消滅するという債務者主義を原則としつつ、特定物に関する物権の設定または移転を目的とする双務契約等では、例外的に債権者主義を採用していました。これですと例えば、建物の売買契約の締結直後に、その建物が地震等によって滅失した場合、買主は代金支払義務を免れないこととなり、債権者は過大なリスクを負担することになります。

　令和2年4月1日施行の改正法（平成29年法律第44号）では、こうした場合も債務者主義を採用することとし、さらに効果を反対給付の消滅から履行拒絶に改めたのです。なお、買主が目的物の引渡しを受けた後に目的物が滅失した場合は、買主は代金の支払を免れません。

債権 19 契約の解除

契約は一定の場合には解除できる

540条～548条

☞契約解除には、「合意解除」「法定解除」「約定解除」などがある。

債務不履行による解除は多い

1 契約の解除

契約関係には当事者の一方が、一方的な意思表示で契約の効力を当初に遡って消滅させる「契約の解除」という制度があります。遡及的な効力による消滅は取消しと類似しますが、解除は契約関係についてのみ問題となります。この解除の権利が契約によって生じる場合を「約定解除」、法律の規定によって生じる場合が「法定解除」です。

2 債務不履行による解除

法定解除権が生じる場合につき契約ごとに定められているものもありますが、各種契約に共通の解除原因としては「債務不履行解除」があります。これには、①催告による解除と②催告によらない解除とがあり、平成29年6月の改正法（平成29年法律第44号）は、それぞれについての要件を具体的に定めました（令和2年4月1日施行）。

催告による解除の場合は、相手方に債務不履行があっても、必ずしも直ちに解除できるというものではなく、解除をするためには相当の期間を定めて履行を催告するという手順を踏む必要があります。再度、相手方に履行のチャンスを与えるのが適当な場合も多いからです。相当の期間は当該取引の内容によって個別に判断されます。

催告を告げずに解除できる場合としては、①履行不能の場合、②債務者が履行拒絶の意思を明確に表示している場合、③特定の日時または一定の期間内に履行しなければ目的を達することができない場合（定期行為）などの場合があります。これらの場合には、相手方に履行のチャンスを付与する必要がないと考えられるからです。

なお、解除は、損害賠償請求と異なり、債務者の帰責事由は必要とされません。

3 解除の効果

解除の効果は、契約関係の遡及的消滅です。解除の効果を、このように、契約の遡及的無効（消滅）をもたらすものと理解する立場は「直接効果説」と呼ばれ、判例、実務で採用されているものです。

解除により、契約関係が遡及的に消滅してしまうので、解除前に債務の全部または一部の履行があった場合には、元と同じ状態に戻す必要が出てきます。これを「原状回復義務」と呼び、不当利得返還義務（188㌻参照）と同じ性質のものと理解されています。解除前の状態に戻す必要があるため、100万円の支払いを受けた者が浪費して20万円しか残っていなかった場合でも100万円（及び利息）を返還する必要があります。

4 解除と第三者

Aから所有建物甲を買い受けたBが、さらにこれをCに転売した際に、最初のAB間の売買契約が解除された場合、甲建物の所有権はA、Cどちらとなるのでしょうか。

これについて判例は、BC間の売買が解除の前か後かで区別し、解除前の場合は、登記具備を条件にCの所有となるとするのに対し、解除後の場合は、AとCとは民法177条の対抗関係に立つと解しています。

契約解除のしくみ

要旨 契約解除とは、解除原因が発生した場合に、解除権者の一方的な意思表示によって、契約を遡って解消することである。合意解除もある。

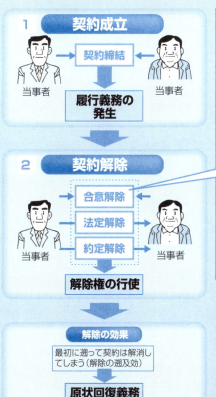

〔解除ができる場合〕
①合意解除
　当事者の合意により解除することができる。
②法定解除
　法律の規定による解除で、債務不履行、売主の担保責任、事情変更による解除権がある。
③約定解除
　当事者の契約によって生じる解除。手付による解除、買戻しなどがある。

〔解除と類似のもの〕
①クーリング・オフによる申込みの撤回
　消費者契約などでは、契約の成立から一定期間（熟慮期間）は無条件に撤回（クーリング・オフ）ができる。
②失権約款による解除
　債務不履行があったときに、解除の意思表示なしに当然に契約が失効するとする特約を付けた場合。約定解除に類似するが、解除条件付の契約と解される。

※**事情変更の原則**　契約成立の際に基礎となった事情などが、著しく変わり、当初の契約内容を強制することが信義に反し不当な結果を生じる場合は、信義公平にあうように契約内容の改定・失効・廃棄が認められる。

※**定期行為の解除権**　結婚式のウエディングドレスの注文のように結婚式に間に合わなければ意味がない。こうした定期行為は、その時期を経過したときに、履行がなければ、一方的に契約解除ができる（542条1項4号）。

◆契約解除の要件に関する見直し（541条・542条）
　履行不能による解除について、従来の民法規定は、債務者の責めに帰すべき事由（帰責事由）がない場合は、債権者は契約の解除はできないとしていました。しかし、債務者に帰責事由がない場合であっても解除できる場合が必要（例えば、購入の契約をした商品が地震による火災で焼失）との考えから、令和2年4月1日施行の改正民法（平成29年法律第44号）は、債務不履行による解除一般につき、不履行が債権者の責めに帰すべき事由による場合を除き、債権者からの解除が可能と規定したのです。
　また、解除についての重要判例を条文に反映させ、①催告解除につき、契約および取引通念に照らして不履行が軽微なときは解除できない、②無催告解除につき、履行拒絶の意思の明示、契約をした目的を達するに足りる履行の見込みがない、等の事情があれば解除できる旨の規定が明文化されました。

債権 20 定型約款

約款は定型的な内容の取引条項

548条の2〜548条の4

☞定型約款が契約の内容となるための要件、不当条項の取扱いについて定めた（平成29年法律第44号で新設）。

1 定型約款

日常生活において、定型約款を利用した契約は少なくありません。保険契約やインターネット上の買い物の際、詳細な約款を目にする機会も多いでしょう。

定型約款とは、定型取引、すなわち、ある特定の者が不特定多数の者を相手に行う取引のうち、その内容の全部又は一部が画一的であることがその双方にとって合理的であるものに利用されるもので、契約の内容とすることを目的としてその特定の者により準備された条項の総体と定義されます。

画一的であることが合理的な取引でなければ、その取引は「定型取引」とはならず、そこで約款が用いられても、民法の「定型約款」とは異なるものとなります。

本来、契約当事者は、契約の内容を認識して意思表示をしなければ、契約に拘束されないのが原則であるため、全部は読まない定型約款にどこまで拘束されるかが問題となるのです。

2 定型約款の合意

上の定型取引を行うことの合意（定型取引合意）をした者は、①定型約款を契約の内容とする旨の合意をしたとき、または②定型約款を準備した者（定型約款準備者）があらかじめその定型約款を契約の内容とする旨を相手方に表示していたときには、原則として、定型約款の個別の条項についても合意したものとみなされます。

例えば、保険契約をすることを合意した場合（定型取引合意）、定型約款を契約内容とする旨の合意もしくは準備者からの表示があれば（①または②）、個別の条項についても合意したものとみなされます。もっとも、相手方の権利の制限や義務を加重する条項であり、信義則上も許容されない不当条項は合意の対象から外されます。

3 定型約款の内容の表示

定型約款準備者は、定型取引合意の前または定型取引合意の後相当の期間内に相手方から請求があった場合には、原則として、遅滞なく、相当な方法でその定型約款の内容を示す必要があります。定型約款は契約の内容となる関係上、相手方の知る権利を保障する必要があるからです。

4 定型約款の変更

定型約款準備者は、定型約款の変更が、①相手方の一般の利益に適合するとき、あるいは②変更内容が契約目的に反せず、かつ、必要性が認められるなど変更内容が合理的である場合、定型約款の変更をすることにより、変更後の定型約款の条項について合意があったものとみなし、個別に相手方と合意をすることなく契約の内容を変更することができます。

例えば、相手方が支払う料金を減額するような場合が考えられますが、変更にあたっては、効力発生時期を定め、その到来まで約款を変更する旨、変更後の内容、効力発生時期をインターネット等で周知する必要があります。

定型約款のしくみ

要旨 定型取引においては、契約の内容は定型約款によって示される。

定型取引 ある特定の者が不特定多数の者を相手方として行う取引で、その内容の全部または一部が画一的であることがその双方にとって合理的なもの。

定型約款 定型取引において、契約の内容とすることを目的としてその特定の者により準備された条項の総体。保険約款、旅行約款、銀行取引約款、運送約款などである。

定型約款に関する規定（令和2年4月1日施行）

定型取引の合意
① 定型約款を契約の内容とする旨の合意をしたとき。
② 定型約款を準備していた者（定型約款準備者）があらかじめその定型約款を契約の内容とする旨を相手方に表示していたとき。
③ ただし、相手方の権利を制限し、または相手方の義務を加重する条項で、社会通念に照らして相手方の利益を一方的に害すると認められる場合は、合意しなかったとみなされる。

定型約款の内容の表示
① 定型取引業者は、定型取引合意の前、または合意の後、相手方から請求があった場合は、遅滞なく、相当の方法でその定型約款の内容を示さなければならない。
② 定型取引合意の前に、定型約款について請求を拒否したときは、上記（定型取引の合意）①の規定は適用されない（定型取引は不成立）。

定型約款の変更
① 定型約款の変更が、相手方の利益に適合するとき。
② 定型約款の変更が、契約をした目的に反せず、かつ、変更の必要性、変更後の内容の相当性、定型約款変更をすることがある旨の定めの有無、およびその内容その他の変更に係る事情に照らして合理的なものであるとき。
③ 定型約款の変更をすることにより、変更後定型約款の条項について合意があったものとみなされる。

（定型約款の合意）
第548条の2 ① 定型取引（ある特定の者が不特定多数の者を相手方として行う取引であって、その内容の全部又は一部が画一的であることがその双方にとって合理的なものをいう。以下同じ。）を行うことの合意（次条において「定型取引合意」という。）をした者は、次に掲げる場合には、定型約款（定型取引において、契約の内容とすることを目的としてその特定の者により準備された条項の総体をいう。以下同じ。）の個別の条項についても合意をしたものとみなす。
1 定型約款を契約の内容とする旨の合意をしたとき。
2 定型約款を準備した者（以下「定型約款準備者」という。）があらかじめその定型約款を契約の内容とする旨を相手方に表示していたとき。
② 前項の規定にかかわらず、同項の条項のうち、相手方の権利を制限し、又は相手方の義務を加重する条項であって、その定型取引の態様及びその実情並びに取引上の社会通念に照らして第1条第2項に規定する基本原則に反して相手方の利益を一方的に害すると認められるものについては、合意をしなかったものとみなす。

債権 21 贈与契約と問題点

自己の財産を相手に与えることができる

549条〜554条

☞贈与契約は自己の財産を無償で与える意思表示をし、相手が受諾することによって成立する。

書面によらない贈与は取り消せる

1 贈与契約

「贈与契約」とは、自己の財産権を無償で相手方に与える契約をいいます。

民法上、贈与も契約である以上、当事者間の意思表示の合致が必要です。何かを贈与しようと相手に告げても、それだけでは贈与契約は成立せず、相手方がそれを承諾して初めて贈与契約が成立します。

贈与の当事者は、贈与者(贈主)と受贈者です。このうち、贈与者の側の中心的債務(対価的な意味のある債務)としては、自己の財産権を受贈者に与える債務であり、受贈者の方には中心的債務は存在しません。

2 贈与契約の性質

したがって、贈与契約は贈与者側のみが債務を負う片務契約であり、また、受贈者側が無償で利益を得る無償契約ということになります。また、贈与は当事者間の意思の合致のみで成立する諾成契約です。

3 書面によらない贈与

一般に、無償の契約はその成立を明確にするため、要式契約とされることが多く、諸国の立法例でも贈与は要式契約とされてます。しかし、日本の民法は、贈与契約の成立自体は意思表示の合致のみで足りるとした上で、書面によらない贈与は履行の終了前の段階では当事者が解除することができるとしています。

この規定により、日本の国の贈与も結局、要式契約とそれほど違いはないものとなっているのが現状です。

4 贈与契約の効力

贈与者は、贈与の目的となった物や権利(財産権)を与える債務を負担しますが、目的となった財産を引き渡すことにとどまらず、目的物が不動産であれば受贈者に移転登記し、第三者対抗要件を具備させるところまで協力し、受贈者が完全にその目的物を支配できるまでにする義務があるとされています。これは次項の売買の場合と同様ですが、贈与は無償契約であることから、贈与者の立場に配慮がなされていて、その目的財産権に欠陥や不存在がある場合の贈与者の責任（現行法では契約不適合責任という）は、売買に比べ軽減されています。

贈与者は、贈与の目的である物や権利を特定したときの状態で引き渡しなどを約したものと推定されます（551条。贈与者の引渡義務等）。

5 特殊の贈与

AがBに「私が死んだらこの指輪をあげる」という約束した場合は、Aの死亡によって贈与の効力が生じ、「死因贈与」となります。一方、AがBとの約束ではなく、一方的に遺言書の中で「私が死んだらBに指輪をあげる」とする場合を「遺贈」(264㌻参照)といいます。

死因贈与はあくまで契約であるのに対し、遺贈は単独行為である点で異なりますが、死亡による無償の財産権の移転という点では共通しているので、死因贈与は遺贈の規定に従うものとされています。

贈 与 契 約 のしくみ

要旨 贈与契約は民法が定める13種類の契約の1つで、最初に定められていて、無償で相手に財産を与える契約である。

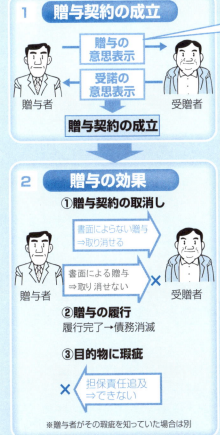

〔贈与の種類〕
①書面によらない贈与と書面による贈与
　贈与契約書が作成されていない場合が書面によらない贈与で、贈与契約書が作成された場合が書面による贈与である。こう分ける実益は、書面によらない贈与は履行がなされるまでは取り消すことができるのに対して、書面による贈与は取消ができない（549条、550条）。
②定期贈与
　毎月10万円を贈与するといった定期給付を内容とする贈与で、期間は約定があればそれに従うが、当事者の死亡により契約の効力を失う（552条）。
③負担付贈与
　ある物の贈与に当たって、負担がついている場合で、例えば、土地家屋を贈与するが土地の一部を駐車場として使用する場合などである。対価があるのと同様に取り扱ってよく、双務契約の規定が準用される（553条）。
④死因贈与・遺贈
　贈与者の死亡で効力が発生すると定めて、生前に契約しておくのが死因贈与で、遺贈は遺言によって贈与する場合である（554条）。
（例）死因贈与→「私が死んだら○○を□□に贈与する」
　　　遺贈→遺言状「○○を□□に与える」
⑤寄付
　寄付は、社会公共の目的のために財産を出捐（提供）することで、法律関係は通常の贈与と見てよい。

（贈与）
第549条 贈与は、当事者の一方がある財産を無償で相手方に与える意思を表示し、相手方が受諾をすることによって、その効力を生ずる。
（書面によらない贈与の解除）
第550条 書面によらない贈与は、各当事者が解除することができる。ただし、履行の終わった部分については、この限りでない。

債権 22 売買契約と問題点

物を相手方に移転し代金を相手方が支払う契約

555条〜559条

☞売買契約では「手付金」を授受する場合があり、この性質をめぐり争いとなる場合がある。

売買契約は諾成契約

1 売買契約とは

「売買契約」とは、当事者の一方がある財産権を相手方に移転することを約(約束)し、相手方がその対価として代金を支払うことを約することによって成立する契約です。

売買の当事者は、売主と買主です。売主の本体的債務(対価的な意味がある債務)はある財産権を買主に移転する債務であり、買主の本来的債務は対価としての金銭(代金)を支払う債務となります。

2 売買契約の性質

売買契約は売主・買主の双方が対価的な債務を負担する双務契約であり、また、売主・買主双方が得る利益に応じた代償を必要とする有償契約です。

また、売買契約は当事者間の合意のみで契約が成立するので諾成契約です。

3 手付

売買は当事者の合意のみで成立する諾成契約ですが、現実の取引の場面では、売買契約の成立の際、当事者の一方の買主が売主に対して、金銭等を交付することがしばしば見られます。これがいわゆる「手付」であり、契約締結の際に当事者の一方が相手方に交付する金銭その他の有価物の総称と定義されています。

一般に手付は証約手付、違約手付、解約手付の3種に分類されます。

「証約手付」とは、契約の成立を明らかにする趣旨で交付される手付をいいます。手付交付の本来の目的が以下の違約手付や解約手付である場合でも、同時に契約の成立を明らかにする面も有するため、違約手付や解約手付もこの性質を併有するものとされています。

「違約手付」とは、手付を交付した者が契約で定められた債務を履行しない場合に、受領者が没収できるという趣旨で交付される手付です。主として、手付の交付者側の違約に備えるものですが、公平上、受領者側の違約の場合には、交付された手付の倍額償還が定められるのが通常です。

「解約手付」とは、契約の解除権を留保する趣旨で交付される手付です。この手付が交付されていれば、交付者が手付を放棄することで契約を解除することができ、受領者は倍額償還することで契約を解除することができます。

もっとも、この解除権を行使するには履行に着手するまでという時間的制限が存在します。履行の着手にかかった相手方を保護する必要があるからです。

実際に交付された手付が上のどれにあたるかは、当事者の意思の解釈で定まりますが、解釈の指針として、民法は手付を解約手付と推定するものとしています。また、この場合は契約解除による損害賠償はとれません。

なお、解約手付は内金(代金の一部の前払い)としての性質も併せもつ場合が多く、解除権が行使されずに後日契約が履行された場合には、代金の一部に充当されるのが一般的です。

売買契約のしくみ

要旨 売買契約とは、売主がある財産権を買主に移転することを約束し、買主は代金を支払うことを約束する契約である。

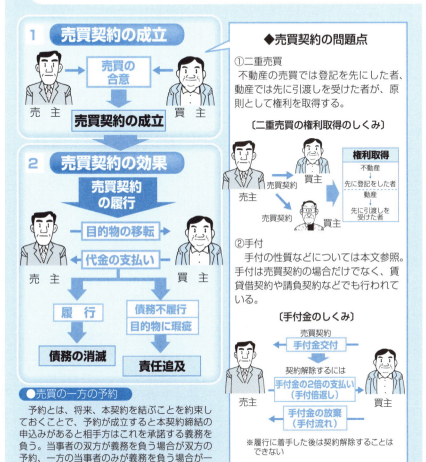

◆売主の瑕疵担保責任に関する見直し（562条～564条）

購入した商品に欠陥があった場合、買主は「売主の瑕疵担保責任」に基づき契約の解除や損害賠償の請求ができました。しかし、その内容が不明確な上に、条文上の「隠れたる瑕疵」などの用語が分かりにくかったため、令和2年4月1日施行の改正法（平成29年法律第44号）は、買主は売主に①修補や代替物引渡しなどの履行の追完の請求、②損害賠償請求、③契約の解除、④代金減額請求ができることを明示するとともに、「隠れたる瑕疵」を「目的物の種類、品質等に関して契約の内容に適合しないもの」に改めました。また、買主の権利行使期間につき、従前の「瑕疵を知ってから1年」から「契約の内容に適合しないことを知ってから1年以内にその旨の通知」に改め、買主の負担の軽減を図っています。

債権 23 売買契約の効力

売買契約の当事者双方は権利と義務を取得

560条～570条、572～578条

☞売主は目的物の引渡義務、買主は代金の支払義務を負う。

双方が権利・義務を持つ

1 売買の効力

売買契約の本体的効力は、売主の財産権移転義務と買主の代金支払義務の負担です。こうした売買契約関係を少し詳しく見ていくことにします。

2 売主の目的物引渡義務

売主は、財産権移転義務として、買主に対して目的物を引き渡して、目的物の占有を移転する義務を負います。さらに、売主には目的物の占有移転だけでは足りず、移転した権利について対抗要件（66 ☞ 参照）を具備させるように協力する義務があるとされています。権利は対抗要件を備えなければ第三者に対抗できないものが多く、ここまでの義務を認めないと、買主はその目的を達することができないからです。

3 買主の代金支払義務

買主の代金支払義務は金銭債務であり、金銭債務についての民法の規定（117 ☞ 参照）の適用を受けます。

4 売主の担保責任

絵を愛好する者が、売買により名画を買ったところ、その絵に隠れた傷があった場合、売主は買主に対して何らかの責任を負うべきでしょう。

この例のように、売買の目的について数量、性能、品質等の点で契約の内容に適合しない部分が存在する場合、買主を保護するために売主に課した責任を「売主の担保責任」といい、買主の追完請求、代金減額請求の他、損害賠償請求、解除権などが規定されています。

この担保責任の法的性質につき、以前は特別の法定責任か債務不履行責任の一種かという点で激しい議論がなされてきましたが、令和2年4月1日施行の改正法（平成29年法律第44号）では債務不履行責任説の立場から規定が整備されています。

売主の担保責任を追及する場合、買主は不適合を知った時から1年以内にそのことを売主に通知する必要があります。ただし、売主がそれを知っていたか、または重大な過失によって知らなかった場合は期間制限は適用されません。こうした担保責任を負わない旨の特約も原則的には有効です。当事者間の合意があるのであれば、それを尊重しようというものです。

5 売買における危険負担

売主が買主に目的物を引き渡した場合、その目的物が引渡しの後に当事者双方の責めによらない事由にて滅失等した場合、買主は履行の追完請求などを行使できず、また、代金の支払いを拒むこともできません。すなわち、目的物の引渡しによって、売主から買主に危険が移転することとなります。

6 他人物の売買

売買は、通常は売主の有する財産権を目的としますが、他人の財産権を売買の目的としても無効とはなりません。

この場合、売主は権利者から権利を取得して買主に移転する義務を買主に対して負担することになります。

売買契約の効力のしくみ

要旨 売買契約では、売主は目的物の権利の移転の義務を負い、買主は代金支払いの義務を負う。また、売主は担保責任を負う。

● 担保責任と債務不履行責任の関係
債務不履行責任は履行利益の賠償とされ、担保責任は信頼利益の賠償と考える学者が多いようで、以下のような差異がある。
① 債務不履行が故意過失を要件としているのに対して、担保責任は無過失責任とされている
② 債務不履行責任の追及には代金減額請求があり、担保責任には完全履行の請求がない
③ その他、契約解除における催告の要否、責任追及の期間が異なるなどが相違点である。

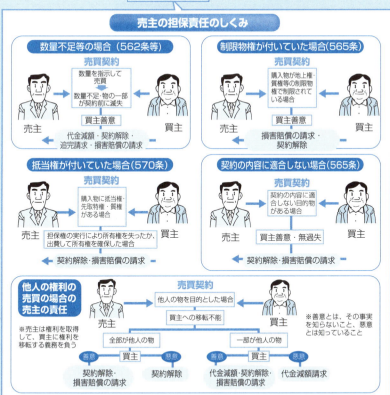

（他人の権利の売買における売主の義務）
第561条 他人の権利（権利の一部が他人に属する場合におけるその権利の一部を含む。）を売買の目的としたときは、売主は、その権利を取得して買主に移転する義務を負う。

24 売買契約と特別法による規制

債権 / 宅建業法など

売買に関しては多くの特別法がある

特別法で不当な売買を規制

☞「宅地建物取引業法」「特定商取引に関する法律」「割賦販売法」「消費者契約法」などがある。

1 売買に関する特別法

今日の取引社会において、ひとくちに売買といってもその内容は実に多種多様であり、民法のみですべてを規律することは不可能といえるでしょう。また、契約自由の原則の下、売買契約の内容を当事者間に完全に委ねることは、消費者や生産者に酷な事態を招きます。こうした理由から、売買に関しては、今日、多数の特別法が制定されています。以下、消費者保護法の重要なものを見ていきます。

2 宅地建物取引業法

「宅地建物取引業法」の規制は、不動産の売買のみに限りませんが、便宜上、ここで説明します。

不動産の売買を仲立ついわゆる不動産業者は、購入者等の利益の保護と宅地建物の流通の円滑を図る見地から、免許制としています（同法1条、3条）。また、営業所には必ず宅地建物取引士という国家資格を有した者を置く必要があります。

3 特定商取引に関する法律（旧訪問販売法）

特定商取引法では、特定の分野の取引について、消費者を保護するため、契約時に条件を明示した契約書の作成交付などを業者に義務付けています。また、民法上は契約を結んだ以上、解除理由もないのに契約を一方的に破棄することはできませんが、同法には「クーリング・オフの制度」があり、例えば、訪問販売や電話勧誘販売等の場合、契約内容を明らかにした書面が交付されてから8日以内であれば、買主は書面により一方的解除（申込みの撤回）が可能です。

4 割賦販売法

特定商取引法と同様の規制は、割賦販売法によって割賦販売にもなされています。しかし、割賦販売法においては、「抗弁権の接続」という制度が重要です。

消費者が信販会社を介して販売業者から商品を購入した場合、通常、商品の代金は、信販会社が販売業者に立替払いをし、消費者は信販会社に割賦弁済します。

こうした関係では、目的商品に瑕疵があって、購入者が販売業者に代金支払いを拒絶する抗弁を有するような場合でも、第三者である信販会社からの割賦金の支払請求には応じなければなりません。しかし、これでは消費者を害するとして、政令で指定された一定の割賦販売では、買主は販売業者に対して持っている抗弁を信販会社に対して対抗（主張）できることとしています。

5 消費者契約法

「消費者契約法」は、消費者、事業者間の不当な商品、サービスの売買、供給契約、悪質な販売方法の規制を目的として平成13年4月から施行された法律です。

同法は、民法の詐欺、強迫の要件を類型化して緩和し、重要事項で虚偽の説明を受けたり、不確実な事項について断定的な説明を受けたり、自宅に居座られたり、営業所から帰してもらえなかったり等により締結した契約は取消しができるとしています。

売買契約と特別法のしくみ

要旨 売買契約は民法の規定だけではなく、特別法による規定もある。そのほとんどは、業者を規制し、消費者を保護する内容である。

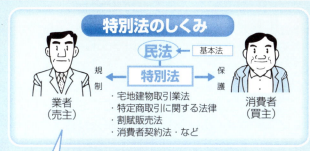

売買契約に関する特別法

法令名	目的	売買契約に関する主な内容
宅地建物取引業法	宅地および建物の取引の公正等を確保し、購入者等の利益の保護等を図る	①契約前に書面を交付しての重要事項についての説明義務、②契約時の書面交付義務、③事務所以外で宅建業者が売り出した宅地・建物の売買契約の申込みの撤回（8日以内）、④その他、損害賠償額の制限、所有権留保等の禁止などについて定めている。
特定商取引に関する法律	訪問販売、通信販売等における購入者の保護等を図る	①訪問販売における氏名の明示、書面の交付義務、②訪問販売における契約の申込みの撤回（原則8日以内）、③訪問販売における契約の解除等に伴う損害賠償額の制限、④その他、通信販売、電話勧誘販売、連鎖販売取引、特定継続的役務提供、業務提供誘引販売取引について定めている。
割賦販売法	割賦販売（ローン）等による購入者の保護等を図る	①契約における書面の交付義務、②契約の申込みの撤回（クーリング・オフ、原則8日以内）等、③契約の解除等に伴う損害賠償額の制限、などについて定めている。
消費者契約法	消費生活全般について消費者の保護を図る	①申込みまたは承諾の意思表示の取消し（業者の一定の行為により消費者が誤認し、困惑した場合）、②消費者契約条項が無効となる場合、などについて定めている。

宅地建物取引業法第35条【重要事項の説明等】①宅地建物取引業者は、宅地若しくは建物の売買、交換若しくは貸借の相手方若しくは代理を依頼した者又は宅地建物取引業者が行う媒介に係る売買、交換若しくは貸借の各当事者に対して、その者が取得し、又は借りようとしている宅地又は建物に関し、その売買、交換又は貸借の契約が成立するまでの間に、宅地建物取引士をして、少なくとも次に掲げる事項について、これらの事項を記載した書面を交付して説明をさせなければならない。（以下略）

25 買戻特約・交換契約

債権 売買についての特殊な契約もある

579条～586条

☞買戻特約は、不動産の売買で利用され、交換契約は物々交換のことであるが、今はあまり利用されていない。

買戻特約は担保で利用

1 買戻しと再売買の予約

民法は、売買の個所に特殊な売買という形で買戻しに関する規定を設けています。また、同じ機能を営む再売買の予約も形式的には売買の形をとります。しかし、これらの制度の実質は、売買を離れた債権の担保手段（売渡担保）となっています。

2 買戻し

「買戻し」とは、売買契約の際の特約で、売主が代金および契約の費用を買主に返還することによって売買契約を解除し、目的物を取り戻すことをいいます。

買戻しにおいては、目的物は不動産に限定されます。また、特約は売買契約と同時になされる必要があり、また買戻しの期間は10年までとされ、これを更新することもできません。

買戻しは、買戻義務者に対する意思表示によってこれをなします。目的不動産が第三者に譲渡されたような場合でも、特約を登記しておけば、登記を備えた第三者に対しても効力を有します。

買戻権自体を譲渡することも可能です。この買戻権の譲渡は買戻特約の登記がなされている場合はその付記登記によって、登記がなされていない場合は、債権譲渡の規定に準じて相手方である買主への通知またはその承諾によって対抗できることになります。

買戻しは、買主が売買代金を支払わないような場合に、これを行使して不動産を取り戻すことが可能となる点で債権担保の手段として利用されます。しかし、前述のように、買戻しには種々の厳格な制約が付されているため、今日、この制度の利用はほとんど見られません。

3 再売買の予約

土地を担保に融資を受ける際に、その土地を相手方に売却して、その代金という形で融資を受け、将来再び自分がそれを取り戻せるように逆方向の売買契約を予約しておくという方法があります。将来、この予約完結権を行使して目的物を取り返すと同時に、再売買の際の代金支払いという形で融資金の返済を行うことになるわけです。こうした担保の方法を「再売買の予約」といいます。

目的物は不動産に限られず、また、予約を売買契約と同時にする必要も、最初の売買と再売買とで売買代金が同じである必要もありません。また、仮登記によって公示することも可能ですので、買戻しに比して、債権担保の手段としてしばしば利用されています。

4 交換契約

「交換契約」とは、当事者が互いに財産権を移転する契約をいいます。

当事者双方が相手方に対して財産権の移転義務を負う、双務・有償・諾成の契約ですが、貨幣制度が発達している今日、交換が社会生活で果たす役割は極めて小さいものとなっています。

買戻し・交換契約のしくみ

買戻し

 要旨 買戻しとは、一定期間を定めて、その期間内に売主が売買代金と契約費用を返還し、売買契約を解除することをいう。

1 不動産の売買契約（買戻特約付）

※買戻しの登記をすると第三者に対抗できる。

※買戻しは、物的担保の機能があるが、目的物が不動産に限られること、買戻しの代金が最初の代金に契約した費用を加えたものと限定されていることなどから、あまり利用されていない。

取引では、売主の売買（再売買）の予約を使って行われる場合が多い。

2 買戻しの実行

※期限内にする必要

※第三者が売主の債務を弁済して、買戻権の代位行使（136ページ参照）をすることができる。

◆再売買の予約

いったん売却した物を、再び売買して元の売主に戻すことを予約すること。

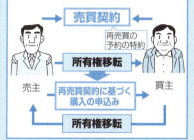

交換

 要旨 交換とは、当事者が互いに目的物（財産権）を移転する契約をいう。

交換契約

当事者が互いに財産権（金銭を除く）を移転することを約束すること。

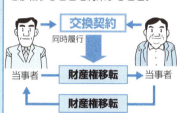

※両替は金銭なので交換規定ではないが、準用されているので同様の扱いとなる。

（買戻しの特約）
第579条 不動産の売主は、売買契約と同時にした買戻しの特約により、買主が支払った代金（別段の合意をした場合にあっては、その合意により定めた金額。第583条第1項において同じ。）及び契約の費用を返還して、売買の解除をすることができる。この場合において、当事者が別段の意思を表示しなかったときは、不動産の果実と代金の利息とは相殺したものとみなす。

（交換）
第586条 ① 交換は、当事者が互いに金銭の所有権以外の財産権を移転することを約することによって、その効力を生ずる。
② 当事者の一方が他の権利とともに金銭の所有権を移転することを約した場合におけるその金銭については、売買の代金に関する規定を準用する。

第3編 債権　第2章 契約

債権 26 消費貸借契約と問題点

金銭貸借は消費貸借に当たる

587条〜592条

☞消費貸借では、借りた物を返すのではなく、それ自体は消費した上で、同種・同等・同量の物を返す。

1 消費貸借とは

「消費貸借契約」とは、当時者の一方（借主）が相手方（貸主）から一定の金銭その他を受け取り、これと同種、同等、同量の物を返還することを約（約束）することによって成立する契約です。目的物は金銭に限られませんが、最も多いのは金銭の消費貸借です。

2 消費貸借の性質

消費貸借の合意の内容は、借主が物の返還を約することだけですので、借主は返還債務を負いますが、貸主は債務を負わない片務契約です。また、無利息の場合は、消費貸借によって利益を受けるのは借主だけですので無償契約となりますが、利息が付される場合は有償契約となります。

3 消費貸借の要物性

消費貸借は、金銭等を受け取ることによって成立するので、要物契約です。もっとも、この要物性については、預金通帳と印鑑を交付する等貨幣の授受と同等の経済的価値の移転があればよいとされています。

金銭等の授受がなく約定だけの場合は、要物の消費貸借契約とは異なる諾成的消費貸借契約が成立する旨が改正法（次㌻下段参照）で明文化されました。この諾成的消費貸借契約は書面でなすことを要する要式契約とされ、金銭授受がなされるまでは借主の解除権が認められています。

4 消費貸借の終了

消費貸借では借主が返還義務を負担します。返還時期は、返還時期の定めがあった場合はその時期となりますが、定めのない場合、貸主の返還請求権は期間の定めのない債権となり、貸主が催告したときに返還する必要があります。ただし、消費貸借の場合は借主の返済金調達に配慮する趣旨で、相当期間（3日〜2週間程度）の猶予が与えられています。

5 準消費貸借

売買代金債務を負担する者が、売主との契約でその債務を消費貸借上の債務に改めるような場合を準消費貸借といいます。

6 消費者信用

消費貸借に関連し、消費者金融などで、様々な新たな問題が生じてきています。

例えば、消費者が商品を購入する際に、全額1度に支払えないので、カード（クレジット）会社に立替払いをしてもらうという形態があります。そのときに、カード会社は消費者の代わりに販売会社に立替払いをし、後に、カード会社から消費者に対して、立替払金を分割払いのような形で回収します。

このような場合に、販売会社が引き渡した目的物に欠陥などがあった場合、消費者は販売会社に対して契約の解除権や同時履行の抗弁権がありますが、カード会社からの立替払金の請求を拒めるでしょうか。このことについては、販売会社の責任（商品の瑕疵）が生じた場合、カード会社に責任がなくても消費者は支払いを拒絶できるとしています（割賦販売法、160㌻参照）。

消費貸借契約のしくみ

要旨 消費貸借契約は、借りた物を消費し、それと同様の物を返す約束をすること。金銭貸借はこれに該当し、約定等により利息も支払うことになる。

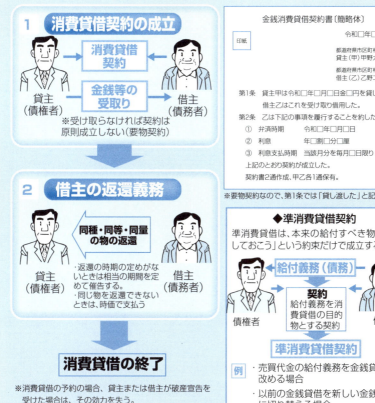

◆**消費貸借に関する見直し**（587条の2）

　消費貸借については、従前規定では要物契約とされ、金銭貸借の合意のみでは借主は金銭の交付を請求することができないとされていましたが、判例は合意のみによる諾成的消費貸借の概念を認め、これらの区別があいまいで不安定な状況が生じていました。

　そこで、令和2年4月1日施行の改正法（平成29年法律第44号）は書面によることを条件として、合意のみでの消費貸借を認め、借主は金銭の交付を受ける前はいつでも契約の解除が可能としつつ、それにより貸主に損害が発生したという限られた場合（相当の調達コストがかかる高額融資の場合などで、消費者ローンなど少額多数の融資には不適用）に貸主の損害賠償請求権を認めています。

　また、借主は返還時期の定めがあっても、その定められた時期の前にいつでも返還が可能としつつ、それにより貸主に損害が発生する限られた場合に貸主の損害賠償請求権を認めています（591条）。

債権 27 593条〜600条

無償で借りて使用・収益する場合

使用貸借契約と問題点

☞例としては、親族間で家屋を無償で貸借する場合などで、貸主・借主が特別の関係にある場合にみられる。

借主の権利は弱い

1 使用貸借とは

「使用貸借契約」とは、当事者の一方（借主）が無償で使用・収益をなした後に返還することを約（約束）して、相手方（貸主）からある物を受け取ることによって成立する契約です。例えば、友人間で本を貸すような場合がこれにあたります。

2 使用貸借の性質

賃料の支払いがない以上、借主が目的物の使用という一方的な利益を受けるだけの無償契約です。

一般に、無償の契約は成立に何らかの形式を要求することが多いのですが、使用貸借も物の引渡しによって初めて契約が成立する要物契約とされています。単なる合意の段階で、裁判に訴えて「貸せ」と要求する権利までも認める必要はないということでしょう。

要物契約なので、契約成立の時点では、貸主には引き渡す債務はすでに存在せず、借主に返還債務が存在しているだけなので、片務契約ということになります。

なお、使用・収益の対価を支払えば、後に述べる賃貸借となるので、ある貸借関係が使用貸借か賃貸借かは、賃料の支払いの有無で決まります。

3 使用貸借の社会的機能

今日の取引社会においては、無償の使用は例外的であり、使用貸借は、親族間、友人間等の特別な関係ある者の間の貸借に限られています。

親族間の土地貸借が、使用貸借か賃貸借(次項参照)か、あるいは、地上権(84☞参照)かの認定はしばしば深刻な問題となりますが、判例には、父親と父親の建物に同居していた父親の相続人は、特段の事情ない限り、父親の死後、遺産分割が終了するまでは、引き続き無償で使用させる旨の合意が存在したと推認できるとして、父親の死亡後、遺産分割までの建物使用関係を父親の共同相続人が貸主、同居相続人が借主の使用貸借関係としたものがあります。

4 使用貸借の効果、終了原因

貸主が無償であることから、貸主の立場に配慮した効果が認められており、貸主は原則として担保責任を負わないものとされています。

使用貸借は、終了原因が特有です。契約で返還時期を定めた場合には、その時期に返還義務を負うことはよいとして、返還時期を定めなかった場合、借主は契約に定めた目的に従って使用・収益を終えた時に返還義務を負います。それ以前でも、使用・収益をなすに足るべき期間を経過したときは貸主は直ちに解除して返還請求ができます。貸主の好意に配慮して、用が済めば直ちに返還させるというのが基本思想となっているといえるでしょう。

賃借権と異なり、使用貸借では、借主が死亡すれば使用貸借関係は終了します。使用貸借当事者間の特別な関係を考慮したものです。

使用貸借契約のしくみ

要旨 使用貸借契約は、借主がただで物を使うために貸借する契約で、借地借家法の法定更新は適用されない。

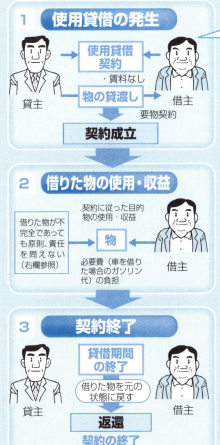

〔使用貸借が問題となる場合〕

①貸した物に欠陥があった場合の貸主の責任は？
　贈与の場合と同じ（551条）で、貸主は原則として責任を負うことはない。しかし、欠陥がないことが契約の内容となっていたときなどには例外的に責任を負う。

②貸借期間を定めなかった場合、いつ借りた物を返すのか？
・契約に従って使用・収益の目的を終了したときに返還。
・上記以前でも、使用・収益をなすのに十分な期間が経過したときは、貸主は返還を請求できる。
・契約で返す時期、使用目的も定めなかったときは、いつでも貸主は返還請求ができる。

③土地や建物の使用貸借で法定更新はあるのか？
　借地借家法では、定期借地権・借家権を除き、契約期間が満了しても、地主や家主側に正当事由がない限り、契約は更新されるとしているが、使用貸借の場合、この借地借家法の適用はなく、法定更新もない。

（使用貸借）
第593条　使用貸借は、当事者の一方がある物を引き渡すことを約し、相手方がその受け取った物について無償で使用及び収益をして契約が終了したときに返還をすることを約することによって、その効力を生ずる。
（借主による使用及び収益）
第594条① 借主は、契約又はその目的物の性質によって定まった用法に従い、その物の使用及び収益をしなければならない。
② 借主は、貸主の承諾を得なければ、第三者に借用物の使用又は収益をさせることができない。
③ 借主が前2項の規定に違反して使用又は収益をしたときは、貸主は、契約の解除をすることができる。

債権 28 賃貸借契約と問題点

貸主が物を使用・収益させ、借主が賃料を払う

601条〜622条の2

☞宅地・建物・農地の賃貸借など、社会的に機能している重要な契約の1つである。

契約の終了が問題

1 賃貸借契約とは

「賃貸借契約」とは、当事者の一方（賃貸人）が相手方（賃借人）に目的物の使用収益をさせ、相手方がその使用収益の対価として賃料を支払うことを約束することによって成立する契約です。使用貸借と異なり、賃料の支払いが契約の要素です。

民法上、賃貸借は目的物が物に限定されていますが、権利の賃貸借も非典型契約として有効で、この場合は、民法の賃貸借に関する規定が準用されます。

2 賃貸借契約の性質

賃貸借は、賃貸人の賃借人に物を使用収益をさせるという義務と賃借人の賃料を支払う義務が有償関係にあるので有償契約です。また、合意のみで契約が成立する諾成契約であり、両当事者に使用収益をさせる債務と賃料支払債務とが対価的に発生する双務契約となります。

3 賃貸借の効力

賃貸借においては、上記の本体的な義務の他、賃貸人には、目的物の修繕義務、賃借人が目的物を維持等するために費用を負担した場合にその費用の償還義務があり、賃借人には、目的物の保管義務、賃貸借終了時の目的物返還義務があります。

4 賃貸借契約の終了

賃貸借契約特有の終了原因としては、①存続期間の満了、②解約申入れ、③賃貸借についての特別規定による解除があります。

賃貸借の存続期間は、期間を定めた場合はその期間となりますが、この期間は民法上50年を超えることができません。期間を定めなかった場合は、期間の定めのない賃貸借契約となり、この場合、当事者はいつでも解約の申入れができます。

また、賃借人が目的物を賃貸人に無断で転貸したり、賃借権を譲渡することは賃貸借特有の解除原因とされています。

なお、賃貸借にも一般の債務不履行(122㌻参照)による解除等の適用はあり、これらによっても終了することになります。

5 賃借権の性質

民法上、賃借権は債権として構成されているので、物権に比べ、極めて弱い権利となっています。

例えば、目的不動産が賃貸人から第三者に譲渡された場合、賃借人は対抗要件を具備しない限り新所有者に対抗できず、新所有者からの明渡請求に応じざるを得ないこととなりますし（「売買は賃貸借を破る」）、賃借権に基づく妨害排除請求権も認められない建前でした。

しかし、令和2年4月1日施行の改正法（平成29年法律第44号）は、借地借家法上の対抗要件を民法上も認めるとともに、対抗要件を具備した賃借人の妨害排除請求権を認めるなど、賃借人の保護を図っています（改正内容は次㌻下段参照）。

なお、土地・建物の賃貸借については、賃借人保護の観点から特別法である借地借家法が定められています（次項以下参照）。

賃貸借契約のしくみ

要旨 賃貸借契約は、貸主が自分の物を借主に使用・収益させ、借主が賃料を支払うという契約である。

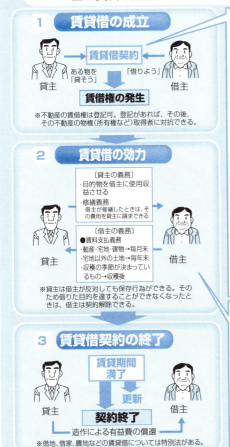

●賃貸借の存続期間
①一般の賃貸借の場合　賃貸借の期間は50年を超えることはできず、これを超える期間を定めた場合、50年に短縮される。
②短期賃貸借の場合　被保佐人、不在者の財産管理人など財産を管理する能力はあるが処分能力や権限のない人が賃貸あるいは賃借する場合は、短期賃貸借となり、短い期間が法定されていて、この期間を超えることはできない。
　㋑樹木の栽植または伐採を目的とする山林の賃貸借…10年
　㋺その他の土地の賃貸借…5年
　㋩建物の賃貸借…3年
　㋥動産の賃貸借…6か月
　短期賃貸借権の更新も可。ただし、期間が終わる前（土地は1年内、建物3か月内、動産1か月内）に通知が必要。

●転貸（又貸し）の法律関係
①貸主の承諾がなければ、賃借権の譲渡や賃借物の転貸は許されない。無断でした場合は、貸主は契約解除できる。ただし、背信行為と認められない場合は解除できない。
②貸主の承諾がある場合、転借人は貸主に対して直接義務を負う。また、貸主は借主（転貸人）に対して、賃料の請求権を失わない。

◆**賃貸借（敷金、現状回復義務、賃貸不動産の譲渡など）に関する見直し**（622条の2など）
　従前民法には、賃貸借契約終了時における敷金返還や原状回復義務について明文規定がありませんでしたが、令和2年4月1日施行の改正法（平成29年法律第44号）は以下のような規定を設けました。
①敷金について、改正法は名目を問わず担保目的であれば敷金にあたる旨の定義規定を置くとともに、敷金の返還時期、返還の範囲などについてのルールを設けました（622条の2）。
②原状回復義務について、賃借物に損傷が生じた場合、原則として賃借人は原状回復義務を負うが、通常損耗や経年劣化に伴う損耗についてはその義務を負わない旨の明文規定を設けました（621条）。
③賃貸不動産が譲渡された場合、譲受人が賃借人に自分が賃貸人であることを主張するには賃貸目的物の所有権移転登記が必要との判例法理を明文化し（605条の2第3項）、その譲受人は前貸主が賃借人から預かった敷金の返還義務、賃貸人が払った賃借物にかけた有益費の償還義務を負います。
④賃貸借の存続期間についての規定を改正し、その上限を50年まで伸長しました（604条）。

債権 29 土地の賃貸借契約と問題点

借地借家法

宅地等の賃貸借には借地借家法が適用される

借地人は保護される

☞借地借家法には、法定更新など借地人保護の規定が多くある。

1 土地の賃貸借と借地借家法

民法上、賃借権が債権とされ、物権に比べ弱くなっていることは、賃借人が賃借不動産を生活の基盤としている場合、賃借人に極めて酷な結果を招きます。問題であるのは、①存続期間が短期すぎる、②第三者への対抗力がない、③譲渡・転貸の制限がある、という3点でした。この問題に対処するため、平成4年、いくつかの特別法を経て、「借地借家法」が制定されました。

借地権には普通借地権と定期借地権がありますが、本項では普通借地権を中心に説明します。

2 借地の意義

借地借家法による保護の対象としての「借地」とは、建物所有を目的とする賃借権と地上権に限られます。つまり、土地を借りて借地人が自分所有の建物を建てる等の場合です。ただし、建物所有目的でも、夏場に海の家を建てるためというような一時使用の目的の場合は含まれません。

3 借地権の存続期間

普通借地権の存続期間は、期間を定めた場合はそれによりますが、その下限を30年としています。存続期間の定めをしなかった場合には、存続期間は一律に30年とされます。

4 借地権の対抗要件

借地の場合、借地上に登記した建物を所有することで対抗要件を具備した（借地権があることを主張できる）ものとされます。

なお、この登記名義人が、建物所有者でなければならないのか、建物所有者と同居している親族の名義で足りるかという問題があります。判例は、所有者以外の登記名義では真の借地人の推知が困難として、建物所有者名義の登記が必要としています。

5 借地権の処分

借地の譲渡・転貸の場合、地主が不利益を被るおそれがないにもかかわらず承諾しない場合には、借地人は裁判所に「賃貸人（地主）の承諾に代わる許可」を求めることができます。この許可や借地上建物の増改築の許可については、特別の「借地非訟事件手続き」が定められています。

6 借地契約の終了

借地契約の場合は、期間満了が一応、終了原因となりますが、これには法定更新の制度があるため、賃貸人が「正当事由」のある更新拒絶をしない限り更新され、同一内容の賃借権が成立したものとみなされます。

正当事由は、通常自己使用の必要性や立退料の提供などを考慮して総合的に判断することになります。借地上の建物に建物賃借人がいる場合、原則としてその建物賃借人の事情は正当事由の判断においては考慮すべきではないとされています。

借地権が期間満了によって終了するとき、賃借人は、賃貸人に対し、時価で地上建物などの買取りを請求できます。

なお、定期借地権の場合は、法定更新はなく、期間の満了により契約は終了します。

土地の賃貸借（建物所有の目的）のしくみ

要旨 建物所有の目的の土地賃貸借の場合、借地借家法が民法の規定に優先して適用され、借地人保護が図られている。

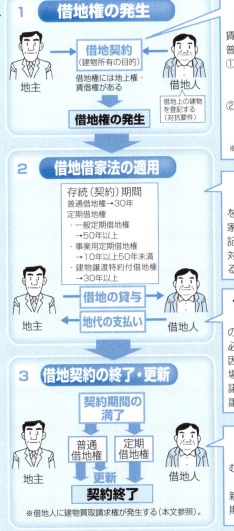

◆借地権の種類
　建物の所有を目的とする借地権には賃借権と地上権があり、賃借権には普通借地権、定期借地権がある。
①普通借地権は、従来型といわれ、②の定期借地権以外の場合の借地権である。
②定期借地権は、契約期間の満了により、当然に契約が終了する借地契約である。
※地上権については58、84ページ参照

◆借地権の対抗要件
　借地権は登記できるが、地主は登記をしようとはしない。そこで、借地借家法では借地上の建物の登記（保存登記等）をすることによって、第三者に対抗（自分に権利があると主張）できるとしている。

◆借地権の譲渡・転貸および建て替え
　借地権を譲渡・転貸、借地上の建物の建て替えをするには、地主の承諾が必要で、許可なくすると契約の解除原因となる。ただし、地主が承諾しない場合、裁判所に地主の許可に代わる承諾の申立てをし、裁判所の許可を得て、譲渡・転貸、建て替えをする。

◆更新
　普通借地権では、借地人が更新を望む場合、地主が正当事由ある更新拒絶（本文参照）をしなければ、契約は更新される。定期借地権では更新はなく、期間満了によって借地契約は終了する。

借地借家法第1条【趣旨】 この法律は、建物の所有を目的とする地上権及び土地の賃借権の存続期間、効力等並びに建物の賃貸借の契約の更新、効力等に関し特別の定めをするとともに、借地条件の変更等の裁判手続に関し必要な事項を定めるものとする。

債権 30 建物の賃貸借契約と問題点

借地借家法

建物の賃貸借には借地借家法が適用される

☞借地借家法では、法定更新など借家人保護の規定が多くある。

借家人は保護される

1 借家（賃貸アパート・賃貸マンション）

借地借家法が適用される「借家」については、同法には明確には規定されていません。「間借り」「公営公団住宅」に適用があることに争いはありませんが、「社宅」は判例が分かれています。なお、一時使用の場合は借地同様、同法の適用はありません。

2 借家権の存続期間

普通借家契約の場合、当事者が借家契約の期間を定めた場合は、その期間が存続期間です。平成12年3月1日以降の新たな契約では、民法上の20年の上限は撤廃され、かつ、1年未満と定めた場合は期間の定めのないものとみなされます。期間を定めない借家の場合、借地におけるような一律みなし規定はなく、期間の定めのない借家契約として成立するとされています。

定期借家契約の場合、賃貸期間は無期限です。また、期間を半年とするなど、1年未満の契約も有効です。

3 借家権の対抗要件

借家については、引渡しに対抗力が付与されます。居住（占有）していれば家主が変更しても、新家主に対抗できるわけです。

4 借家権の終了

期間の定めのある借家契約は、借地同様、法定更新の制度が存在します。家主は、期間満了の1年前から6か月前の間に正当事由を具備した更新拒絶の通知をしなければ従前と同一の条件で法定更新されます。

期間の定めのない借家契約の場合、原則的な終了事由は解約申入れということになりますが、この解約申入れには、やはり正当事由が要求されるとともに、猶予期間も6か月に伸長されています。さらに、正当事由のある更新拒絶の通知または解約申入れがなされても、借家人の使用継続に対して家主が遅滞なく異議を述べない場合は、やはり法定更新されることとなります。

法定更新後の借家契約は、更新前の契約が期間の定めあるものであった場合も、期間の定めのない借家契約となります。

正当事由の判断は、借地同様、当事者（転借人あるいは借家人側の事情）の建物使用の必要性を主に、この他、従前の経過、建物利用状況、立退料等から総合的になされます。なお、借家の場合は、建物の現況も判断の一材料となります。

なお、定期借家契約の場合は、更新はなく、期間の満了により契約は終了します。

5 造作買取請求権

借家契約終了時、借家人は、分離が物理的にも経済的にも容易で、建物の使用に客観的に便益を与える物（「造作」）を買取請求できます（「造作買取請求権」）。しかし、この権利はあまり意味がないとして、特約で排除することが認められています。

6 賃借権の物権化

以上に述べたような、借地・借家関係に認められる賃借権の物権類似の強い効力は、しばしば、「賃借権の物権化」現象という言葉で呼ばれてます。

建物の賃貸借のしくみ

要旨 建物の賃貸借では、住居（一戸建て・アパート・マンション）に限らず、事務所・店舗・倉庫等の営業用の建物にも借地借家法の借家に関する規定が適用され、借家人の保護が図られている。

1 借家権の発生

・一戸建て・アパート・マンション
・事務所・店舗・倉庫、など

家主　借家契約　借家人

借家権の発生

◆**借家権の種類**

建物の賃貸借による借家権には普通借家権（普通借家契約）と定期借家権（定期借家契約）とがある。
①普通借家権は、従来型といわれ、②の定期借家権以外の場合の借家権である。
②定期借家権は、契約期間の満了により、当然に契約が終了する借家契約である。

2 借地借家法の適用

存続（契約）期間
・普通借家権→1年以上
（1年未満は期間の定めのない契約となる。平成12年3月以降）
・定期借家権→無制限

家主　家屋の貸与・修繕義務　借家人
　　　家賃の支払い

◆**借家権の対抗要件**

借家権の対抗要件は引渡しである。したがって目的家屋の鍵を借家人が受け取っていれば、自分に借家権があることを第三者に主張できる。

◆**借家権の譲渡・転貸**

借家権の譲渡・転貸については、借地借家法に規定はなく、民法の賃貸借の規定に従って行うことになる。したがって、家主の承諾が必要で家主の承諾のない譲渡・転貸は契約解除原因となる（168㌻参照）。

3 借家契約の終了・更新

借家期間の満了

普通借家権　定期借家権
　更新
　契約終了

家主　借家人

※家主の敷金返還義務、借家人の原状回復義務および造作買取請求権がある。

◆**更新**

普通借家権では、借家人が更新を望んでいる場合に、家主が更新拒絶するためには、正当事由（本文参照）が必要。定期借家権では更新はなく、期間満了によって借家契約は終了する。

第3編 債権　第2章 契約

31 雇用契約と問題点

債権 623条～631条

雇用関係は雇用契約により発生する

☞雇用契約は、雇われる人が労務に服することを約束し、雇う人が報酬を支払うことを約束することである。

多くの規定は労働基準法等で定める

1 役務（サービス）供給型の契約

他人の役務（サービス）を利用することを目的とする契約として、民法は「雇用」「請負」「委任」「寄託」の４つの類型を典型契約として規定しています。

このうち、寄託だけはサービス内容が物の保管に限定されるという面で特殊なものといえますが、他の３つは様々なサービスを目的とすることが可能です。

この３つの差異は、雇用と委任はサービスの提供自体を目的とするのに対し、請負は仕事の完成というサービス提供の結果を目的としています。また、雇用と委任とでは、雇用が労働力の支配が使用者にあるのに対して、委任は労働力の支配が役務提供者の手中にあり、役務提供者が独立している点で区別されています。

2 雇用契約とは

「雇用契約」とは、労働者が労務を提供し、雇主がこれに対する対価として報酬（賃金）を支払うことを約束する契約です。

合意の内容は、被用者の労務の供給債務と雇主の賃金の支払義務ということになり、この双方の債務が対価的関係に立つ双務・有償契約です。また、合意のみで成立する諾成契約になります。

もっとも、雇用契約関係においては、この本体的（対価的な意味がある）債務の他、雇用者の「安全配慮義務」が問題とされることが多くなっています。雇用者の義務は賃金支払義務のみにとどまらず、労働者を安全な環境のもとで仕事をさせる義務もあり、労働関係という特別な社会的接触関係に入った者に認められる権利でもあるのです。

3 雇用契約の終了

雇用も継続的契約関係であるので、その終了時期が問題となります。

期間の定めがあれば、期間満了により、終了します。期間中の解除もやむを得ない事由がある場合の即時解除として認められています。

期間の定めない場合の解約申入れは２週間の猶予期間があれば有効ですが、使用者からの一方的な解雇は「解雇権濫用の法理」により、厳格に制限されています。

4 労働基準法等の労働法

契約自由の原則の下での使用者への隷属的な従属労働の多発化は、国家が積極的に労働者保護を図り、労働者階級の自主的団結活動を承認する、「労働契約法」「労働基準法」を中心とした労働諸法の制定を招くところとなりました。

したがって、事業、または事業所で使用される者には賃金、労働時間等の最低基準を定めた「労働基準法」が強行的に適用され、民法が適用される雇用関係は、今日、むしろ例外となっています。労働法による民法の修正は多岐にわたりますが、そのうち「紛争調整委員会」と呼ばれる個別労働関係の紛争解決の手続きは、労働紛争の訴訟外での解決を志向するものとして、近時、注目を集めています。

雇用契約のしくみ

要旨 雇用契約は、被用者（労働者）が報酬を得て労務に服することを約束する契約。労働基準法などの特別法があり、労働問題では、こうした労働関連特別法が適用されるのがほとんどである。

1 雇用契約の成立

2 雇用契約の効力

| 第三者に権利を譲渡するには労働者の承諾が必要 | 第三者に労務の提供をさせる場合は、使用者の許可が必要 |

3 雇用契約の終了・更新

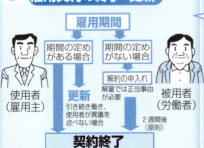

民法以外の労働関連法の規定

◆採用時の企業の義務
① 雇用契約の期間　原則として3年を超える契約をすることはできない（労基法14条）。多くの場合、期間の定めのない契約である。
② 労働条件の明示　労働条件について、一定事項は明示（書面によることが必要な事項もある）しなければならない（労基法15条）。
③ その他、賠償予定の禁止（労基法16条）、強制貯蓄の禁止（労基法18条）、採用に関する男女差別の禁止（男女雇用機会均等法5条）などがある。

◆賃金支払いの原則
① 賃金は通貨で（通貨払いの原則）、直接労働者に（直接払いの原則）、その全額を（全額払いの原則）支払わなければならない（労基法24条1項）。
② 賃金は毎月1回以上、一定の期日に支払わなければならない（賞与等は別、労基法24条2項）。
③ 最低賃金法による最低賃金をクリアした額を支払わなければならない。

◆解雇の制限
① 国籍・信条・社会的身分を理由とする解雇等の禁止（労基法3条）など
② 解雇予告手当の支払い（労基法20条）。
③ 性別を理由とする解雇の禁止（男女雇用機会均等法6条）
④ 権利濫用の禁止（労働契約法16条）解雇は、客観的に合理的な理由を欠き、社会通念上相当であると認められない場合は、その権利を濫用したものとして、無効とする。

（雇用）
第623条 雇用は、当事者の一方が相手方に対して労働に従事することを約し、相手方がこれに対してその報酬を与えることを約することによって、その効力を生ずる。

32 請負契約と問題点

債権 建築・洋服の仕立など請負契約は多い

632条〜642条
※635条、638条〜640条削除

☞請負契約では、完成した物の移転時期、完成した物に不備があった場合の責任などが問題となる。

建物建築の依頼は請負契約

1 請負契約

「請負契約」とは、当事者の一方（請負人）がある仕事を完成することを約（約束）し、相手方（注文主）がその仕事の結果に対して報酬を与えることを約する契約で、建物の建築等の建設請負が典型です。

請負は仕事の完成と報酬の支払いとが有償関係にあり、これらの義務が合意のみで発生し、対価的関係に立つ有償の諾成、双務契約となります。

請負人は仕事の完成を第三者に請け負わせること（下請負）も可能です。この場合、下請負は元の請負契約（元請負）とは別個の新たな請負契約となります。

こうした請負の規制に関し、民法の規制のみでは不十分であるとして、現実の請負の場面では各種請負契約約款が重要な機能を果たしています。

2 請負と所有権移転時期

請負人は仕事を完成した後、さらにその完成物を注文者に引き渡すという過程をとり、その引渡しと報酬の支払いとが同時履行の関係に立ちますが、所有権についての特約がない場合、完成物の所有権を注文者はいつ取得するかという問題があります。

この点について、判例は材料の主な拠出者によって場合を分け、注文者である場合は、注文者が原始的に所有権を取得し、請負人である場合は、最初、請負人に所有権が帰属し、引渡しによって注文者に移転します。

仕事が完成しても、注文主が報酬を支払わないような場合、請負人が完成物を他に転売できることにして請負人の保護を図ることが狙いと考えられています。

なお、この所有権の問題は、下請があると、さらに複雑となります。判例には、元請における注文主が原始的に所有権を取得するとの特約の効力を下請人にも対抗できるとしたものがあります。

3 請負と危険負担

契約成立後に目的物の滅失・毀損等により後発的な履行不能が生じた場合、危険負担の問題が生じます。注文者に帰責事由がある場合は売買契約に関する規定が準用され注文者は代金支払いを拒めません（559条）双方に帰責事由がない場合は、注文者は利益割合に応じて代金の請求が可能です（634条）。

4 請負と担保責任

請負人の担保責任についても、売買契約の売主の担保責任の規定が準用されます。仕事の目的物が契約不適合の場合、注文主には修補請求権、報酬減額請求権、損害賠償請求権、解除権が認められます（559条、562条以下）。また、知ってから1年以内に通知しなければならない点も、売買と同じです。なお、土地工作物についての解除は従前規定では制限されていましたが、令和2年4月1日施行の改正法は認めました。

ただし、契約不適合が注文主の提供した材料の性質や注文主の指示によって生じた場合、こうした救済を受けられません。

請負契約のしくみ

請負契約とは、当事者の一方（請負人）がある仕事を完成することを約束し、相手方（注文者）がその仕事が完成したら報酬（代金）を支払うことを約束すること。

〔請負人と担保責任〕

1 請負とは（632条）
　請負は、当事者の一方がある仕事を完成させることを約し、相手方が仕事の結果に対して報酬を支払うことを約することによって効力を生じます。
　したがって、種類・品質に関して契約の内容に適合しない仕事の目的物を注文者に引き渡したときは、注文者は、履行の追完の請求、報酬の減額の請求、損害賠償の請求、あるいは契約の解除をすることができます。

2 請負人の担保責任の制限（636条）
　請負人には担保責任がありますが、注文者が供した材料の性質または注文者の与えた指図によって生じた不都合の場合は前記請求はできません。

3 担保責任の期間の制限（637条）
　注文者は、契約内容の不適合を知った時から1年以内にその旨を請負人に通知しなければ、原則として上記請求等ができなくなります。

◆請負に関する見直し（636条、637条）
　請負の報酬は完成した仕事に対して支払われるものであることから、中途で契約が解除されたような場合の処理に疑義がありました。そこで、令和2年4月1日施行の改正法（平成29年法律第44号）は、①仕事を完成することができなくなった場合、あるいは②請負が仕事の完成前に解除された場合に注文者が可分な部分によって利益を受けるときは、請負人はその利益の割合に応じて報酬の請求が可能である旨を明文化しました（従前民法635条ただし書の建築請負の際の注文者の解除権制限規定は削除）。
　さらに改正法は、請負人の担保責任につき売買の規定を準用し、目的物が契約の内容に適合しない場合、注文者は①修補などの履行の追完、②損害賠償請求、③契約の解除、④代金減額請求ができる旨を規定するとともに、その行使のためには契約に適合しないことを知ってから1年以内にその旨の通知が必要と、規定しています。なお、従前民法の「瑕疵担保」という用語は、「種類又は品質に関して契約の内容に適合しない」ことを意味すると解釈して、条文上、書き換えられました。

33 委任契約と問題点

債権 法律行為をなすことを委託する場合の契約

643条〜656条

☞委任契約は、法律行為をなすという労務の提供を目的としており、受任者は善管注意義務を負う。

法律行為以外の委任は「準委任」

1 委任契約

「委任契約」とは、当事者の一方（委任者）が法律行為(22、34㌻以下参照)をなすことを相手方に委任し相手方（受任者）がこれを承諾することを内容とする契約をいいます。

特約で報酬の支払義務を定めることは可能ですが、報酬の支払いは委任の本質的要素ではありません。委任は、受任者の特殊な知識、経験、才能を全面的に信頼して処理を任せるもので、この関係は"business"ではないというローマ法以来の沿革的理由によるものですが、今日では合理的理由はないものとされています。有償の委任を無効としたローマ法とは異なり、わが民法で報酬支払いの特約を付けることは可能です。

法律行為でない事務を委任する場合は、「準委任」と呼ばれ、委任の規定が準用されます。

請負や雇用と同じくサービス供給型契約ですが、委任は労務の供給そのものを目的としており、また、サービス提供者の独立性がある点に特徴を有しています。

2 委任契約の性質

委任は、報酬の支払いを要素としていないため、受任者のみが委任の本体的な（対価的な意味がある）義務を負担し、委任者が無償で利益を得る片務、無償の契約となりますが、報酬支払いの特約がなされれば、双務、有償の契約となります。特約の有無にかかわらず、委任は当事者間の合意のみで効力を発生する諾成契約です。

3 委任契約の効果

受任者は、事務を処理する義務を負担しますが、委任者からの信頼を基礎としている関係上、この事務の処理については、有償・無償を問わず、「善管注意義務」と呼ばれる高度の注意義務を負担しています。

一方、委任者は費用前払義務、費用償還義務などを負いますが、これらの義務は委任契約の本体的義務ではなく、受任者の労務供給と対価的な関係にたつものではありません。

4 委任の終了

委任は当事者間の信頼関係を基礎とする以上、その信頼が壊れた場合、これを継続させる必要はないとして、いつでも理由なく解除できるものとされています。

もっとも、有償委任の場合にもこの無理由解除が無制限に認められるのは受任者に酷な場合も出てきます。判例は、委任者が解除権を放棄したと解されるような事由があり、委任者にやむを得ない事由もない場合には、委任者の解除権が制限されるものとしています。

5 医療契約

医療契約について、通説は被害者救済を企図して、準委任と解しています。これにより、医療過誤の場合、債務不履行責任が追及できることとなりますが、債務不履行(122㌻参照)の事実や因果関係の立証責任が被害者である患者側にある以上、あまり救済とはならないとの指摘もなされています。

委任契約のしくみ

委任契約は、当事者の一方（委任者）が法律行為をなすことを相手方（受任者）に委託し、相手方が承諾することによって成立する契約である。

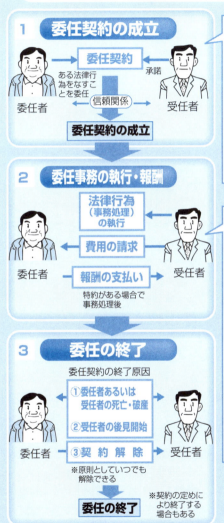

（委任）
第643条　委任は、当事者の一方が法律行為をすることを相手方に委託し、相手方がこれを承諾することによって、その効力を生ずる。

34 寄託契約と問題点

債権 物の保管を依頼する場合の契約
657条〜666条

☞寄託契約は物を預ける契約で、銀行預金等は消費寄託とよばれ、同種・同等・同量の物を返還すればよい。

銀行預金も寄託の一種！

1 寄託契約

「寄託契約」とは、当事者の一方（受寄者）が相手方（寄託者）のために保管をなすことを約して、ある物を受け取ることによって成立する契約です。例えば、旅行中の知人の貴重品を預かって保管するなど、他人に頼まれて物を保管する場合です。

委任と同様、ローマ法以来の伝統で、無償契約が原則的形態で、報酬の特約を付けた場合に有償契約となります。また、双務契約、片務契約についても、特約の有無で区別し、特約がない場合は片務契約、ある場合が双務契約とするのが通説です。

従前の民法は物の受取りによって成立する要物契約とされていましたが、令和2年4月1日施行の改正法（平成29年法律第44号）は諾成の寄託契約も寄託の類型に取り込んで規定しています。商法上の倉庫寄託などがこれに当たるとされています。

2 寄託契約の効果

受寄者は、寄託物の保管について、有償寄託の場合は善管注意義務を負いますが、無償寄託の場合はこれより軽い「自己の財産に対するのと同一の注意」義務を負うにとどまります。委任者からの信頼を基礎とする委任契約と異なり、有償、無償で受寄者の注意義務が異なってきます。

受寄者は寄託者の承諾を得た場合でなければ寄託物を使用できませんし、承諾またはやむを得ない事由があるときでなければ、寄託物を第三者に保管させることができません。寄託者の意思を尊重した規定です。

3 寄託の終了

寄託契約に期間の定めがある場合、受寄者の期限前の返還は制限されますが、寄託者はいつでも返還請求ができます。寄託者の利益を優先したものです。

もっとも、期間の定めのない場合は、寄託者はいつでも返還請求ができ、受寄者の側もいつでも返還することができます。

4 混合寄託

混合寄託とは、複数の者から寄託された代替性のある寄託物を寄託者の承諾の下に混合して保管する場合で、米や石油などの例が考えられます。

改正前から解釈上認められていたものを改正法で明文化しました。

5 消費寄託

寄託の一類型として、「消費寄託」というものがあります。これは、寄託の目的物が代替物である場合、これをいったん消費した後、それと同種・同等・同量の物を返還すればよいという契約で、銀行預金の契約がその典型です。

消費寄託の返還時期も寄託契約一般の規律に従い、返還時期の定めがある場合、受寄者は原則として返還時期の前には返還することができませんが、目的物が預貯金の場合は例外的に期限前の弁済を認めています。したがって、銀行は定期預金を期限前に弁済し、自らの貸付債権と相殺することも可能となります。

寄託契約のしくみ

寄託契約は、当事者の一方（受寄者）が相手方（寄託者）に対して保管することを約束して、ある物を受け取ることによって成立する契約である。

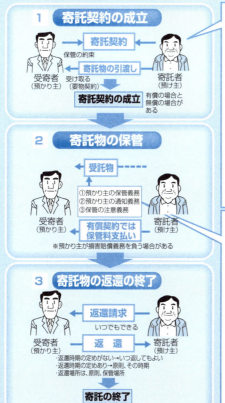

◆寄託に関する見直し（657条、657条の2、660条、662条、664条の2）
　寄託契約は、従前規定では実際に物が交付されるまで契約が成立しない要物契約とされていましたが、令和2年4月1日施行の改正法（平成29年法律第44号）は合意のみでの寄託契約の成立を認めています（諾成契約）。その反面、①寄託者は物の交付をする前はいつでも契約を解除できる（受寄者に損害が発生する場合はその賠償が必要）、②無報酬の受寄者は物の交付を受ける前はいつでも契約を解除できる、③報酬を得る受寄者と書面による寄託の無報酬の受寄者は寄託者が物の引渡しの催告を受けても引渡ししないときは契約を解除できる、というように物交付前に契約を解除できる場合を定めています。
　また改正法は、従前規定では明確にされていなかった寄託物に関する権利を主張する第三者との関係につき、受寄者は原則として寄託者に寄託物を返還しなければならない旨を明確化するとともに、損害賠償および費用償還請求権行使の期間については1年の期間制限を設けています。
　さらに改正法は、受寄者が複数の寄託者からの寄託物を混合して保管する混合寄託につき、各寄託者の承諾が必要な旨を明文化し、消費寄託についても寄託の規定の適用が原則である旨を定めています。

35 組合契約と問題点

債権 数人が出資して共同事業を営む場合の契約

667条〜688条

☞組合は法人と異なり法人格を有しない。組合員の責任、組合の財産などが問題となることもある。

財産は組合員の合有！

1 組合契約

「組合契約」とは、数人の当事者がそれぞれ出資をして、共同の事業を営むことを約する契約をいいます。

例えば、A、B、Cの3人で、Aはその土地・家屋を提供し、Bは1000万円の資金を提供し、Cは以前から自分がつかんでいる顧客関係の利用を提供するという合意のもとに、共同で商品販売事業を行うなどです。

組合では、当事者全員が出資の義務を負担する必要がありますが、その出資の内容は財産的価値のあるものであれば足ります。事業は、継続的・一時的、営利目的・公益目的を問いません。

組合契約は、一応は、有償・双務・諾成契約とされますが、複数人が集合して事業を起こすという点で社団の設立（合同行為）に類似した面も強く、同時履行の抗弁権や危険負担などの規定は適用を排除されます。

2 組合契約の効力

組合が事業を営むことを目的とするものである以上、その事業についての業務執行に関して定める必要があります。また、事業を行えば、当然、積極・消極の財産が生じるので、これについての規制も必要となってきます。

3 組合の業務執行

組合の業務執行につき、民法は、組合の「常務」については各組合員がそれぞれ業務執行権を有することを原則とし、常務以外については組合員の過半数でこれを決することとしました（原則）。組合の業務執行によって生じる責任は、各組合員が負担するものである以上、各組合員が業務執行に関与することは当然といえます。

もっとも、組合契約の段階で、業務執行を特定の人に委任することは可能です。その場合は、その者に対外的な代理権も授与されていることになります。

4 組合の財産関係

組合の財産関係について、668条は総組合員の共有と規定しますが、学説は、組合においては各組合員の持分処分が制限されたり、分割請求権が存在しないため、これを共有と理解することはできず、共有とは異なる合有という新たな概念で説明します。組合は法人格を有しないため、組合自体が権利主体とならないことは当然です。

組合の債務者は、組合員個人に対する債権で組合に対する債務を相殺することはできません。相殺を認めると、他の組合員が不測の損害を被ることになるからです。

5 組合員の脱退

組合員は、存続期間の定めがないときは原則としていつでも脱退できます。ただし、脱退前に生じた組合の債務は脱退後も責任を負います。組合の都合で債権者に不利益を及ぼすのは妥当でないからです。

存続期間の定めがあるときの脱退はやむを得ない事由のあるときに限られます。

組合契約のしくみ

要旨 組合契約は、数人が集まってそれぞれが出資して、共同の事業をやろうと約束することによって成立する。

1 組合契約の成立

[組合]
組合と言えば、協同組合や労働組合がよく知られているが、これは社団法人（30㌻参照）の一種で、組合は共同事業（仕事）をするための契約によって成立する。
（例）少人数で一緒に仕事をする場合
→塾の管理・商店会の大売出し・など

2 組合運営の事業

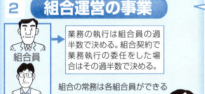

①**組合の財産** 組合の財産は条文上は団体の財産ではなく、組合員の共有（80㌻参照）とあるが、組合の団体的性格上、合有財産（28、80㌻参照）であると考えられている。
　通常、組合員には持分権の処分が制限され、各組合員は清算に入るまでは組合財産の分割を請求できない。
②**持分権の譲渡** 持分権を譲渡しても組合員は、組合の債務から逃れることはできないし、買った物も持分の取得を主張することはできない。
③**利益の配分** 契約で損益の分配を決めなかったときは、出資の額に応じて分配する。

3 組合の解散

・除名処分
【当然脱退】
・組合員の死亡
・組合員の破産宣告
・後見開始

・目的事業の成功あるいは不能
・やむを得ない事由があるときは組合員は解散請求ができる

[組合からの脱退]
・組合の存続期間の定めがないとき、および組合員が生きている間は存続するという定めがあるとき→自由に脱退できる
・組合の存続期間の定めがあるとき→真にやむを得ない事情があるときのみ脱退できる。

（組合契約）
第667条① 組合契約は、各当事者が出資をして共同の事業を営むことを約することによって、その効力を生ずる。
② 出資は、労務をその目的とすることができる。

債権 36 民法が定めるその他の契約
終身定期金契約と和解契約

689条〜696条

☞終身定期金契約は一定の金銭等を生涯給付する契約。和解契約は紛争当事者が譲歩して争いを止める契約。

示談も和解契約の一種！

1 終身定期金契約とは

「終身定期金契約」とは、ある人（債務者）が自己、相手方または第三者の死亡するまで、相手方（債権者）または第三者に定期に金銭その他の代替物を給付する契約をいいます。

例えば、死亡するまで面倒を見るという形で生活費を送り続けるような場合です。

終身定期金契約は諾成、片務契約ですが、必ずしも無償契約に限らず、債務者が元本を授受して定期給付を開始するというような有償契約の場合もあります。

今日では、年金制度が整備されてきているため、実際にこの契約がなされていることは稀であるといわれています。

2 和解契約とは

「和解契約」とは、当事者が互いに譲歩して、その間に存在する争いをやめることによって成立する契約をいいます。

例えば、AがBに100万円の請求をしたのに対し、Bが債務はないと争い、結局、50万円支払うことで話をつけるというように、当事者が互いに譲り合ってその間にある争いを止めることです。

合意のみで成立する諾成契約であり、互いに譲り合うことが必要とされていることから有償・双務契約と解されています。

和解契約の効果としては、和解内容が真実の法律関係とたとえ異なっていたとしても（先の例で、真実は30万円の支払義務であった場合でも）、和解が50万円で成立した以上、当事者は和解の内容に拘束されるという効力（創設的効力）があげられます。

この創設的効力との関係では、和解と錯誤という問題が起こってきます。先の例では、支払義務がいくらであるのかということが争点であった以上、その争点に関し合意した事項自体には創設的効力が生じ、真実の支払義務が30万円に過ぎなかったということを錯誤として、当事者は和解の錯誤取消しを主張することはできません。

もっとも、和解金の50万円を5万円と勘違いしていたような場合は、合意するにあたっての前提となる事実に関する錯誤（38 ☞ 参照）ということで、創設的効力が及ばず、錯誤による取消しの主張が可能とされています。

この錯誤に関し、実際上、しばしば問題となってくるのが、和解と後遺症という問題です。交通事故などの場合に、早期に和解が成立し、示談金が支払われた後、その時点では予期できない後遺症が発生してしまったような場合です。

この点について判例は、当事者の合理的意思に合致するかという観点から判断すべきものとし、「和解当時予期できなかった不測の後遺症が生じたような場合、その損害についてまで和解当時に放棄した趣旨とするのは当事者の合理的意思に合致するものとはいえない」として、後遺障害の部分の損害賠償請求権を新たに認めました。

終身定期金契約・和解契約 のしくみ

終身定期金契約

終身定期金契約とは、当事者の一方が、当事者のいずれかまたは第三者が死亡するまで、定期的に相手方または第三者に金銭その他の物を与えることを約束する契約である。

例
- 功労者に退職後、年金を支払う約束
- 生存中、損害賠償として一定額を毎年支払う約束

※今日、終身定期金は、民法上のものとして生じる場合は少なく、厚生年金や国民年金など国家の社会保障制度によって生じる場合が多い。

和解契約

和解契約とは、当事者が対立する利益主張を譲り合い、その間の紛争をやめることを約束する契約である。

例
- お互いの主張の譲り合い損害賠償で示談する場合、など

※一方的な主張の場合、和解契約は成立しない。和解契約はいったん成立すると、後で確定的な証拠が出てきてもくつがえすことができない。これを和解の確定力という。

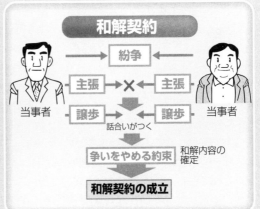

(終身定期金契約)
第689条 終身定期金契約は、当事者の一方が、自己、相手方又は第三者の死亡に至るまで、定期に金銭その他の物を相手方又は第三者に給付することを約することによって、その効力を生ずる。
(和解)
第695条 和解は、当事者が互いに譲歩をしてその間に存する争いをやめることを約することによって、その効力を生ずる。

37 事務管理と問題点

債権 / 義務なく他人のために事務管理をする場合

697条～702条

☞事務管理の例は、迷子を送り届ける、外出中の隣人の荷物を受け取り、後払運送料を支払う、などがある。

支出した費用は債権となる

1 契約以外の債権発生原因

債権の発生原因としては、「契約」が典型ですが、民法はこの他に、意思表示に基づかない債権発生原因として、「事務管理」「不当利得」「不法行為」について規定しています。

2 事務管理とは

「事務管理」とは、義務なくして他人のために事務を管理する場合です。

例えば、洪水の際に、頼まれてもいないのに不在の隣家の家財道具を安全な場所まで運搬するとか、迷子を一時預かり、寝食の世話をするとかのような場合です。

3 事務管理の要件

事務管理の要件は、①「（法律上の）義務なく」、②「他人のために」（事務管理意思）、③「事務の管理を始める」ことで、それが④「最も本人の利益に適すべき方法による」ことの4つとされています。697条1項、2項から、この④の要件も必要と解されています。

4 事務管理の効果

管理者の義務としては、本人（事務管理をしてもらう人）等が管理をなすに至るまで善良なる管理者の注意をもってその管理を継続しなければならないという管理継続義務、および委任に準じて、本人への通知報告義務、事務処理状況の報告義務等があります。

なお、事務管理として法律行為がなされた場合、管理者に代理権があるわけではなく、効果が直接本人に帰属するものではありませんが、場合によっては、無権代理（48㌻参照）についての本人の黙示的追認が認められる場合もあるでしょう。

一方、本人の義務としては、事務管理に要した費用の償還義務が中心です。この償還義務の範囲は、利益が現存していない場合でも、支出当時有益な費用であれば償還する必要があります。もっとも、管理者が本人の意思に反して管理をしてしまったことが後にわかった場合（当初からわかっていた場合は事務管理になりません）には、償還の範囲は本人の現存利益にとどまります。

民法は、事務管理は他人の生活への干渉であるという点を重視して管理者にはやや冷やかな対応をとっており、管理者の報酬請求権や管理中、管理者が被った損害の賠償請求権は認めていません。

5 準事務管理

事務管理は他人のために事務を管理する事務管理意思が必要ですが、自分自身のために他人の事務を管理する場合を「準事務管理」といいます。

他人の特許を無断で利用し、大きな利益をあげたような場合、権利者がとれるお金は損害の限度に制限されるので、現実に無断利用者に生じた莫大な利益の大部分は無断権利者の手元に残ることになってしまいます。この結果を不当として、事務管理の法律構成を借り、妥当な結果を導こうとするのです。

事務管理のしくみ

要旨 民法上の事務管理とは、通常いわれる会社などの事務管理と異なり、他人のために、頼まれてもいないのに好意で行う一切の事務（仕事）の処理のことをいう。この事務管理が債権編に規定されているのは、一定の方法による管理義務、費用償還請求など、債権債務の発生原因となるからである。

1 事務管理の成立要件

他人のために事務（仕事）を処理

事務管理の成立要件
① 他人の事務を管理すること
② 他人のためにする意思があること
③ 法律上の義務がないこと
④ 本人の利益や意思に反することが明らかでないこと

事務管理者 → 本人
※事務管理者との関係では他人

事務管理の成立

〔事務管理となる事例〕
・忘れ物を届けた場合
・迷子を送り届けた場合
・危難者を救助した場合
・外出中の同居人の荷物を受け取り、着払いの送料を支払った場合
・上京中の友人のためにホテルを予約した場合
・長期留守中の隣家の窓ガラスが割れ雨が吹き込んでいるので、ガラス店に頼み修理した場合

2 事務管理の法律効果

事務管理の効果
・本人の意思に従って、または本人の利益に適する方法で管理（697条）
・善管注意義務　緊急な場合の例外あり
・管理開始の通知義務
・管理継続義務
・管理の状況および管理の顛末の報告義務
・受領物移動義務
・管理義務違反による損害賠償

事務管理者 ← 費用 ← 本人

有益費用・債務の償還義務
報酬の請求はできない

※**善管注意義務と損害賠償**（698条）
　善良な管理者としての注意義務を負う。この注意義務を怠ると損害賠償責任を負う場合がある。ただし、本人の身体や名誉や財産を差し迫った危険から守るための事務管理の場合は、損害が発生しても賠償する必要はない（損害の発生を知りながら、あるいは過失で知らなかった場合は賠償義務あり）。

※**管理開始の通知と管理継続義務**（699,700条）
　なるべく早く本人に通知しなければならないが、そのことを本人が知っていれば通知の必要はない。また、いったん管理を開始した以上、本人がその事務を引き継ぐまで続ける義務がある（本人の意に反する場合、本人に不利益になるときはやめてよい）。

※**有益費用の償還義務**（702条）
　本人は事務管理者に事務管理でかかった費用および本人の利益になるために負った債務を返還しなければならない。管理の仕事が本人の意思に反している場合は、費用の全額ではなく、本人が現に受けている利益の範囲内で返還すればよい。

（事務管理）
第697条① 義務なく他人のために事務の管理を始めた者（以下この章において「管理者」という。）は、その事務の性質に従い、最も本人の利益に適合する方法によって、その事務の管理（以下「事務管理」という。）をしなければならない。
② 管理者は、本人の意思を知っているとき、又はこれを推知することができるときは、その意思に従って事務管理をしなければならない。

債権 38 不当利得と問題点

不当利得は返還しなければならない

703条～708条

☞売買が錯誤、詐欺・強迫を理由とする契約取消の場合などでは、代金の返還義務がある。

高利の貸付も不当利得となる

1 不当利得とは

「不当利得」とは、法律上の原因なく、他人の財産または労務によって利益を受け、このために他人に損失を及ぼした場合に、他人に損害を及ぼした者に対し、利得の償還を命じる制度です。

2 不当利得の要件

①「利益を受けたこと（受益）」、②「他人に損失を及ぼしたこと（損失）」、③利益を受けたためにという「因果関係」、④それが「法律上の原因のないこと」、という4つの要件が必要とされます。

④の「法律上の原因のないこと」という要件は、法律上の原因があれば、その利得は不当なものではなく、当然に必要な要件ですが、不当利得の成立について実際上、最も問題となるのはこの要件です。

例えば、BがCから騙しとったお金でAへの債務を弁済した場合に、CがAに不当利得の返還を請求できるかという問題があります。Aには弁済受領権限があり、法律上の原因があるとも思われますが、判例は、Aが悪意・重過失ある場合はCとの関係では法律上の原因がない利得(不当利得)としています。

また、AがBにブルドーザーを賃貸中、これが故障したため、BがCに修理を頼み、Cが修理代金を請求する段になって、Bが倒産したとき、ブルドーザーの返還を受けたAに利得の返還を請求できるかという問題（転用物訴権）で、判例は、AB間の賃貸借関係を検討し、Aの利得が無償と評価できるか否かで実質的に判断しています。

3 不当利得類型論

以上のように、不当利得はその判断に困難をきたすものが多いのですが、近年は多様な不当利得を1つの法理で説明するのを断念し、大きく2つの類型、すなわち、契約が無効である場合等の給付の巻戻し的返還の類型（給付利得）と、契約の外形もない当事者間での利得の返還の類型（侵害利得）に分け、それぞれ要件を検討すべきとする見解が有力となっています。

4 不当利得の効果

不当利得が認められる場合、原則として利得した現物が返還されなければなりませんが、それができない場合は代替物、それもない場合は価格賠償となります。

返還の範囲は受益者の善意・悪意によって異なります。悪意の受益者は、損失者の損害全部を補填する必要があるのに対して、善意の受益者の場合は、利益の存する限度（現存利益）の返還で足ります。したがって、利得が遊興費に使われてしまった場合には、残っている限度の返還で足りることになります。

5 不法原因給付

不法の原因のため給付を行った者は、その給付の返還を請求できません。例えば、賭博の負け金を賭博の無効を根拠に返還請求するような場合です。不法の原因が相手方だけにある場合には、返還請求ができます。

不当利得のしくみ

法律上の原因がないのに、他人の財産を自分の物にしたり、他人を働かせて自分が利益を得て、他人が損をしたときは、不当利得となり、現存する利益の範囲内で返還する義務がある。不当利得も債権発生原因の1つである。

〔不当利得となる例〕
・いったん返済した借金をまだ弁済していないと思い込ませ、二重弁済をさせた場合
・大雨により隣の養殖ウナギが自分の池に流れてきた場合
・利息制限法以上の利息の支払いを受けた場合、元本充当後に余りがある場合
・他人の財産を勝手に売却し、損失を与えた場合（刑事事件でもある）
など

※**悪意・善意** 法律上の原因がないことを知っている場合が悪意、知らない場合が善意。

※**非債弁済** 債務がないことを知っていながら弁済したときには、返還を請求することができない。

※**他人の債務の弁済** 第三者が錯誤により他人の債務を弁済し、債権者も正当な債務者からの弁済と思い、債権証書を破棄したり、担保を放棄したり、また時効中断の手続きを取らなかったために、その債権が時効にかかった場合には、債権者の返還義務はない。

※**不法原因給付**（→解説は本文参照）
〔不法原因給付の例〕
・賭博の賭金を支払った場合→賭金の支払いは公序良俗に違反し無効だが返還請求できない。
・売春における支払い、など

（不当利得の返還義務）
第703条 法律上の原因なく他人の財産又は労務によって利益を受け、そのために他人に損失を及ぼした者（以下この章において「受益者」という。）は、その利益の存する限度において、これを返還する義務を負う。
（悪意の受益者の返還義務等）
第704条 悪意の受益者は、その受けた利益に利息を付して返還しなければならない。この場合において、なお損害があるときは、その賠償の責任を負う。
（債務の不存在を知ってした弁済）
第705条 債務の弁済として給付をした者は、その時において債務の存在しないことを知っていたときは、その給付したものの返還を請求することができない。

債権 39 不法行為と問題点

不法行為では損害賠償の責任が発生する

709条～711条

☞交通事故などの各種の事故、離婚などでは、不法行為による損害賠償が問題となる。

損害賠償事件の大半は不法行為

1 不法行為とは

「不法行為」とは、他人に損害を与える違法な行為です。

民法は、不法行為について、709条の一般不法行為を原則型に、714条以下および特別法によって一般不法行為を修正した特殊な不法行為を規定しています。

2 一般不法行為の要件

一般不法行為の要件とは、①故意・過失、②責任能力、③権利・利益侵害、④損害の発生、⑤因果関係、そして、消極的な要件として、⑥違法性阻却事由がないことです。

①の故意・過失の要件は、「所有権絶対の原則」「契約自由の原則」と並ぶ近代私法の三大原則の1つの「過失責任主義」に基づきます。すなわち、人々がある行動によって、他人に損害を与えた場合にも、その行動に故意・過失の主観的な責任がなければ、損害賠償義務はないとして、人々の自由な活動を保障する原則です。反対に、故意・過失がなくても、責任を免れないとする建前は、「結果責任主義」と呼ばれます。

3 不法行為の効果

不法行為の効果は、加害者の損害賠償義務です。金銭賠償を原則としますが、名誉毀損の場合には、謝罪広告掲載のような名誉回復のための適当な処分が認められています。なお、これらの効果は、違法行為者に対する懲罰的なものではなく、紛争解決方法としての損害の塡補または損害の公平な分担を実現するための制度です。

損害賠償の範囲は、相当因果関係内の財産上の損害と精神上の損害(慰謝料)の両者が含まれます。

不法行為に基づく損害賠償の場合も、損害の公平な分担という観点から、債務不履行同様、過失相殺の適用があります。もっとも、不法行為の場合の適用は被害者に過失があっても相殺しないことができる任意的なものであり、また、被害者の過失が大きくても加害者の責任を否定することはできません。

損害賠償請求権には、被害者が損害および加害者を知ったときから3年(人の生命または身体を害する不法行為の場合は5年)の消滅時効期間があります。不法行為の当事者には、契約関係等の特別な関係がないので、時の経過がその要件の判断を困難としてしまうという理由からです。不法行為後20年を経過すると、やはり損害賠償請求権は消滅します。

4 不法行為と債務不履行

ある事実が債務不履行(122ページ参照)であるとともに、不法行為に該当する場合が考えられます。このような場合、不法行為による損害賠償請求権と債務不履行による損害賠償請求権を任意に選択して請求できるとする見解(請求権競合)と契約関係がある以上、債務不履行による損害賠償請求権が優先するという見解とがあります。判例・通説は前者の請求権競合をとっています。

不法行為のしくみ

要旨 不法行為とは、故意・過失により他人の権利または利益を侵害して損害を与える行為であり、損害賠償請求権（債権）の発生原因となる。

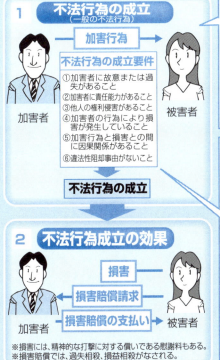

① 不法行為となる場合
・交通事故、公害、生活妨害、悪質商法、製造物の欠陥、離婚、セクシュアル・ハラスメント、名誉毀損、医療事故などで、不法行為の要件に該当する行為があった場合（詳細は194㌻参照）。

② 不法行為の種類
㋑ 一般の不法行為（自己の行為についての責任。本項で解説）
㋺ 特殊な不法行為（他人の行為等についての責任。詳細は次項参照）。

※**故意・過失** 故意とは結果発生に対する認識のあること。過失とは、注意を怠ることで、注意を著しく怠った場合を重過失という。失火責任法では故意または重過失がある場合に、損害賠償責任を負う。
※**責任能力** 自分の行為が違法なものとして法律上非難されることを認識できる知能があることで、通常12歳程度から責任能力はあるとされている。
※**権利・利益侵害** 法律上権利として認められているもののほか、法律上保護されるのれんなどの利益の侵害も含まれる。
※**因果関係** 加害行為によって損害が発生したことで、相当因果関係にある損害（加害行為によって通常発生する損害、416条）について賠償の対象となる。
※**違法性阻却事由** 他人の権利の侵害は違法性ありとされるが、正当防衛（720条1項）、緊急避難（720条2項）では、この違法性がないとされ、損害賠償責任を負わない。

（不法行為による損害賠償）
第709条 故意又は過失によって他人の権利又は法律上保護される利益を侵害した者は、これによって生じた損害を賠償する責任を負う。
（財産以外の損害の賠償）
第710条 他人の身体、自由若しくは名誉を侵害した場合又は他人の財産権を侵害した場合のいずれであるかを問わず、前条の規定により損害賠償の責任を負う者は、財産以外の損害に対しても、その賠償をしなければならない。
（土地の工作物等の占有者及び所有者の責任）
第717条① 土地の工作物の設置又は保存に瑕疵があることによって他人に損害を生じたときは、その工作物の占有者は、被害者に対してその損害を賠償する責任を負う。ただし、占有者が損害の発生を防止するのに必要な注意をしたときは、所有者がその損害を賠償しなければならない。
② 前項の規定は、竹木の栽植又は支持に瑕疵がある場合について準用する。
③ 前2項の場合において、損害の原因について他にその責任を負う者があるときは、占有者又は所有者は、その者に対して求償権を行使することができる。

債権 40 不法行為と損害賠償責任

故意・過失のある加害者は賠償責任を負う

712条〜724条の2

加害者以外にも責任追及ができる

☞加害者の他、未成年者の親の監督責任、従業員の起こした事故での会社の使用者責任などがある。

1 特殊の不法行為

民法は特殊の不法行為として、①監督義務者責任、②使用者責任、③工作物責任、④動物占有者の責任、⑤共同不法行為、を規定しています。

これらの責任は、不法行為責任の原則型を修正し、故意・過失の立証責任を加害者側に転換し、被害者救済を図っていることに特徴があります。⑤共同不法行為は、被害者救済のために加害者全員の連帯責任を認めるという点で効果を修正しています。

2 監督義務者責任

未成年者が他人に違法な行為で損害を与えても、責任無能力として賠償責任を負わないことがあります。そこで、これらの者を監督すべき監督義務者や代理監督者が監督を怠らなかったことを立証できない以上、損害賠償責任を負うというものです。

3 使用者責任

他人に使用されている者が、その使用者の事業を執行するとき、他人に損害を加えた場合に、使用者が負担する賠償責任のことをいいます。

使用者は他人を使用することによって自己の活動範囲を拡張し、利益を収めているのだから、それによって生じる損害も負担すべきとする報償責任の原理に基づいています。使用者の個々の加害行為自体への故意・過失は問題とならず、被用者の選任・監督への過失が要件とされ、その立証責任は使用者が負担します。

4 工作物責任

土地の工作物の設置または保存に瑕疵があり、これによって他人に損害が生じた場合に、工作物の占有者または所有者が負う責任をいいます。

所有者の場合には何らの免責事由も認めない無過失責任となっています。

5 動物占有者の責任

動物による加害について、動物の占有者または保管者が責任を負わなければならない旨の規定があります。保管上の過失が要件で、その立証責任も転換されています。

6 共同不法行為

数人の者が共同の不法行為によって他人に損害を与え、そのうちの誰が実際に損害を加えたのか明らかでないときに、不法行為者全員に連帯責任を負わせる制度です。

7 失火責任法による損害賠償

特別法である失火責任法によって、失火による火災の場合の帰責要件は重過失とされています。木造の多いわが国の住宅事情を考慮した規定とされています。

8 国家賠償法による損害賠償

使用者責任の特則として、国等の公権力の行使にあたる公務員の不法行為について国家賠償法の規定があります。使用者である国等に無過失責任を認め、公務員本人に対しては損害賠償請求が認められないなど、使用者責任が修正されています。

（不法行為による被害者の損害賠償請求の消滅時効の改正については59㌻下欄参照）

不法行為による損害賠償責任 のしくみ

要旨 不法行為には、行為者本人が賠償責任を負う一般の不法行為のほか、行為者以外の者が責任を負う特殊の不法行為がある。

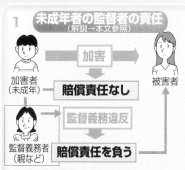

- 幼児など責任能力のない未成年者や被後見人、精神障害者などの心神喪失者の不法行為による損害は、これらを監督すべき法定の監督義務者(親権者、後見人など)や代理監督者(精神病院の医師など)が賠償責任を負う。
- これらの監督者や代理監督者は監督義務を怠らなかったことを証明すれば免責されるが、実際には非常に難しい。

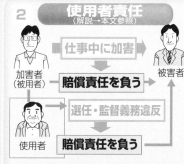

- 従業員が事業の執行について第三者に与えた損害は、その使用者が賠償責任を負う。
- 使用者に代わって事業の監督をする代理監督者も同様の責任を負う。
  ただし、使用者や代理監督者が従業員の選任と事業の監督について相当の注意を怠らなかったときは免責される。
- 使用者または監督者は、相当な範囲で従業員に求償することができる。

- 請負人が起こした事故では、注文者は原則として責任を負わない。

- 占有者が第1次的に賠償義務者となるが、損害の発生防止に必要な注意を怠らなかったときは免責される。
- 占有者に過失がなかったときは、たとえ所有者に過失がなかったとしても賠償責任を負う。
- 工事が不完全だったために損害が発生した場合は、賠償責任を負担した占有者または所有者から工事人は求償される。

(動物の占有者等の責任)
第718条 ① 動物の占有者は、その動物が他人に加えた損害を賠償する責任を負う。ただし、動物の種類及び性質に従い相当の注意をもってその管理をしたときは、この限りでない。
② 占有者に代わって動物を管理する者も、前項の責任を負う。

債権 41

不法行為に関する事件は多くある

不法行為の類型（事故、離婚、名誉毀損など）

自動車損害賠償保障法など

被害者救済が進む！

☞ 不法行為が成立するための個々の判断は、特別法および個々の判例の集積による。

1 交通事故

特別法である自動車損害賠償保障法（自賠法）により、運行供用者（自己のために自動車を運行の用に供する者）は、人身損害が発生した場合、運行供用者の側で、自己および運転者の無過失等を立証しなければ、免責されないことになっています。つまり、実際の運転者ではなく、自動車の保有者等に一種の無過失責任に近い厳しい責任を課しているのです。この厳しい責任は、強制加入の損害賠償責任保険（自賠責保険）によって支えられています。

2 公害・生活妨害

騒音、煤煙、廃水等による生活への悪影響や人身侵害が紛争となる場合があります。いわゆる公害訴訟は、昭和30代以降、社会問題ともなりました。

こうした紛争において、判例は、不法行為の成否を受忍限度（社会生活において一般に受忍するのが相当であると考えられる限度）を超えているかという判断基準で決めています。

3 消費者問題

消費者が被害者となる不法行為も多々ありますが、消費者に販売された製造物の欠陥により、消費者が損害を被ったときの製造者等の責任を認めるものとして、平成6年に製造物責任法（PL法）が成立しました。

被害者は、製造業者の過失を立証しなくとも、製造物の欠陥（通常有すべき安全性を欠いていること）の立証で責任追及が可能となっています。

4 男女

男女関係における慰謝料請求も離婚を典型例としつつも、内縁の不当破棄、婚約破棄、不貞、あるいは、近年のセクシャル・ハラスメント、ストーカー行為など多岐にわたっています。

離婚の場合の慰謝料は、厳密には、離婚原因である個別的有責行為（暴力等）に対する慰謝料と、離婚そのものによる配偶者の地位の喪失に対する慰謝料に分けられますが、実務的には、有責配偶者の有責行為により離婚に至ったという一連の経過を1個の不法行為とした全体としての離婚慰謝料請求権として処理される場合が通常です。

5 名誉毀損

名誉毀損の不法行為は、表現の自由との調整に考慮する必要がある点と、被害者救済手段として謝罪広告等の原状回復手段が認められている点に特徴があります。いずれにしても、その場合の名誉とは、その人の客観的な社会的評価を意味します。

6 医療事故

近年、医療過誤訴訟は増加してきていますが、患者側の勝訴率は一般に比して低いものとなっています。原因は、専門的知識の欠如、医師側への証拠の偏在等で、医師の過失の立証が困難なことにありますが、近時の判例は医師の注意義務を高度に設定するものも出てきており、動向が注目されています。

損害賠償請求 のしくみ

　日常生活で起きるさまざまな紛争で、損害賠償請求事件は交通事故、離婚など多岐にわたる。賠償額は発生した損害と慰謝料で、被害者に過失があれば減額される。

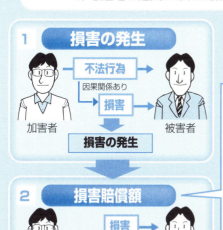

◆**損害賠償額算定のしくみ**
―交通事故の例―

①全損害の算出
　これには人的損害と物的損害とがある。

〔人的損害〕
・積極損害　事故等の被害により治療費など現実に出費した額
・消極損害　会社を休業した場合などの補償。後遺症で将来得られるはずの損失（逸失利益）も含まれる。
・慰謝料　精神的な打撃に対する償いの賠償

〔物的損害〕
・物を壊された場合の損害で修理費など

②過失相殺
　上記の全損害を算出して加害者・被害者双方の過失割合により損害を負担する。

③損益相殺
　事故について、保険金などから支払われるものは控除する。

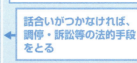

※左図３の消滅時効については、生命身体の侵害の場合は「３年」が「５年」に改正された（令和２年４月１日施行、59ページ下段参照）

（名誉毀損における原状回復）
第723条　他人の名誉を毀損した者に対しては、裁判所は、被害者の請求により、損害賠償に代えて、又は損害賠償とともに、名誉を回復するのに適当な処分を命ずることができる。
（不法行為による損害賠償請求権の消滅時効）
第724条　不法行為による損害賠償の請求権は、次に掲げる場合には、時効によって消滅する。
　1　被害者又はその法定代理人が損害及び加害者を知った時から３年間行使しないとき。
　2　不法行為の時から20年間行使しないとき。

知っておきたい民法の実用知識 3

1 地震などの災害で返済のための現金がないとき履行遅滞となるのか？

　債務不履行として債務者が損害賠償義務を負うのは、通常の場合、債務者に故意または過失があるときです（415条）。しかし、金銭債務の場合、特則が設けられており、債務者に故意・過失がなくても弁済期日に支払いがなされなければ履行遅滞として債務者は損害賠償義務を負うものとされます（419条3項）。したがって、地震などの災害が理由であっても債務者は履行遅滞となります。　　　　　　　　　　　　　　　　→122㌻参照

2 月末までに支払うと契約したが、末日が日曜日のときはどうなるか？

　5月末日を履行の期限として定めたとき、5月31日が日曜日の場合、民法はその日に取引をしない慣習がある場合はその翌日を期間の満了時としています（142条）。したがって、こうした場合は6月1日が支払期限ということになり、6月1日を過ぎれば履行遅滞となります。　　　　　　　　　　　　　　→122・54㌻参照

3 品物を渡す約束が守れず、相手方が転売利益分の賠償請求をしてきたが

　品物を渡す約束が守れなかった場合、債務不履行となり、相手方への損害賠償義務が生じますが、転売の利益分については、品物の転々流通が常態である業界での取引の場合は通常損害として当然に賠償の範囲に含まれ、そうでない場合は、債務者が転売が可能であったという特別事情を予見可能であったとき（相当因果関係）に限り賠償の範囲に含まれるということになるでしょう。　　　　　　　　　　　　　　　　　　　→124㌻参照

4 債務者がヤクザに対する債権譲渡を理由に譲渡を拒絶できないか？

　民法は、債権者・債務者が誰であろうと、自由な債権譲渡を認めます（466条1項）。債権譲渡により、債務者にとっては自分のあずかり知らない者が債権者となる可能性もありますが、債務者は新債権者への弁済を拒絶できず、これを回避するには債権者と譲渡禁止特約を結んでおく必要があります（466条2項、3項）。ただし、貸金業者は暴力団等への債権譲渡は禁止されています（貸金業法24条の3第3項）。　　　　→134㌻参照

5 供託弁済の額は自分の思う額でよいのか？

　債権者が受領を拒絶するなど一定の場合、債務者は債権の目的物を供託することによって債務を免れますが、この供託は目的物の全部を供託することを要し、一部の供託で債務が部分的に消滅することはありません。しかし、不足額が僅少で、それが債務者の誤算に基づくときは、供託額の範囲で債務が消滅します（判例）。　→138㌻参照

6 利息を支払う約束のない契約で利息はとれないのか？

　金銭消費貸借の際、利息の約定がよくなされますが、法的には、この利息についての合意は、金銭消費貸借契約とは別個の契約である利息契約となります。したがって、この利息についての定めがない場合、無利息の金銭消費貸借になり（587条参照）、利息の請求はできません。なお、利息の約束はあるが、利率が決まっていない場合には、法定利率は、民事・商事の区別なく年利3％です。　　　　　　　　　　　　　　　　　　　　　→164・116㌻参照

7 受働債権が弁済期未到来の場合でも相殺できるか？

　相殺は、相殺適状の際になす必要があります。受働債権（相殺される側の債権）の弁済期未到来や弁済期の定めがない場合、債務者はその自らの期限の利益の放棄は可能ですので、相殺適状として相殺は可能です。　→140㌻参照

8 損害賠償請求で不法行為と債務不履行による請求ではどちらが有利か？

　損害賠償請求の理由として、不法行為と債務不履行のどちらとも構成できる場合があります。こうした場合、故意・過失の立証責任が、前者では債権者、後者では債務者に存在するので、債務不履行による責任追及の方が有利であると一般的にはいえるでしょう。　　　　　　　　　　　　　　　　　　　　　　　→190㌻参照

第4編 親族

725条～881条

民法のしくみ

民法は1050条から成る私人間のルールを定めた法律

- 第1編 総則
- 第2編 物権
- 第3編 債権
- 第4編 親族
- 第5編 相続

◆親族編は婚姻と血族を根底とする共同生活を規制する法律で身分法と言われ、第5編相続とともに、いわば「家庭の法律」を形成しています。なお、最近の法改正では、女性の再婚禁止期間の撤廃、嫡出推定の見直し（令和6年4月1日施行）の他、令和6年5月公布の改正法では、離婚夫婦に未成年の子の共同親権を認める規定が新設された（公布から2年以内に施行）。

親族編早わかり

親族編は家庭生活の基本問題

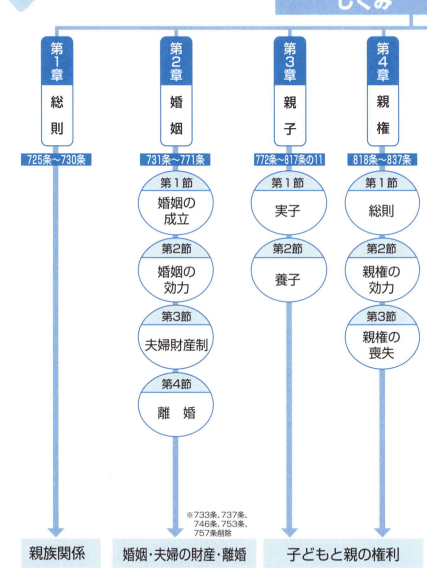

第4編・親族のしくみ

第1章 総則 725条～730条 → 親族関係

第2章 婚姻 731条～771条
- 第1節 婚姻の成立
- 第2節 婚姻の効力
- 第3節 夫婦財産制
- 第4節 離婚

※733条、737条、746条、753条、757条削除

→ 婚姻・夫婦の財産・離婚

第3章 親子 772条～817条の11
- 第1節 実子
- 第2節 養子

→ 子どもと親の権利

第4章 親権 818条～837条
- 第1節 総則
- 第2節 親権の効力
- 第3節 親権の喪失

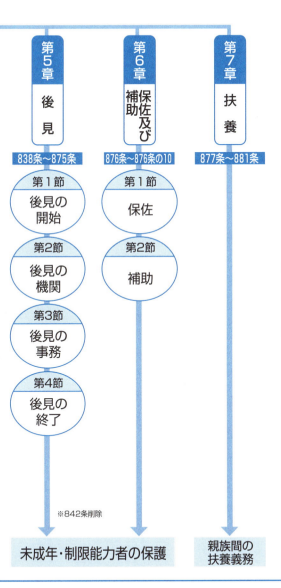

※**親族編**では、親族の範囲から婚姻・親子・親権・後見・扶養といった身内のことについて定めています。

■**総則** ここでは親族の範囲、親族関係の発生、親族関係の終了などについての定めがあります。親族は、6親等内の血族、配偶者および3親等内の姻族をいいます。

■**婚姻** 婚姻は両性（男女）の合意によってのみ成立します。ただし、婚姻適齢など婚姻成立の要件があります。また、婚姻の成立で発生する効力、夫婦の財産はどうなるか、離婚するとどうなるか、などについての定めがあります。

■**親子** 親子には実子と養子があります。さらに実子には、嫡出子と非嫡出子があり、嫡出子否認や認知の問題もあります。養子にも普通養子と特別養子があり、離縁についての定めもあります。

■**親権** 親権は親が未成年者の子に対して持つ保護を目的とする権利義務です。これには、監護教育権、財産管理権があります。

■**後見** 後見には、親権を行う父母がいない場合の未成年者後見、および精神上の障害により判断能力に問題がある場合の成年後見および保佐・補助の制度があります。

■**扶養** 扶養は、一定の親族に、困窮者に対する金銭的給付等を義務づけたものです。

夫婦親子間では生活保持の義務、直系血族・兄弟姉妹間では、生活扶助の義務があります。

親族

1 親族の範囲と親族関係の効果

親族は一定範囲の血縁関係にある者

725条〜730条

☞親族は6親等内の血族および配偶者、3親等内の姻族（配偶者の血族）である。

親子は1親等の血族だ

1 親族法

人々が社会生活を営むにおいて、その基盤となるのは家庭生活であり、それを中心とした親戚関係です。こうした家族、親戚関係についてのルールを定め、紛争が起こった場合の解決の基準を与えるのが民法第4編の「親族法」です。

2 民法における親族

民法はまず、最初に親族の範囲について定めています。民法上、「親族」とは、①「6親等内の血族」、②「配偶者」、③「3親等内の姻族」の3種類をいうものとされています。

②の配偶者は夫や妻を示しますが、①、③にある血族、姻族、親等はややわかりにくい言葉と言えます。

「血族」とは、父母、祖父母、兄弟などのように親子関係のみをたどってつながってゆくことのできる関係にある者をいいます。出生による親子関係のみをたどってつながる者を「自然血族」といい、養親子関係をも含めてつながる者を「（法定）血族」といいます。

「姻族」とは、自己の配偶者の血族および自己の血族の配偶者をいいます。

「親等」とは、自分とどれだけ離れた関係にあるかを示す単位で、1つの親子関係が1単位として計算されます。本人と父母は1親等、祖父母は2親等、兄弟の場合は共通の親を介して2つの出生関係によってつながるので2親等ということになります。

妻の父母と夫の父母との間のように、配偶者の一方の血族と他方の血族との間、あるいは、兄の妻と弟の妻との間のように、血族の配偶者相互間には姻族関係はありませんので、親族には含まれません。また、姻族の場合は3親等までということになりますので、配偶者の叔父、叔母、甥、姪までは含まれますが、従兄弟は4親等となるので、配偶者の従兄弟は親族に含まれません。

3 親族関係の効果

民法上、親族であることによって生じる効果は多岐にわたりますが、そのうち夫婦関係、親子関係は親族関係の中でも特別な関係であるので後述するとして、ここではそれ以外の一般的な親族間の効果について触れることにします。

すべての親族に与えられる親族一般の権利は、親族の婚姻・養子縁組の取消請求権、親権等の喪失・取消請求権、後見人等の選任・解任請求権といった極めて限定的なものだけで、その他は親族の中でも一定の範囲の者に与えられる効果です。

親族関係の効果として、最も重要なのは、子・直系尊属・兄弟姉妹および配偶者に予定されている「相続権」ですが、このほか、4親等内の親族に与えられている後見等についての審判請求権、直系血族および同居の親族間の「助け合いの義務」、直系血族および兄弟姉妹間等の「扶養義務」等が民法上規定されています。

親族関係の発生と効果のしくみ

要旨 親族とは6親等内の血族、配偶者、3親等内の姻族をいう。

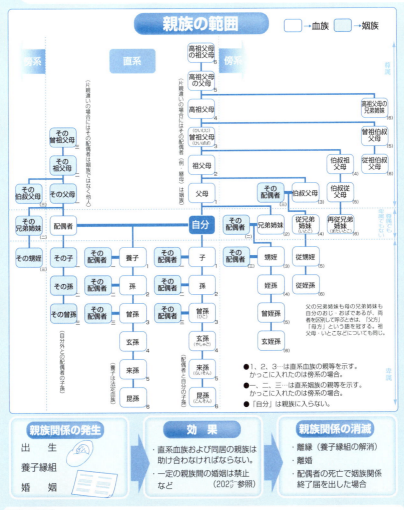

●1、2、3…は直系血族の親等を示す。かっこに入れたのは傍系の場合。
●一、二、三…は直系姻族の親等を示す。かっこに入れたのは傍系の場合。
●「自分」は親族に入らない。

親族関係の発生
- 出生
- 養子縁組
- 婚姻

効果
- 直系血族および同居の親族は助け合わなければならない。
- 一定の親族間の婚姻は禁止など (202㌻参照)

親族関係の消滅
- 離縁（養子縁組の解消）
- 離婚
- 配偶者の死亡で姻族関係終了届を出した場合

（親族の範囲）
第725条 次に掲げる者は、親族とする。
 1 6親等内の血族　2 配偶者　3 3親等内の姻族
（親等の計算）
第726条① 親等は、親族間の世代数を数えて、これを定める。
② 傍系親族の親等を定めるには、その1人又はその配偶者から同一の祖先にさかのぼり、その祖先から他の1人に下るまでの世代数による。

親族 2 婚姻の成立・無効・取消し

婚姻は両性の合意によってのみ成立する

731条〜749条※
※733条、737条、746条削除

☞わが国では婚姻届によってのみ婚姻は成立し、婚姻届のない夫婦は内縁関係として扱われる。

婚姻届こそ重要!

1 婚姻

親族関係の中でも、婚姻によって成立する婚姻関係（夫婦関係）は親子関係とならんで、人々の家庭生活の柱です。民法は、第2章で婚姻関係の規定を設けています。

2 婚姻の要件①（積極的要件）

婚姻関係成立の要件は、①「積極的要件」と②「消極的要件」があり、積極的要件はさらに、①−1「実質的要件」と①−2「形式的要件」とに分けることができます。

①−1の実質的要件とは、「婚姻意思の合致」をいいます。婚姻意思とは、夫婦の実体を創設しようという実質的な意思と戸籍の届出をしようという形式的な届出意思の双方を含み、その双方に意思の合致が必要です。したがって、仮装婚姻、例えば、子に嫡出子としての身分を与えるという目的のためだけに婚姻届を出した場合や、内縁当事者の一方が他方に無断で勝手に届出をしてしまったような場合、前者は実質的意思の欠如、後者は届出意思の合致を欠くことによって婚姻は無効となります。

①−2の形式的要件は戸籍法上の届出、すなわち、婚姻届を出すことです。これがないと、いくら夫婦としての実体があっても、法律上、婚姻関係は不成立で、両者の関係は「内縁関係」に止まります。

3 婚姻の要件②（消極的要件）

婚姻の消極的要件とは、婚姻成立を阻む事由が存在しないこと、すなわち、婚姻障害の不存在をいいます。

「婚姻障害」は、①婚姻適齢（男女ともに満18歳）に達していないこと（次☞下段・最近の法改正1参照）、②重婚であること、③近親婚であること、④直系姻族間の婚姻であること、⑤養親と養子との婚姻であることの5種類で、これらに反する婚姻は取り消すことができます。

なお、令和4年12月16日公布の改正法で、女性だけを対象とした再婚禁止期間の規定は撤廃されました（令和6年4月1日から施行。次☞下段・最近の法改正2参照）。

4 婚姻の無効

婚姻が実質的要件を欠き、無効となる場合でも、その欠如した実質的要件が、仮装婚姻のように、婚姻の実質的意思である場合は、その無効は初めから何の効力も生じない当然無効であるのに対し、一方の勝手な届出のように、形式的意思の合致である場合は、他方当事者の追認により遡って有効になりうるものと解されています。

5 婚姻の取消し

婚姻障害のある婚姻も一応有効ですが、法定の取消権者から家庭裁判所に取消しの請求をすることにより取消しができます（婚姻適齢に達した場合を除く）。また、詐欺・強迫による婚姻も取消しができます。

この婚姻の取消しは、効果が遡及しないため、離婚に類似しますが、離婚における財産分与などはなく、婚姻により財産を得た者は返還する必要があります。

婚姻の成立のしくみ

婚姻は両性(男女)の合意のみに基いて成立する(憲法24条1項)。ただし、婚姻が成立するための条件がある。

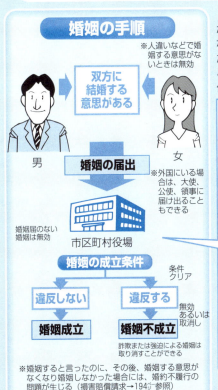

日本の婚姻制度は法律婚である。したがって、婚姻届を市区町村役場に届け出ないかぎり、法律上の夫婦とは認められず、たとえ、婚姻する意思があり通常の夫婦と同様の同居生活をしていても、内縁関係でしかない。

婚姻成立の条件(731条、732条、734条〜736条、738条〜741条)

①婚姻年齢の制限——男女ともに満18歳に達していること。(731条)
②二重結婚でないこと。(732条)
③近親婚の禁止——直系血族および3親等内の傍系血族は婚姻することができない。(734条)
④直系姻族の間では、婚姻することができない(離婚などで姻族関係が終了した場合も同様)。(735条)
⑤養親と養子の婚姻の禁止。(736条)
⑥婚姻届が必要。届出をしないと内縁関係とされる。(739条)

①〜⑤は取消しの対象。⑥は無効。

◆**最近の法改正1** ☞ **婚姻適齢の見直し**（731条） 令和4年4月1日施行
　従前民法では、婚姻のできる年齢は、男18歳、女16歳でした。成人年齢は満20歳でしたから、親の同意があれば未成年者でも婚姻ができたのです。しかし、平成30年6月20日の改正民法（平成30年法律第59号）によって、成人年齢が満18歳に引き下げられたのに伴い婚姻適齢の規定も改正され、改正法施行後の婚姻年齢は男女とも満18歳となっています。これによって、未成年者の婚姻は認められなくなり、改正前の民法737条（未成年者の婚姻についての父母の同意）および同753条（婚姻による成年擬制）の規定は、削除されました。

◆**最近の法改正2** ☞ **女性の再婚禁止期間の撤廃**（従前民法733条） 平成6年4月1日施行
　離婚や配偶者との死別など前婚の解消または取消しをした後であれば、法律上、別の相手と再婚することは可能です。しかし、従前規定では、女性にだけ一定の再婚禁止期間を設けていました。
　この規定について、最高裁判所は平成27年12月16日の判決で、「再婚禁止期間（当時6か月）のうち100日を超える部分は違憲」とする判断を下したため、その期間は法改正で「6か月」から「100日」に短縮されていましたが、令和4年12月10日の改正民法（令和4年法律第102号）によって、同規定は再度見直され、撤廃されたのです（従前法733条は削除）。

親族 3 婚姻の効力と夫婦財産制

夫婦の同一戸籍がつくられ同姓となる

結婚するって大変！

750条～762条※
※753条、757条削除

☞婚姻により男女は貞操の義務、同居の義務、相互の扶助義務などを負うことになる。

1 婚姻の効力

婚姻が成立して婚姻関係（夫婦関係）となった当事者間の法的な効果について民法は、「婚姻の効力」として、「身分上の効力」と「財産上の効力（夫婦財産制）」とに分けて規定を設けています。

2 身分上の効力

婚姻の身分上の効力には、①氏の変動、②同居・協力・扶助義務の発生、③貞操義務の発生があります。従前は、夫婦間の契約はいつでも取消しができるとされていましたが、令和6年の民法改正でこの規定は削除されました。

婚姻しようとする男女は、合意によりどちらか一方の氏を夫婦の氏として称する必要があります（夫婦同氏の原則）。近時、議論される夫婦別姓や第三の氏を称することは、現行法ではまだ認められていません。

配偶者間には、夫婦としての共同生活が要請されることから、夫婦間には同居と協力・扶助の義務が生じます。これらを履行しない場合、同居についてはそれを強制できないとされているのに対し、協力・扶助は経済的側面からの間接的な強制が可能とされ、その意味で同居義務と協力・扶助義務は異種の義務として把握されています。

配偶者相互の貞操義務については明文の規定はありませんが、不貞が離婚原因とされている（770条1項1号）ことから、これを認めるのが一般的です。

夫婦間の契約の履行については、法による強制を避ける趣旨で婚姻中いつでも取消しができるとされています。ただし、婚姻が実質的に破綻している場合は取消しができないとするのが判例です。

なお、従前民法には未成年者が婚姻することにより成年とみなされ、制限能力者として付与されていた保護（取消権等）を失うという規定（成年擬制。従前753条）がありました。しかし、婚姻適齢が男女ともに18歳および成年年齢が20歳から18歳となる法改正で、この規定は削除されています（令和4年4月1日施行）。

3 財産上の効力

婚姻の財産上の効力について、夫婦が婚姻届出前に別段の契約をしなければ、民法の規定（法定財産制）に従うことになり、婚姻費用の分担、日常家事債務の連帯責任、夫婦別産制、帰属不明財産の共有推定が規定されています。「夫婦財産契約」をもってこれと別段の契約をすることも可能ですが、これは登記しなければ第三者に対抗することができません。

4 内縁の効力

「内縁」とは、婚姻意思をもって共同生活を営みながら、届出を欠くために法律上は婚姻と認められない事実上の夫婦関係です。

内縁は婚姻に準ずる関係として、婚姻に関する規定が一部を除き準用されます。具体的には、同居・協力・扶助義務、婚姻費用分担義務、日常家事債務の連帯責任、帰属不明財産の共有推定、財産分与です。

婚姻の効力と夫婦財産制のしくみ

婚姻すると、夫婦は同居の義務などを負い、原則として夫婦生活の費用を双方が収入に応じて負担することになる。

① 1つの戸籍を作り、同姓になる。
② 貞操義務──不貞行為は離婚原因となる。
③ 同居の義務──理由のない同居の拒絶は離婚原因となる。
④ 扶助義務──お互いに同じ程度の生活を要求できる。
⑤ その他、相続権、社会保障諸法の扶助料の請求権が発生する。

〔内縁関係〕内縁関係でも婚姻の場合と同様、②〜⑤の効力が発生する。ただし、⑤の相続権はないが、遺言あるいは相続人がいない場合の特別縁故者として相続できる。また、社会保障関係の請求権は諸法により、多くの場合認められている。

婚姻届出前に夫婦財産契約をすることができる

※原則として変更不可

夫婦財産契約がなければ法定財産制
- 婚姻費用（生活費）の分担
- 日常家事債務の連帯責任
- 特有財産制（自分の財産は自分のもの）
- 共有推定（所属不明の財産は共有）

●日常家事債務とは
　日常家事とは、生活必需品の購入、近所との交際、子の教育、医療など、夫婦の共同生活に必要な一切の事項をいい、こうした日常家事から生じた債務（代金未払いの金額など）について、夫婦に連帯責任があるとされている。

（夫婦の氏）
第750条　夫婦は、婚姻の際に定めるところに従い、夫又は妻の氏を称する。
（同居、協力及び扶助の義務）
第752条　夫婦は同居し、互いに協力し扶助しなければならない。

親族 4 離婚とその効果

協議離婚は届出だけで成立する

763条～769条

☞離婚では、氏の変更、子の親権者、財産分与などが問題となる。

離婚しても親子は親子

1 婚姻の終了事由

いったん有効に成立した婚姻が終了する場合としては、前述した婚姻の取消しの他、婚姻成立後に生じた事由に基づく終了として「婚姻の解消」があります。婚姻の解消原因は、夫婦の一方の死亡と離婚です。

2 離婚の効果

「離婚」は、その成立の仕方により、「協議離婚」と「裁判離婚」に分かれます（家事事件手続法による「調停・審判離婚」もある）が、その効果は両者共通です。

離婚の最大の効果は、もちろん婚姻関係の解消ですが、それに伴い、身分上、財産上いくつかの効果が派生します。

3 離婚の身分上の効果

離婚の身分上の効果は、婚姻関係の解消の他に、①姻族関係の終了、②氏の変動、③子の親権者・監護者の指定、④祭祀財産の承継者の指定とがあります。

夫婦の一方と他方の血族との姻族関係は、離婚によって当然に終了します。これは、同じ夫婦関係の解消でも、一方が死亡した場合には、姻族関係終了の意思表示がなされて初めて姻族関係が終了するのと異なります。

婚姻によって氏を改めた夫または妻は、離婚によって婚姻前の氏に復します（「復氏の原則」）。もっとも、離婚の日から3か月以内に届出をすることによって、婚姻中の氏を称することができます（「婚氏続称」）。夫婦の一方の死亡による婚姻解消の場合は、生存配偶者が復氏の届出をすることによって初めて復氏し、この届出をしない限り、婚氏が継続することになりますから、離婚と一方の死亡の場合とでは、原則と例外が逆転していることになります。

未成年の子がある場合、夫婦は離婚の際、親権者をどちらか一方に定めることが必要です（令和6年5月24日の改正法により共同親権も認められる。施行は公布から2年以内。次☞下段・最近の法改正を参照）。親権者を定めないと、離婚届が受理されません。また、夫婦は子の監護者等も定める必要があります（次☞条文参照）。

婚姻によって氏を改めた者が祭祀に関する権利を承継した後、離婚する場合、承継者を指定することが必要です。これは国民感情に配慮して設けられた規定と解されています。

4 離婚の財産上の効果

離婚の財産上の効果としては、当事者間の財産関係の清算の性質を持つ「財産分与」が重要です。第1次的には当事者間の協議によりますが、これが調わないときは、家庭裁判所に協議に代わる処分を請求できます。

この財産分与の法的性質については、離婚による慰謝料請求権との関係で議論があります。判例は、財産分与請求権と慰謝料請求権とは性質の異なるものであるということを前提にしつつも、裁判所は、慰謝料に相当する額も含めて柔軟に財産分与の額を決定できるとしています。

離婚 のしくみ

要旨 離婚は双方の合意ですることができる。ただし、一方が離婚に応じない場合、調停あるいは裁判での離婚となる。

協議離婚
双方が離婚に合意し、離婚届を提出することによって、離婚が成立する。

調停離婚 家庭裁判所
話合いで離婚の合意ができない場合は調停申立てを家庭裁判所にする。調停の場で話し合いがつけば、調停調書が作成され離婚が成立する。

審判離婚 家庭裁判所
調停成立の実質があるにもかかわらず、調停が成立しない場合に、調停に代わる審判で離婚を決定する場合がある（件数は少ない）。

裁判離婚 家庭裁判所
調停が不成立に終わった場合に、裁判で離婚判決が出て確定すれば、離婚が成立する。ただし、離婚するためには離婚原因が必要。

※訴訟中の和解離婚、認諾離婚もある。

（離婚後の子の監護に関する事項の定め等）
第766条① 父母が協議上の離婚をするときは、子の監護をすべき者、父又は母と子との面会及びその他の交流、子の監護に要する費用の分担その他の子の監護について必要な事項は、その協議で定める。この場合においては、子の利益を最も優先して考慮しなければならない。（②～④略）

◆最近の法改正 離婚夫婦に未成年の子の共同親権認める（819条） 公布から2年以内に施行
　未成年の子がいる夫婦が離婚する場合、現行法では子の親権者はどちらか一方しかなれません（複数の子がいる場合、例えば長子は夫、次子は妻が親権者になることはできる）。しかし、夫婦（子の父母）が互いに親権者の地位に執着した場合、法律上の離婚は成立しません（親権者を決めないと離婚届が受理されない）。一方、離婚後も、父母として共に親権を行使したいという夫婦もいます。このような状況を踏まえ、令和6年5月24日の改正民法（令和6年法律第33号）では、離婚した夫婦が共同親権を持つことも認めました（改正法819条1項。222ｼﾞ親権の項参照）。

親族 5
離婚ができる場合・できない場合

離婚の話合いがつかなければ調停・訴訟

離婚では財産の清算をする

770条〜771条

☞ 離婚は、離婚の原因（浮気など）を作った側から請求することは難しい。

1 離婚の種類

離婚は、その成立の仕方により、「協議離婚」と「裁判離婚」に分かれます。後者には「認諾離婚」「和解離婚」もあります。

2 協議離婚

協議離婚の要件は、実質的要件としての離婚意思の合致（未成年の子がある場合は親権者を決めることが必要）と、形式的要件として離婚の届出があり、婚姻の要件とほぼ同様です。

離婚意思も婚姻意思と同様に、届出をしようという届出意思（形式的意思）と、真に夫婦としての生活共同体を解消しようという実質的意思とから成り立ちます。

ここでも仮装婚姻と同様に、仮装離婚のように実質的意思が欠けた場合に離婚が有効かという問題が生じます。判例は、生活保護受給継続の方便として協議離婚の届出をした場合に、離婚を有効としました。

婚姻について仮装婚姻を無効とした判例と、離婚について仮装離婚を有効としたことの整合性が問題となりますが、離婚の場合の実質的意思の欠如は、法律上の夫婦関係から内縁関係への移行であり、これも離婚の一形態として認めてよいとの見解に立脚したものと一般に理解されています。

夫婦間に未成年の子があるときは、一方を親権者と指定する必要があり、この指定がない限り、離婚はできないので、協議が調わない場合は、家庭裁判所に協議に代わる審判を求めることになります。

3 裁判離婚

夫婦間で離婚の協議が調わず、それでもなお離婚を望む当事者は、裁判所に離婚の手続きを申し立てることになります。この場合、当事者はいきなり離婚訴訟の提起はできず、まず、家庭裁判所に離婚調停の申立てをすることが必要とされています（「調停前置主義」）。

これは離婚に際し、まず、第三者である調停委員の仲介により、紛争を解決する方向を模索することが適当との配慮に基づくものです。この調停で離婚が成立すれば、この調停調書に離婚判決と同一の効力が認められます。

調停での話合いが不調となった場合、職権で家庭裁判所における離婚の審判に付されない限り、次の段階として、家庭裁判所での離婚訴訟提起ということになります。

離婚訴訟で離婚判決が下されるためには、770条1項所定の離婚原因、すなわち、①不貞行為、②悪意の遺棄、③3年以上の生死不明、④回復の見込みのない強度の精神病、⑤その他婚姻を継続し難い重大な事由があることが必要です。

古くは、自己の側に責任のある有責配偶者からの離婚請求は相手方にとって「踏んだり蹴ったり」として認められなかったのですが、近年は、責任の所在を問わず、婚姻関係の破綻という事実があれば離婚を認めるという「破綻主義」への移行が見られます。

離婚原因のしくみ

要旨 相手方に離婚原因があれば、裁判で離婚することができる。

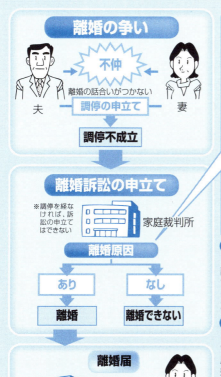

◆離婚原因（離婚できる場合）
① 不貞行為…（例）浮気
② 悪意の遺棄…（例）自分から家を出て同居せず、生活の協力扶助をしない。
③ 配偶者の生死不明が3年以上になるとき。
④ 配偶者がひどい精神病で治る見込みがないとき。
⑤ その他、婚姻を継続しがたい重大な事由があるとき。
（例）姑との不仲が原因
　　　長期の別居
　　　性格の不一致
　　　性行為の拒絶
　　などで、婚姻関係が破綻している場合

●財産分与
　財産分与とは、夫婦が作りだした財産を離婚に際して分けることをいう。話合いがつかなければ裁判所が決める。この財産分与には前記の財産分与だけでなく別れて生活が困難になる者への扶養料なども含まれる。

●慰謝料
　慰謝料は、離婚に伴う精神的な打撃に対する償金である。したがって、通常、離婚原因を作った側が支払う。ただし、協議離婚の場合、どうしても別れたいと思う側が、多額の慰謝料を支払うケースもある。

●養育費
　子の養育をする側は、養育費の請求ができる。→詳細236ページ参照

（裁判上の離婚）
第770条① 夫婦の一方は、次に掲げる場合に限り、離婚の訴えを提起することができる。
　1　配偶者に不貞な行為があったとき。
　2　配偶者から悪意で遺棄されたとき。
　3　配偶者の生死が3年以上明らかでないとき。
　4　配偶者が強度の精神病にかかり、回復の見込みがないとき。
　5　その他婚姻を継続し難い重大な事由があるとき。
② 裁判所は、前項第1号から第4号までに掲げる事由がある場合であっても、一切の事情を考慮して婚姻の継続を相当と認めるときは、離婚の請求を棄却することができる。

第4編　親族
第2章　婚姻

親族 6　実子①嫡出子と嫡出性の推定

772条〜773条

婚姻届のある夫婦から生まれた子は嫡出子

☞婚姻中に懐胎した子は嫡出子の推定を受けるが、妻が離婚後すぐ再婚した場合は、直近の夫の子と推定する。

親子関係はけっこう複雑

1　親子

人々の家庭生活において、夫婦関係と並んで柱となるのは親子関係です。民法は、親族編の第3章でこうした親子関係についての規定を設けています。

法律上の親子関係には、自然血族としての「実親子関係」と、法定血族関係としての「養親子関係」とがあります。実親子関係はさらに、父母が法律上の夫婦であるか否かによって、「嫡出親子関係」と「非嫡出親子関係」に区別されます。

2　嫡出と嫡出性の推定

「嫡出子」とは、法律上の婚姻関係にある男女を父母として生まれた子をいいます。父母が婚姻関係にあるか否かの基準時は、懐胎のときで、懐胎の際、父母が婚姻関係にあれば、出生の際、父母が離婚していても父母双方と嫡出親子関係が生じます。

しかし、懐胎の時期や子の父が誰であるかを厳密に立証することは極めて困難を伴います。

そこで、民法は従前から、「婚姻成立の日から200日後または婚姻の解消もしくは取消しの日から300日以内に生まれた子は、婚姻中に懐胎したものと推定」し、さらに「妻が婚姻中に懐胎した子は夫の子と推定するもの」としています。この2段階推定の結果、婚姻成立の日から200日以降、婚姻の解消もしくは取消しの日から300日以内に生まれた子は夫の子であるという推定を受けることになります。

この推定は通常の夫婦における経験則に基づいた推定なので、その経験則の基礎となる事実が存在しないようなときは、この推定を働かさない方がよい場合もあります。例えば、2年半以上にわたって事実上離婚状態にある夫婦の妻が産んだ子の場合などで、こうした場合の子を「推定の及ばない子」といいます。

3　再婚後出生した子は直近の夫の子

子の父が誰かを厳密に立証するには医学上の検査をするしかありませんが、民法は女性の再婚禁止期間を完全に撤廃する改正法（令和4年法律第102号）の施行（令和6年4月1日）にあわせ、旧法では嫡出の推定を受けなかった婚姻成立後200日以内に生まれた子にも嫡出推定を認めるなど、嫡出推定の規定を次のように見直しました（次☞図解、772条参照）。

①妻が婚姻中懐胎した子は、夫の子と推定。婚姻前に懐胎した子で婚姻成立後に生まれた子も、夫の子と推定（1項）。

②①の場合で、婚姻成立から200日以内に生まれた子は、婚姻前に懐胎と推定。

婚姻成立から200日経過後または離婚等から300日以内に生まれた子は、婚姻中に懐胎と推定（2項）。

③①の場合で、妻が懐胎から子の出生までの間に再婚したときは、その子は直近の婚姻の夫の子と推定（3項）。

④③による嫡出推定は、774条の嫡出否認をされた場合は適用しない（4項）。

嫡出子の推定のしくみ

　正式に婚姻届を出した夫婦から生まれた子を嫡出子という。

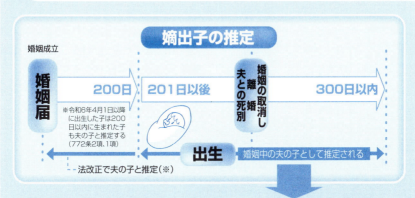

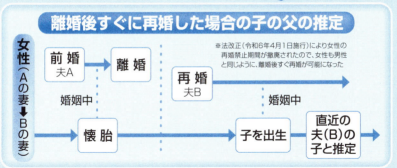

（嫡出の推定）
第772条① 妻が婚姻中に懐胎した子は、当該婚姻における夫の子と推定する。女が婚姻前に懐胎した子であって、婚姻が成立した後に生まれたものも、同様とする。
② 前項の場合において、婚姻の成立の日から200日以内に生まれた子は、婚姻前に懐胎したものと推定し、婚姻の成立の日から200日を経過した後又は婚姻の解消若しくは取消しの日から300日以内に生まれた子は、婚姻中に懐胎したものと推定する。
③ 第1項の場合において、女が子を懐胎した時から子の出生の時までの間に2以上の婚姻をしていたときは、その子は、その出生の直近の婚姻における夫の子と推定する。（④略）

◆最近の法改正☞ 嫡出推定の見直し（772条）　令和6年4月1日施行
　法律婚の夫婦間に生まれた子は、原則夫婦の「嫡出子」と推定されるとする「嫡出推定」の規定に、令和6年4月1日施行の改正法によって、嫡出推定できる具体的要件が追加されました（本文3参照）。
　妻が「婚姻中に懐胎した子」「婚姻後200日以降、離婚後300日以内に産んだ子」を嫡出子とする原則は従前規定と同じですが、女性が「婚姻前に懐胎していて婚姻成立後に生まれた子」も、夫婦の嫡出子とすることが、新たに明記されています（1項、2項）。
　また、改正法で女性の再婚禁止規定が撤廃されたこともあり、妻が懐胎してから子を出産するまでの間に2度以上の婚姻をしている場合は、生まれた子は「直近の夫の子」とすると定めました（3項）。

実子②嫡出子の否認とは

親族 7 妻が産んだ子でも夫は嫡出性を否認できる

774条〜778条の4

☞嫡出子の推定を受けた子でも、一定期間は否認することもできる。

否認しないと夫の子になる

1 嫡出否認

前項で、妻が産んだ子が夫婦の嫡出子と推定が及ぶ範囲を、令和6年4月1日施行の改正法（令和4年法律第102号）の規定によって紹介しました。

この規定によると、例えば妻が婚姻中に懐胎した子は、たとえ夫以外の男性が生物学上の父親であっても夫婦の嫡出子と推定され、その子と夫との間には法律上の父子関係が原則成立します。

この場合、子の父である夫は、その子の嫡出性を否認して、父子関係を終了させる（法律上の親子関係を無効にする）ことができます。ただし法律上、その親子関係を終了させるには、「嫡出否認の訴え」を使うしかありません。

2 嫡出否認の訴え

今日、生物学的な親子関係の有無なら、DNA鑑定で十分判別できます。しかし、嫡出性の推定は非常に強力で、例えば子が自分の子でないと主張したい夫は、要件の厳格な「嫡出否認の訴え」によらなければ親子関係を争うことはできないのです。

たとえDNA鑑定によって生物学的に父子関係がないことがわかった場合でも、この訴えを起こさないと法律上の親子関係を無効にはできない（嫡出推定を優先する）というのが裁判所の考え方です（最高裁平成26年7月17日判決）。

なお、嫡出否認の訴えは、家庭裁判所に起こします。

3 嫡出否認の訴えの提訴権者

従前の民法では、子の嫡出否認ができるのは、夫だけでした。例えば、嫡出子、妻など夫以外の者が、その子が夫の子でないと争う場合は嫡出否認の訴えを使うことができず、親子関係不存在確認訴訟を起こすしかなかったのです。

しかし、改正法では、夫の他に、嫡出子本人、妻（子の母）、妻が再婚している場合は前夫（生物学上の子の父）が、嫡出否認をすることができ（改正法774条）、否認権者として、「嫡出否認の訴え」を起こせることになりました。

この訴えは、家庭裁判所に提訴しますが、訴えの相手は、次の通りです（775条）。

- 父の否認権　　子または親権を行う母
- 子または母の否認権　　父
- 前夫の否認権　　父、子、親権を行う母

4 出訴期間が3年に延長

嫡出否認の訴えは、旧法では子の出生を知った時から1年以内に提訴の必要がありました。しかし、改正法によって令和6年4月1日以降生まれた子については、子の出生を知った時から3年以内と、出訴期間が延長されています（否認権者が父または前夫の場合）。否認権者が母と子の場合は、生まれた時から3年です（777条）。

なお、子の父または母が、その子の出生後において、その子が嫡出子であることを承認した場合には、それぞれ否認権を失うことになります（776条）。

嫡出子の否認 のしくみ

要旨 嫡出子でなければ一定期間内に嫡出否認の訴えが必要である。

嫡出子の否認（令和6年4月1日以降に生まれた子）

（否認権者）　　（訴えの相手方）

父（夫）　→　子、または親権を行う母（妻）

子　→　父

母（妻）　→　父（夫）

前夫　→　父（法律上の子の父）、子、親権を行う母

→ 嫡出否認の訴え → 家庭裁判所（調停・審判）

3年以内に提起する※

※父と前夫は子の出生を知った時から、子、母は子が出生した時から3年。

（嫡出の否認）
第774条① 第772条の規定により子の父が定められる場合において、父又は子は、子が嫡出であることを否認することができる。（②略）
③ 第1項に規定する場合において、母は、子が嫡出であることを否認することができる。ただし、その否認権の行使が子の利益を害することが明らかなときは、この限りでない。
④第772条第3項の規定により子の父が定められる場合において、子の懐胎の時から出生の時までの間に母と婚姻していた者であって、子の父以外のもの（以下「前夫」という。）は、子が嫡出であることを否認することができる。（ただし書略。③ただし書参照）。
⑤前項の規定による否認権を行使し、第772条第4項の規定により読み替えられた同条第3項の規定により新たに子の父と定められた者は、第1項の規定にかかわらず、子が自らの嫡出であることを否認することができない。
（嫡出否認の訴え）
第775条① 次に各号に掲げる否認権は、それぞれ当該各号に定める者に対する嫡出否認の訴えによって行う。　1　父の否認権　子又は親権を行う母　2　子の否認権　父　3　母の否認権　父　4　前夫の否認権　父及び子又は親権を行う母（②略）

◆**最近の法改正** 嫡出否認の訴えの見直し（774条・775条他）　**令和6年4月1日施行**
　妻が婚姻中に懐胎したなど「嫡出推定」の規定を外観上満たして生まれた子は、たとえ夫以外の男性の子であっても夫婦の嫡出子として、夫との親子関係が法律上は成立します。夫が、その親子関係を否認するためには、家庭裁判所に「嫡出否認の訴え」を起こすしかありません。
　この嫡出否認の訴えは、これまで前述の夫しか認められていませんでしたが、令和6年4月1日施行の改正法（令和4年法律第102号）は、子、親権を行う母、子の生物学上の父（前夫など）にも、この提訴権を認めています。また、出訴期間も1年から3年に延長されました（本文参照）。

親族 8 実子③ 認知と準正

婚姻外で生まれた子は非嫡出子

779条～789条

☞ 婚姻外で生まれた子は認知により非嫡出子の身分を取得する。

婚姻外の子は認知が必要

1 非嫡出子（嫡出でない子）

「非嫡出子」とは、法律上の婚姻関係にない男女を父母として生まれた子です。

非嫡出子は、嫡出子に比べ相続分を2分の1とされる等の不利益な扱いがなされていました。最高裁判所は、平成25年、違憲の判断をし、非嫡出子の相続分を嫡出子と同様としました。その後、同規定は削除されています（248ﾍﾟｰｼﾞ参照）。

2 認知

婚姻関係にない男女間の子（婚外子）は、その母との間には出生により当然に母子間に非嫡出子としての親子関係が生ずるものとされていますが、その父との間に非嫡出親子関係が生じるためには、認知という手続きが必要とされます。

「認知」とは、非嫡出子についてその父との間に意思表示または裁判によって子の出生まで遡って親子関係を発生させる制度をいい、父の意思表示によってなされる場合が「任意認知」、裁判によってなされる場合が「強制認知（認知の訴え）」です。

「任意認知」の場合、父の意思表示は、身分上の法律行為として、未成年者や成年被後見人でも、親権者や後見人の同意なく認知が可能です。子の承諾は原則的には不要ですが、子が成年のときは子の意思を尊重して子の承諾も必要です。また、子が胎児であるときは母の名誉を尊重して母の承諾が必要とされています。

「強制認知」は、訴訟という手段で強制的に父子関係を確定する制度で、父が死亡した後でも3年以内であれば、検察官を被告として提起することが可能です（「死後認知」）。この認知訴訟も調停前置主義の適用を受け、まず、家庭裁判所で話合いが持たれることになります。

3 父子関係の証明

認知訴訟での最大の争点は、父子関係の証明です。この証明について戦前は母親に他の男性と性交渉のなかったことまでの証明を要求するいわゆる「不貞の抗弁」が認められていましたが、これではあまりに原告側に負担であるとして、戦後は様々な事実を総合的に考慮して判断するという運用に変わってきており、特に、近年は、遺伝子レベルでのDNA鑑定が、その高度の信頼性から取り入れられています。

4 準正

「準正」とは、非嫡出子について、父の認知および母との婚姻を要件として嫡出子の身分を生じさせる制度です。この準正による嫡出子を「準正嫡出子」と呼び、「生来嫡出子」と区別することもあります。

準正による嫡出子は、父の認知と父母の婚姻との先後関係によって、「婚姻準正」と「認知準正」に分かれます。

嫡出子の身分取得は、認知後に婚姻がなされる婚姻準正の場合、婚姻時です。婚姻後に認知がなされる認知準正の場合も認知によって効果が遡って婚姻時とされます。

非嫡出子と認知のしくみ

要旨 結婚外で生まれた嫡出でない子を非嫡出子という。

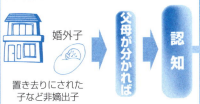

●認知とは

認知とは、親子関係を法律上、生じさせる行為である。
認知の方法には、①任意認知（父が自由意思で認知する場合で、役所への認知届をする）、②強制認知（子からの請求で裁判によってなされる）、③審判認知（子からの申立てで、家庭裁判所に申し立てて行う）の3つの方法がある。

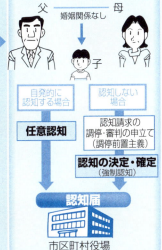

※強制認知の訴え、認知の審判の申立てはともに家庭裁判所

（認知）
第779条 嫡出でない子は、その父又は母がこれを認知することができる。
（認知の訴え）
第787条 子、その直系卑属又はこれらの者の法定代理人は、認知の訴えを提起することができる。ただし、父又は母の死亡の日から3年を経過したときは、この限りでない。
（準正）
第789条① 父が認知した子は、その父母の婚姻によって嫡出子の身分を取得する。
② 婚姻中父母が認知した子は、その認知の時から、嫡出子の身分を取得する。
③ 前2項の規定は、子が既に死亡していた場合について準用する。

親族 9 実子④ 子の氏

嫡出子は父母の氏を名乗る

790条～791条

☞離婚などで、子の氏が父または母と異なるときは、裁判所の許可を得て氏を変更することができる。

変更は問題がなければ簡単

1 氏名

人の氏や名は、人の同一性判断の手段であり、個人の呼称として機能します。こうした氏や名についての法律の規定をここで見てみます。

2 氏の取得

親子同氏の原則が適用されることから、嫡出子は父母の氏を称し、非嫡出子は母の氏を称します。

3 種々の氏の変動

夫婦同氏の原則により、婚姻の際、一方当事者は他方当事者の氏へ変更されることになります。近時、夫婦別姓制が盛んに議論されていますが、現段階では法改正にまではいたっていません。

婚姻関係解消の場合、夫婦の一方が死亡しても生存配偶者の氏に変更はありませんが、婚姻前の氏に復することもできます。離婚の場合、配偶者の氏を称していた者が元の氏に戻りますが、これも届出により婚姻中の氏を称することもできるようになりました（婚氏続称）。

外国人と婚姻した者は、婚姻から6か月以内に限り、家庭裁判所の許可を得なくても届出だけで外国人配偶者の氏に変更することができますが、カタカナ・漢字などの日本文字であることが必要です。

なお、養子縁組をなした場合、養子は養親の氏を称しますが、婚姻によって氏が変わった者が養子になった場合は、養親の氏を称する必要はありません（810条）。

離婚（および婚姻の取消し）あるいは離縁（および縁組の取消し）があった場合、改氏した当事者は元の氏に復するのが原則ですが、離婚の場合、届出により婚氏を続称できることは前述のとおりです。一方、夫婦の一方の死亡の場合は、復氏の意思表示があって初めて復氏します。

なお、父または母が氏を改めて、子が父または母と氏を異にすることになった場合、子は、父母が婚姻中の場合に限り、届出によって父母の氏を称することができます。

4 氏と戸籍

出生から死亡に至るまでの人の重要な身分関係の変動は戸籍に記載されます。戸籍制度は夫婦と親子で構成される家族ごとに作られます（夫婦同一戸籍の原則、親子同一戸籍の原則）。通常、その家族は同じ氏を称しているので、1つの戸籍には同じ氏を称する者のみが入ることになります（同一戸籍同一氏の原則）。

5 名

出生した子の名は命名によって定まります。命名は子のためにする親権の1つですが、判例は、「悪魔」という命名は命名権の濫用として違法であり、戸籍事務管掌者は届出受理を拒否できる、と判示しています。

戸籍法は、「正当な事由」があれば、家庭裁判所の許可によって名の変更ができると規定していますが、名は氏に比べて社会的影響が少ないので、この「正当な事由」は氏に比べ、緩やかなものです。

戸籍と氏のしくみ

要旨 夫婦およびその夫婦から生まれた子は同一の氏を名乗る。非嫡出子（婚外子）の場合は、母の氏を名乗る。

● **結婚と氏** 結婚で名乗れる氏は、夫あるいは妻となる者の氏のどちらか一方である。婚姻届により新戸籍が作成され、戸籍筆頭者には使用する氏の人がなる。

◆**氏の変更**
・通常の場合、氏の変更は「やむを得ない事情」が必要で、容易には認められない。
・離婚の場合、婚姻に際して氏を改めた者は旧姓に戻るか、婚姻中の氏を名乗るか選択することができる。
・配偶者の死後、姻族関係を終了させ、旧姓に戻る場合。

● **非嫡出子の氏** 非嫡出子の場合は、母親の氏を名乗る。
認知された場合には、認知により氏が変わることはないが、氏を変えたい場合は家庭裁判所の許可（審判）を得て変更できる。

◆**子の氏の変更**
父または母が氏を改めた場合は、父母が婚姻中である場合に限り、届出によって改氏できる。
（例）父または母の養子縁組、離縁などによる氏の変更の場合
その他、離婚などにより、養育している母親と氏が異なり不都合がある場合などのときには、家庭裁判所の許可（審判）を得て氏の変更ができる。

（子の氏）
第790条① 嫡出である子は、父母の氏を称する。ただし、子の出生前に父母が離婚したときは、離婚の際における父母の氏を称する。
② 嫡出でない子は、母の氏を称する。
（子の氏の変更）
第791条① 子が父又は母と氏を異にする場合には、子は、家庭裁判所の許可を得て、戸籍法の定めるところにより届け出ることによって、その父又は母の氏を称することができる。
② 父又は母が氏を改めたことにより子が父母と氏を異にする場合には、子は、父母の婚姻中に限り、前項の許可を得ないで、戸籍法の定めるところにより届け出ることによって、その父母の氏を称することができる。（③④略）

親族 10 普通養子の縁組

養子は法律により親子関係を作る制度

792条～817条

☞未成年者を養子にする場合には、家庭裁判所の許可を得る必要がある。

普通養子はダブルの相続権を持つ

1 養子制度

養子制度は、今日、「子のため」の制度と理解されてきています。この養子制度には、縁組後も実父母その他実方との親族関係が維持される「普通養子縁組」と、その関係が終了する「特別養子縁組」とがあります（特別養子縁組については、次項を参照）。

2 普通養子縁組の要件

普通養子縁組をなすためには、一定の要件を満たす必要があります。普通養子縁組の要件は、「実質的要件」として縁組意思の合致と縁組障害の不存在、「形式的要件」としての戸籍法の定める届出です。

縁組意思とは、戸籍の届出をするという届出意思と社会通念上真に親子と認められるような関係を設定する実質的意思の双方を意味し、その双方について意思の合致が必要です。

縁組障害とは、縁組を阻む事由であり、養親となる者が未成年者、養子が尊属・年長者などの場合があります。

縁組障害ある縁組の届出は受理されませんが、誤って受理された場合、その縁組も一応有効に成立し、ただ取り消しうる縁組ということになります。

3 代諾縁組

身分法上の行為は代理をすることはできず、縁組の意思表示も意思能力ある本人がすべきものであるはずです。しかし、これでは、未成熟の子を普通養子とすることができなくなってしまうため、例外的に、養子となる者が15歳未満であるときは、その法定代理人が代わって縁組の承諾をすることも可能です（「代諾縁組」）。

4 普通養子縁組の効果

養子は縁組の日から養親の嫡出子たる身分を取得し、原則として養親の氏を称します。しかし、養子と実方との親族関係は縁組後も存続します。

縁組によって、養子は養親と養親の血族との間においても、縁組の日から自然血族間におけるのと同一の親族関係で結ばれますが、養子の血族と養親およびその血族との関係には親族関係を生じません。

5 普通養子縁組の解消

いったん完全に有効に成立した縁組が解消する場合としては、離縁と特別養子縁組とがあります。縁組当事者の一方の死亡は、婚姻の場合と異なり、当然には縁組の解消を生ぜず、死後離縁があって初めて解消するとするのが通説および戸籍実務の見解です。

離縁には、婚姻と同じように、当事者間の協議でなす「協議離縁」と、協議が調わず、裁判によって離縁がなされる「裁判離縁」とがあります。

また、普通養子がさらに他人の特別養子となった場合、普通養子関係は終了しますが、単に、普通養子の転縁組をなしただけの場合は、従前の普通養子関係は終了しません。

普通養子制度のしくみ

要旨 養子とは自然の親子関係ではなく、法の定めによって親子関係を生じさせるもので、これには普通養子と特別養子とがある。

◆普通養子をとるための条件
① 縁組意思があること
　養子が15歳未満のときは親権者・後見人が代わりに承諾する（797条）
② 養親は満20歳以上であること（792条）
③ 養子がおじ・おばなど目上の者でなく、年長でもないこと（793条）
④ 養子が満18歳にならないときは家庭裁判所で許可の審判をしてもらう（798条）
⑤ 夫婦が未成年者を養子にするときは共同である（795条）
⑥ 養親または養子に配偶者がいる場合はその同意が必要（796条）
⑦ 養親が後見している者を養子にするには家庭裁判所の許可がいる（794条）
⑧ 市町村長・区長に養子縁組の届出を出す（799条による739条の準用）

●養子と養親・実親との関係
① 養子は養親・実親双方の嫡出子になる。
② 養親および実親の家族と親族
③ 養子は養親の氏を名乗る。
④ 養子が18歳に達していないときは、親権は養親が持ち、実親の親権はなくなる。
⑤ 養親・実親双方と扶養しあう。
⑥ 養親側、実親側の双方を相続できる。
⑦ 養子は養親の子とは兄弟姉妹となるが、結婚できる（直系血族ではできない）。（734条ただし書）

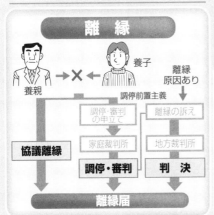

（養親となる者の年齢）
第792条 20歳に達した者は、養子をすることができる。
（尊属又は年長者を養子とすることの禁止）
第793条 尊属又は年長者は、これを養子とすることができない。
（後見人が被後見人を養子とする縁組）
第794条 後見人が被後見人（未成年被後見人及び成年被後見人をいう。以下同じ。）を養子とするには、家庭裁判所の許可を得なければならない。後見人の任務が終了した後、まだその管理の計算が終わらない間も、同様とする。

親族 11 特別養子の縁組

特別養子は実親子関係がなくなる養子制度

817条の2〜11

☞養親となる者が25歳に達していること（他の一方は20歳でよい）、養子となる者が15歳に達していないこと。

特別養子の手続きは複雑

1 特別養子縁組制度

家庭に恵まれない子に温かい家庭を与えることを目的に、昭和62年、特別養子縁組の制度が創設されました。この特別養子縁組制度は、養子と実方（実親など）の血族との親族関係を終了させる点で普通養子縁組と大きく異なっています。

2 特別養子縁組の要件

特別養子縁組制度は、子に温かい家庭を与えるということを目的とするものであるため、縁組に際し、普通養子縁組に比べ、極めて厳格な要件が付されている上に、家庭裁判所の審判を経る必要もあります。以下、簡単に概説します。

まず、特別養子縁組では、養親となる者は配偶者のある者が、夫婦でそろって共同縁組をしなければならないのが原則です。養子に両親のそろった家庭を与える必要があるということがその理由です。

また、特別養子となる者は、家庭裁判所に審判を請求する時点で15歳に達していないことが原則的に必要です。養親と実親子間と同様の年齢差を設ける意味と就学前の幼少時に養親の家庭に溶け込ませようとする配慮です。

さらに、特別養子縁組を成立させるには、従前の父母による監護が著しく困難または不適当であること、その他特別の事情があることが必要です（要保護要件）。この制度の趣旨が、家庭に恵まれない子を対象としていることから設けられている要件です。

この他、特別養子縁組によって従前の親子関係が終了するため、特別養子縁組をなすためには、原則として、養子となる者の父母の同意が必要とされています。この場合の父母は、実父母の他、普通養子縁組がなされている場合には、その養父母も含まれます。

最後に、特別養子縁組を成立させるためには、養親の適格性や養親子間の相性を判断するための、原則として審判請求時から6か月以上の試験養育（監護）期間の前置が必要とされます。養親の適格性や養親子間の相性を慎重に判断するためです。

3 特別養子縁組の効果

特別養子縁組が成立すると、特別養子と実方の父母およびその血族との親族関係は原則として終了します。例外的に血族との親族関係が終了しない場合は、夫婦共同縁組を必要としない連れ子養子の場合です。

4 特別離縁

特別養子縁組においては、原則として離縁は認められておらず、普通養子縁組におけるような当事者間の協議離縁は一切認められておりません。

例外的に、離縁（「特別離縁」）が認められるのは、①養親の虐待等があり、②実父母の相当の監護が期待でき、③養子の利益から離縁の必要性がある場合に、家庭裁判所の審判によって離縁が認められた場合のみです。

特別養子制度のしくみ

要旨 特別養子は、法律上、実親との関係を消滅させ、養親との間に実の親子と同様の関係を形成する制度である。

特別養子縁組

特別養子の養親になる人 — 特別養子を取りたい → 特別養子になる人

→ 特別養子を取るための条件クリア

◆特別養子縁組ができる条件

①親権者となる者は配偶者のある者（夫婦）で共同縁組をしなければならない。ただし、結婚相手が以前の結婚で産んだ嫡出子や特別養子縁組をした子をさらに特別養子にする場合は、単独で特別養子縁組ができる（817条の3）。

②養親は25歳以上。ただし、夫婦の一方が25歳以上でもう一方は20歳以上であればよい（817条の4）。

③特別養子となる者は15歳未満。止むを得ない事情があれば規定は適用されない（民法817条の5）。

④養子の実父母双方の同意が必要。実父母が行方不明、あるいは虐待行為を行ったなどの事由があれば別（817条の6～7）。

特別養子縁組請求

養親となる人（配偶者） — 請求（審判） → 家庭裁判所（養親の住所地）

試験養育期間 6か月

↓

特別養子縁組許可

特別養子縁組の届出

養親 — 届出 → 市区町村役場

■戸籍への記載では長男、次女などと記載され、一見、養子であることが分からないようになっている。
■実親との親子関係は断絶する。

●特別養子縁組の解消（離縁）

離縁は、①子の養育上極めて不都合な事情（子の虐待・養育をわざとしない）があり、②実父母が養子を相当に養育でき、かつ③養子の利益のために特に必要があると認められる場合に、家庭裁判所が審判により決定する。

協議離縁や裁判離縁はできない。

（特別養子縁組の成立）
第817条の2① 家庭裁判所は、次条から第817条の7までに定める要件があるときは、養親となる者の請求により、実方の血族との親族関係が終了する縁組（以下この款において「特別養子縁組」という。）を成立させることができる。
② 前項に規定する請求をするには、第794条又は第798条の許可を得ることを要しない。

親族 12 親権と親権の行使

夫婦は共同で1個の親権を行使する

818条〜819条

● 親権には、子の身上に対する監護養育と子の財産管理とがある。

離婚では父母の片方が親権者になる

1 親権

「親権」とは、子の利益のため、未成年の子を監護教育し、あるいはその財産の管理を内容とする親の権利義務の総称です。

2 親権の当事者

親権に服するのは、未成年の子（満18歳に達しない子）です。未成年であれば実子、養子を問いませんし、その子が成年に達すれば、親権は消滅します。

親権者は、通常は実父母となりますが、未成年者が養子縁組をなした場合、実父母の親権は消滅し、養父母が親権者となります。転縁組（養子が養親との縁組を解消しないまま別の養親とも縁組をすること）がなされれば、第1の養父母の親権は消滅し、第2の養父母が親権者となります。

親権は父母の婚姻中は、一方が親権を行使できないような法律上、事実上の障害がない限り、父母が共同して行います（「夫婦親権共同行使の原則」）。父母が離婚したときや子が非嫡出子のときは父母の一方の単独親権（離婚夫婦の共同親権は207㌻最近の法改正参照）ですが、子の利益に必要と家庭裁判所が認めた場合、審判により親権者の変更が命じられる場合もあります。

親権者たる養父母の双方が死亡した場合、実親の親権は復活せず、後見が開始します。離縁の場合、養父母双方と離縁すれば、死亡と異なり、実父母の親権が復活しますが、養父母の一方が死亡したり、養父母が離婚したりで単独親権となった後に単独親権者と離縁した場合は、実親の親権は復活せず、後見が開始します。

3 子をめぐる紛争

父母が未成年の子を残して離婚する場合、しばしば親権の帰属について争いが生じます。協議が整わない場合は、家庭裁判所に調停あるいは審判の申立てをします。家庭裁判所では「調査官の調査」等を実施しながら、子の福祉の観点から解決を図ることになります。この解決で親権者とならなかった親には「面会交流」と呼ばれる、定期的に子と会ったり、文通等をする方法が認められるのが一般的です。

父母が離婚まではしないで、長期間、別居しているような場合にも子の引渡しがしばしば問題となります。以前は人身保護法の手続き等により民事訴訟の場での解決がなされることが多くありましたが、現在では、夫婦間の協力扶助に関する処分、あるいは、子の監護に関する処分として、家庭裁判所の審判手続きの利用が増えているようです。

近時、親による児童虐待が社会問題になってきています。この点に関し、従来の「児童福祉法」による対応措置だけでは不十分であるとして、平成12年、「児童虐待防止法」が制定され、虐待のおそれある場合、都道府県知事に住居等への立入検査の権限を与えたり、児童相談所長らに保護した児童に対する親の面会制限の権限を与えたり等の規定が設けられています。

親権制度のしくみ

要旨 親権とは、子が成人に達するまで、子の利益の見地から子を監護・保護・教育し、また子の財産を管理する父母の権利・義務のこと。

親権

子（未成年）
※満18歳を成年とする（令和4年4月1日施行、22㌻参照）

← 親権

①身上監護権…子の監護、保護、教育権
②財産管理（維持・処分）権

親権者（父母）
※親権を行う者がいないときは後見人が選任される（226㌻参照）。

親権（行為的監護）が制限される場合

①第三者が子に財産を贈与するに当たり、親権者（父母）にこの財産を管理させないよう意思表示した場合

②利益相反となる場合。親権者とその子とが利害対立する取引行為などをする場合には、家庭裁判所に申し立てて、特別代理人の選任をしてもらい取引をしなければならない。数人の子の親権者となっている場合で、その子間の取引については、親権者は1人の代理人にしかなれず、他の子について特別代理人の選任が必要。ただし、親権者が子に財産を贈与するなど子の利益に反しない場合は、特別代理人の選任は不要。

例
- 長男（未成年者）所有の家屋を次男（未成年者）に売り渡す場合
  …どちらか一方の子について特別代理人選任の申立てを親権者がする。
- 数人の子がいて相続放棄をする場合
  …特別代理人の選任が必要。
- 子が自分の財産を親権者に売る場合
  …特別代理人の選任が必要。

親権者となる者

①両親が婚姻している場合
⇨父母が共同で親権者となる（父母それぞれが独立した親権を持つのではなく、共同で1個の親権を持つ）。

②親権者の一方が死亡した場合
⇨残った者が単独で親権者となる（一方が親権を失った場合も同様）。

③親権者が離婚した場合
⇨父母のいずれか一方が親権者となる（離婚後も共同親権を継続することは現行法ではできないが、令和6年5月24日の改正法で共同親権が認められた。施行は公布から2年以内・207㌻参照）。また、親権のうちの監護、養育を切り離して、監護権者を定めることができる。

④非嫡出子
⇨母が親権者となる。ただし、認知した父がいる場合は、父母の合意で父を親権者とすることができる。

⑤養子
⇨養親が親権者となる。

（親権者）
第818条① 成年に達しない子は、父母の親権に服する。
② 子が養子であるときは、養親の親権に服する。
③ 親権は、父母の婚姻中は、父母が共同して行う。ただし、父母の一方が親権を行うことができないときは、他の一方が行う。

親族 13 親権の内容と喪失・停止

親権は子を守るための制度

820条〜837条

☞親権には、身上監護権(居所指定権・懲戒権・職業許可権)、財産管理権がある。

親権の濫用など親権喪失となる

1 親権の内容

親権の内容は、大きく、子の身上に関する権利義務(身上監護権)と、子の財産に関する権利義務(財産管理権)に分けられます。

2 身上監護権

身上監護権に含まれるのは、居所指定権、職業許可権等です。

「居所指定権」とは、親が監護教育の任務を果たすため、子がどこに住むかを指定できる権利ですが、この権利が実際に効果を発揮する場面はほとんどありません。

また、親は子が職業を営むことについての許可権を有しており、これを「職業許可権」と呼びます。ここでいう職業には他人に雇用されて働く場合も含まれ、いわゆるアルバイトもその対象です。

従前法には、親に監護教育上必要な範囲で、子に対しての実力行使を認めた「懲戒権」もありましたが、この規定は令和4年12月16日施行の改正法で削除されました(次☞・最近の法改正参照)。

3 財産管理権

財産管理権に含まれるのは、狭義の財産管理権と代表権、同意権です。

狭義の財産管理権は、事実上の管理から処分等の法律行為まで広く含まれます。

財産管理権で重要なのは、法律行為の代表(代理)権です。夫婦共同親権の原則から、この場合の代理は共同代理でなすべきことになり、単独名義で代理行為を行ったときは無権代理となります。

4 親権者と子の利益相反行為

親権者の代理行為では、親権者と子との利益が相反する行為(子の財産を親権者に売る場合など)が問題となります。この場合、親権者は、子のために特別代理人の選任を家庭裁判所に請求する必要があり、これをしないで、自ら子を代理した場合は、無権代理行為となり、追認がない限り有効とはなりません。

5 親権の終了・停止

こうした親権が消滅するのは、死亡、成年に達したとき、親権喪失、辞任のときです。

親権者または子が死亡した場合、子が成年に達した場合、子が他人の養子になった場合、離縁した場合などには、親権は当然に消滅します。

親権者の親権行使が困難あるいは不適当な場合、家庭裁判所は、子や親族・後見人・検察官などの請求により親権喪失や停止(最大2年)の審判をすることができ、これによっても親権が終了あるいは停止します。

この親権停止の審判は、親の虐待の増加を背景に、平成23年民法改正で新設された制度です(834条の2)。この審判には、親権のうち財産管理権を喪失させる管理権喪失の形態もあります(835条)。

親権を行う父または母は、やむを得ない事由があるときは、家庭裁判所の許可を得て、親権または管理権を辞任することができ、これによっても親権は終了します。

親 権 の 内 容 のしくみ

　親権はすべて子の利益のために行使されなければならない。子の利益に反する行為は親権の濫用となる。

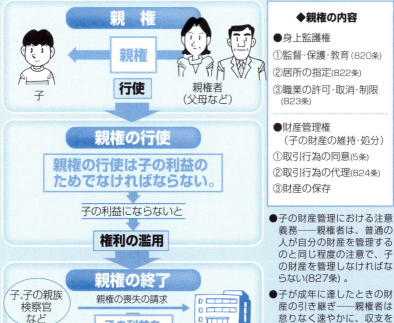

(監護及び教育の権利義務)
第820条　親権を行う者は、子の利益のために子の監護及び教育をする権利を有し、義務を負う。
(子の人格の尊重等)
第821条　親権を行う者は、前条の規定による監護及び教育をするに当たっては、子の人格を尊重するとともに、その年齢及び発達の程度に配慮しなければならず、かつ、体罰その他の子の心身の健全な発達に有害な影響を及ぼす言動をしてはならない。

◆最近の法改正 ☞ 懲戒権の見直し（820条・821条）　令和4年12月16日施行
　従前の民法は、「懲戒権」を親権（身上監護権）の1つと定めており、監護教育上必要な範囲であれば子に対しての実力行使について、親は刑事上、民事上の責任を問われなかったのです。しかし、中には「懲戒」と称して体罰に及ぶ親もおり、子の監護・保護の観点から問題がありました。
　このような親権濫用を防ぐため、令和4年12月16日施行の改正民法（令和4年法律第102号）は、親権は監護及び教育をするに当たって、子の人格の尊重および年齢や発達の程度に配慮することが義務付けられ、体罰や子に有害な言動の禁止も明文化されたのです。懲戒権の規定は削除されました。

親族 14 後見制度と後見人

親権者のいない未成年者などを守る制度

838条～852条※
※842条削除

☞後見には未成年後見と成年後見とがあり、後見人は家庭裁判所が選任する。

後見人を監督するのが後見監督人

1 (法定)後見制度

「後見」とは、事理弁識能力を欠く者を保護する制度であり、この場合の保護機関を「後見人」、保護を受ける者を「被後見人」と呼びます。

後見には、年齢的に事理弁識能力が不十分と認められる、未成年者のための「未成年後見」と、成年であっても、精神上の障害により事理弁識能力を恒常的に欠くと認められる者のための「成年後見」との2種類に分かれます。もっとも、未成年者の場合は、身上監護は第1次的には親権者によってなされるので、未成年後見が行われるのは親権者が存在しない等の事情がある場合に限られます。

2 後見の開始

未成年後見が開始するのは、親権者が親権を行えなくなったような場合、すなわち、父母双方が死亡した場合や父母双方に成年後見開始原因に匹敵する精神上の障害が生じたときなどの場合です。父母の双方にこれらの事情が生じることが必要で、父母の一方にのみこれらの事由が生じても、他方が親権を行使できますので、後見は開始しません。

成年後見は、精神上の障害により事理を弁識する能力を欠く状況にある者に対する家庭裁判所の後見開始の審判によって開始することになります。

3 後見人

未成年後見の場合、第1次的な未成年後見人は、「指定未成年後見人」、すなわち、最後に親権を行う者が遺言で後見人を指定した場合の未成年後見人です。この指定は、かならず遺言でなされる必要があり、これにより指定された指定後見人は、遺言の効力発生後、就任を承諾することによって、未成年後見人に就任します。

この指定がなされなかったり、指定を受けた者が就任を拒否したりで指定後見人が存在しないような場合、家庭裁判所が未成年者本人またはその親族その他の利害関係人の請求により、後見人を選任し(「選定未成年後見人」)、その者が就任を承諾することによって未成年後見人に就任します。

一方、成年後見の場合は、家庭裁判所が後見開始の審判をなす際にこれと同時に、被後見人(後見される人)の心身の状態、生活・財産状況等一切の事情を考慮して、職権で後見人を選任し、その者が就任を承諾することによって成年後見人に就任することになります。

なお、後見人の員数は、未成年後見の場合は後見事務の円滑な遂行を期して1名とされていましたが、法改正で複数人の場合もあります(229☞図解参照)。

4 後見監督人

未成年後見、成年後見ともに、後見人の監督機関として「後見監督人」が置かれる場合があります。就任の仕方等はほぼ後見人と同様であり、員数制限は後見人同様にないものとされています。

後見の手続きのしくみ

要旨 後見とは、判断能力を欠く人の保護制度で、未成年後見と成年後見とがある。

●未成年後見人（839条）

親権者がいない

死亡などで親権者がいない

↓

後見開始の手続き

| 遺言で後見人の指定がない場合 | 遺言で後見人の指定がある場合 |

※申立人→未成年被後見人・親族・利害関係人（840条）

後見監督人も指定できる

家庭裁判所

後見人選任 / **後見人**

申立あるいは職権で家庭裁判所は後見監督人を選任

↓

後見人の就任・後見開始

就任から10日以内に後見人の届出を市区町村役場にする。

●成年後見人（843条）

判断能力を欠く常況にある人

被後見人（制限能力者）については24㌻参照

後見開始の手続き

※申立人→本人、配偶者、4親等内の親族など（7条）

後見開始の審判の申立て → 家庭裁判所

成年 → 成年被後見人

後見人の選任 後見開始の決定

後見登記が嘱託される

申立あるいは職権で家庭裁判所は後見監督人を選任

後見人の就任・後見開始

■後見人が欠けたとき、あるいは必要と認められるときは、さらに請求または職権で後見人を選任できる
〈申立権者〉成年被後見人・親族・利害関係人

●後見人の辞任

後見人は正当な事由があるときは、家庭裁判所の許可を得て、その任務を辞することができる（844条）。

●後見人の解任

後見人に不正な行為、著しい不行跡、その他後見の任務に通じない事由があるときは、請求または職権で解任できる（846条）。

（後見の開始）
第838条 後見は、次に掲げる場合に開始する。
1　未成年者に対して親権を行う者がないとき、又は親権を行う者が管理権を有しないとき。
2　後見開始の審判があったとき。

親族 15 後見人の事務と後見の終了

後見人の仕事は多岐にわたる

853条〜875条

☞後見人が行う事務の内容は、大別すると身上監護と財産管理である。

後見人って何をするの？

1 後見の事務

（法定）後見制度は、被後見人を保護するための制度ですが、民法は、後見人と被後見人のこの保護の関係について、いくつかの具体的な規定を設けています。

民法は大きく、被後見人の身上に関する保護の側面（身上監護権）と被後見人の財産管理に関する保護の側面（財産管理権）とに分けて規定を設けています。

2 未成年後見の事務

未成年後見の場合、身上監護権としては、監護教育権、居所指定権および職業許可権があり、また、財産管理権としては、狭義の財産管理権、代表権、同意権が規定されています。

これらは前述した親権の内容と同一です。未成年後見が親権を補充する制度であることから、その内容が同一であるのは当然ともいえましょう。もっとも、後見の場合は、後見監督人が置かれる場合がある関係で、後見監督人の同意が必要とされたり、あるいは、財産管理の際の注意義務の程度については、後見の場合、善管注意義務という親権よりも高い注意義務が課されている等の細かい点の差異があります。

3 成年後見の事務

一方、成年後見の場合、身上監護の側面については、「成年後見人は、成年被後見人の生活、療養看護及び財産の管理に関する事務を行うに当たっては、成年被後見人の意思を尊重し、かつ、その心身の状態及び生活の状況に配慮しなければならない」（858条）と規定され、後見人の権能という形ではなく、身上配慮義務という義務という形での規定となっています。これは、保護を受ける者が成年者であるため、後見人の事務も権能というよりはもっぱら義務としての側面が強いことに着眼してのものと考えられます。

一方、成年被後見人の財産管理に関しては、管理権、代表権から成り立っており、未成年後見の場合と異なり、成年後見人は同意権がありません。成年者の場合は、財産管理行為は成年後見人が代理してなすことが予定されているからです。

さらに、後見人が被後見人をくいものにするような事態を防止する見地から、成年後見人が成年被後見人に代わって、成年被後見人の居住に供する建物またはその敷地について、売却、賃貸その他これに順ずる処分をするには、家庭裁判所の許可が必要との規定が設けられています。

4 後見の終了

後見の終了事由としては、大きく、当事者の意思とは無関係に当然に終了するものと、当事者の意思に基づくものとに分けることができます。

当然の終了事由は、当事者の一方の死亡、欠格事由の発生などであり、当事者の意思に基づくものとしては、後見人の辞任と被後見人自身やその親族等の意思を受けて裁判所が行う解任とがあります。

後見人の仕事のしくみ

要旨 後見人の仕事には、身上監護権と財産管理権とがあり、その具体的な内容は多岐にわたっている。

- 未成年者→未成年後見人
- 成年（判断能力を欠く）→成年後見人

事務の内容

① **財産調査・目録調製** 後見人は遅滞なく被後見人の財産の調査に着手し、1か月以内にその調査を終わり、かつ、その目録を調製しなければならない。

② **財産管理の代表権** 後見人は被後見人の財産を管理し、また、その財産に関する法律行為について被後見人を代表する。

未成年後見人

③ **未成年被後見人の身上に関する権利義務** 未成年後見人は、親権を行う者と同一の権利義務がある。

※未成年後見人が数人ある場合の権限の行使等に関する規定（857条の2）（平成24年4月1日施行）。
　内容は、①共同による権限の行使、②家庭裁判所は職権で、一部の者に財産に関する権限のみを行使するべきことを定めることができる、など。

成年後見人

③ **成年後見人の事務処理の基準** 成年被後見人の意思を尊重し、かつ、その心身の状態および生活状況を配慮しなければならない。

④ **成年後見人がする財産処分等の許可** 成年後見人が、被後見人の居住の用に供する建物または敷地を売却、賃貸、賃貸借の解除または抵当権の設定、その他これに準ずる処分をするには家庭裁判所の許可が必要。

（未成年後見人の指定）
第839条① 未成年者に対して最後に親権を行う者は、遺言で、未成年後見人を指定することができる。ただし、管理権を有しない者は、この限りでない。
② 親権を行う父母の一方が管理権を有しないときは、他の一方は、前項の規定により未成年後見人の指定をすることができる。

（未成年後見人の選任）
第840条① 前条の規定により未成年後見人となるべき者がないときは、家庭裁判所は、未成年被後見人又はその親族その他の利害関係人の請求によって、未成年後見人を選任する。未成年後見人が欠けたときも、同様とする。（②③略）

親族 16 任意後見制度とは

将来、判断能力が欠けたときに後見を頼むという制度

任意後見開始は、裁判所が決める

任意後見契約法

☞任意後見契約は、公正証書で任意後見契約し、将来、契約相手に任意後見人になってもらう制度である。

1 任意後見制度

平成12年の法定後見制度の改正（成年後見、保佐、補助）に合わせて、「任意後見契約に関する法律」が制定され、「任意後見」制度が新設されました。高齢化社会の進展に伴い、自らの意思による簡易な後見開始の必要性の視点から制定されたものです。

2 任意後見契約

「任意後見契約」とは、委任者が受任者に対して、精神上の障害により事理弁識能力が不十分な状況における自己の生活、療養看護および財産の管理に関する事務の全部または一部を委託し、その委託にかかる事務について代理権を付与する委任契約で任意後見登記が必要であり（右☞参照）、「任意後見監督人」が選任された時から効力が生ずる定めのあるものをいい、この契約は公正証書によることが必要な要式契約とされています。

また、この場合の事理弁識能力は、少なくとも補助の要件に該当する程度と解されています。

3 任意後見監督人の選任

任意後見契約が登記されている場合には、一定の範囲の者からの請求により、家庭裁判所が本人の事理弁識能力が不十分であると認めるときには任意後見監督人を選任し、これにより任意後見契約の効力が発生することになります。

4 任意後見人の事務

任意後見人の事務内容は、任意後見契約に定められた内容によって決まりますが、代理権付与の対象となる事務である以上、法律行為に限られ、介護サービスなどの事実行為は含まれません。

5 任意後見人に対する監督機関および監督権限

任意後見監督人は、任意後見人の事務を監督し、その事務について家庭裁判所に定期的に報告することを主な職務とします。

このように家庭裁判所が定期的に報告を受けることにより、家庭裁判所が任意後見監督人に対する監督を通じて、間接的に任意後見人を監督することになります。

6 任意後見契約の解除

任意後見契約は委任契約の一種ですので、原則としていつでも解除が可能です。もっとも、任意後見監督人の選任前における解除については、任意後見契約の締結が公正証書による要式行為とされていることとの均衡を図るため、公証人の認証を受けた書面によることが必要とされています。

7 法定後見との関係

任意後見人と法定後見人等との関係については議論がありますが、本人の自己決定を尊重し、かつ、両者の権限の抵触・重複を回避するため、任意後見契約が締結されている場合には、原則として任意後見による保護を優先させるとともに、両者が併存しないようにする必要があると考えられています。

任意後見制度のしくみ

要旨 任意後見制度は、本人の判断能力がある間に、判断能力が不十分になった場合に備えて、後見事務の内容および後見をする人を事前に契約によって決めておく制度である。

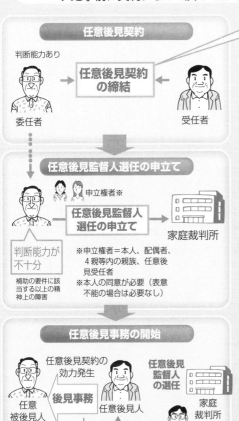

● 契約は一定の要件が必要

〔内容〕自己の生活、療養看護および財産の管理に関する事務の全部または一部について、代理権を付与する委任契約。

〔特約〕任意後見監督人が選任されたときから効力が発生する旨の定め。

〔方式〕公正証書の作成→登記

● 成年後見登記制度

従来は禁治産、準禁治産の宣告は戸籍に記載されていたが、これに代わる登記制度として、成年後見登記制度が創設された。概略は以下のとおりである。

①原則として、裁判所書記官または公証人の嘱託により、登記所（法務局）に備える登記ファイルに所定の登記事項が記録される。

②一定の請求権者の請求により登記事項証明書が交付される。

③「成年後見人の代理権限の範囲に関する証明書」および「後見開始の審判または任意後見契約等に関する記録がないことの証明書」がある。

任意後見契約に関する法律第1条【趣旨】 この法律は、任意後見契約の方式、効力等に関し特別の定めをするとともに、任意後見人に対する監督に関し必要な事項を定めるものとする。

17 保佐制度と補助制度

親族　事理弁識能力が不十分な者の保護制度

876条〜876条の10

☞保佐・補助は家庭裁判所が保佐人・補助人を選任して行う財産管理である。

不適任なら裁判所が解任

1 保佐制度

平成12年の民法改正により、従来の準禁治産制度に代わって「保佐」制度が新設されました。

成年後見制度同様、精神上の障害で事理弁識(判断)能力が不十分な者を保護する制度ですが、成年後見が被保護者(被後見人)の事理弁識能力が恒常的に欠如している者に適用されるのに対して、保佐は被保護者(被保佐人)の事理弁識能力が著しく不十分ながらもある程度有する者に適用されます。

保佐は、家庭裁判所の保佐開始の審判によって開始し、この審判の際、同時に、家庭裁判所が職権で「保佐人」を選任すること、保佐人には員数制限がないこと、欠格事由などすべて、成年後見人に関する規定が準用されています。

2 保佐人の事務

保佐人も被保佐人の身上監護については、成年後見人と同様の身上配慮義務を負います。

財産管理権については、保佐人は民法13条1項各号の行為について「同意権」を有する点が成年後見人と異なります。被保佐人は著しく不十分ながらも事理弁識能力を有しており、同意の下に有効な法律行為が可能であるからです。

また、代理権について、保佐人は特定の法律行為について家庭裁判所から代理権を付与される場合があるにとどまり、成年後見人のような一般的な代理権を有していません。被保佐人は、著しく不十分ながらも事理弁識能力を有しているので、被保佐人自ら(重要な法律行為は保佐人の同意を得て)法律行為を行うことが原則なのです。

保佐人と被保佐人との利益相反行為等については、保佐監督人がある場合を除いて、保佐人は「臨時保佐人」の選任を家庭裁判所に請求する必要があります。この趣旨は、親権、後見の場合と同様、保佐人が被保佐人をくいものにすることを防ぐことにありますが、保佐人は一般的な代理権がないので、特別代理人ではなく、臨時保佐人という言葉が用いられます。

3 保佐監督人

家庭裁判所は必要があると認めるときは、保佐監督人を選任できることは、成年後見の場合と同様です。

4 補助制度

「補助」の制度も精神上の障害により事理弁識能力が不十分な者を保護するための制度ですが、事理弁識能力の不十分さに著しくがつかず、単に不十分である者の保護である点が保佐と異なります。

補助の開始、補助人の選任、補助の事務等は保佐の場合と同様ですが、財産管理における同意につき、保佐人の場合は13条1項各号の行為に一般的な同意権を有するのに対し、補助人の場合は、13条1項各号の行為の特定の一部に対して家庭裁判所が同意権を付与して初めて同意権が生じるものとされています。

保佐・補助のしくみ

要旨 保佐は、判断能力が著しく不十分な人を保護する制度で、補助は、判断能力が不十分な人を保護する制度である。

保佐

保佐が必要な人

判断能力が著しく不十分な人

●保佐制度(制限能力者)については24ページ参照

保佐開始の手続き

保佐開始の審判申立て → 家庭裁判所

※申立人→本人、配偶者、4親等内の親族など(11条)

被保佐人

保佐人の選任 保佐開始の決定

※必要があるときは保佐監督人を選任できる

保佐開始

※保佐の登記が嘱託される

保佐事務

被保佐人　保佐人

①被保佐人がなす一定の法律行為に対する同意。
②特定の法律行為(裁判所が決める)について代理権の付与。ただし、本人以外の者の請求による場合は、本人の意思が必要。

なお、保佐事務を行うに当たっては、被保佐人の意思を尊重し、かつ、その心身の状況および生活の状況を配慮しなければならない。

補助

補助が必要な人

判断能力が不十分な人

●補助制度(制限能力者)については24ページ参照

補助開始の手続き

補助開始の審判申立て → 家庭裁判所

※申立人→本人、配偶者、4親等内の親族など(15条)

被補助人

補助人の選任 補助開始の決定

※必要があるときは補助監督人を選任できる

補助開始

※補助の登記が嘱託される

補助事務

被補助人　補助人

①被補助人がなす特定の法律行為の一部(裁判所が決める)に対する同意。

■辞任・解任については、後見の場合と同様(228ページ参照)

(保佐の開始)
第876条 保佐は、保佐開始の審判によって開始する。
(補助の開始)
第876条の6 補助は、補助開始の審判によって開始する。

親族 18 扶養と扶養義務

一定の親族間には扶養義務がある

877条〜881条

☞扶養については、扶養する者の順序あるいは扶養の程度が、決まっている。

扶養義務って知っていますか

1 扶養

「扶養」とは、自分の資産・労力で生活を維持できない者に対して経済的な援助を与える制度をいいます。

生活を維持できない者に対する経済的援助というと、まず、「生活保護法」等社会保障制度としての公的扶助制度（公的扶養）が浮かびますが、民法でいう場合の扶養は、東京で1人暮らしをしている大学生への親からの仕送りといった親族間の私的扶養を意味します。

2 公的扶養と私的扶養との関係

公的扶養と私的扶養との関係については、公的扶養の「補足性の原則」、または「親族扶養優先の原則」と呼ばれる原則があります。すなわち、第1次的には私的扶養がなされるべきであり、公的扶養はこの私的扶養を補足するものとして機能するという原則です。

この原則につき、私的扶養義務者が存在するにもかかわらずその義務を果たさない場合に公的扶助を受けられるかという問題がありますが、扶養能力ある扶養義務者の存在は、生活保護法上の保護の欠格事由となるというのが実務の取扱いです。

3 扶養の当事者

民法は扶養義務者を、①直系血族および兄弟姉妹と、②直系血族および兄弟姉妹を除いた3親等内の親族間、という2つの類型に区別し、前者は当然に互いに扶養義務を負担しますが、後者においては、特別の事情があるとき、家庭裁判所の審判によって、扶養義務が形成されるものとされています。

4 扶養の順序

同一の要扶養者に対して複数の扶養義務者がいる場合、その扶養義務を負担する順序についての画一的な規定は設けられていません。

原則として、当事者の協議に委ねられ、協議が調わないときや協議をすることができないときに家庭裁判所の審判に委ねられることになります。

5 扶養の程度、方法

扶養の程度、方法についても、第1次的には、当事者の協議により、協議ができないときは、家庭裁判所の審判によるものとされています。

こうした扶養の順位や程度・方法が協議、審判でいったん決定された場合でも、その後、事情の変更があれば、再び協議、審判によってその決定を変更することは可能です。

6 扶養請求権

こうした扶養請求権は、要扶養者の生活維持のための一身専属的な権利ですので、譲渡、質入れ等の処分ができない他、相続や債権者代位権の対象ともなりません。また、扶養義務等に係る定期金債権では、相手の給与等の2分の1（通常は4分の1）までを差し押さえることができます。

なお、弁済期の到来後は通常の金銭債権の一種となり、処分等も可能となります。

扶養制度のしくみ

要旨 扶養は、一定の親族間に分配されている要保護者に対する経済的な給付のことである。

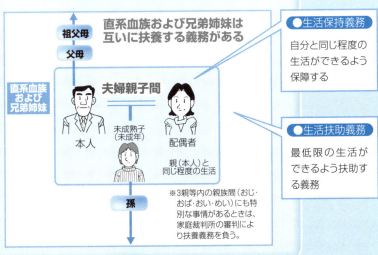

扶養の範囲

直系血族および兄弟姉妹は互いに扶養する義務がある

●生活保持義務
自分と同じ程度の生活ができるよう保障する

●生活扶助義務
最低限の生活ができるよう扶助する義務

※3親等内の親族間（おじ・おば・おい・めい）にも特別な事情があるときは、家庭裁判所の審判により扶養義務を負う。

扶養の請求（次項参照）

（扶養義務者）
第877条① 直系血族及び兄弟姉妹は、互いに扶養をする義務がある。
② 家庭裁判所は、特別の事情があるときは、前項に規定する場合のほか、三親等内の親族間においても扶養の義務を負わせることができる。
③ 前項の規定による審判があった後事情に変更を生じたときは、家庭裁判所は、その審判を取り消すことができる。

（扶養の順位）
第878条 扶養をする義務のある者が数人ある場合において、扶養をすべき者の順序について、当事者間に協議が調わないとき、又は協議をすることができないときは、家庭裁判所が、これを定める。扶養を受ける権利のある者が数人ある場合において、扶養義務者の資力がその全員を扶養するのに足りないときの扶養を受けるべき者の順序についても、同様とする。

（扶養の程度又は方法）
第879条 扶養の程度又は方法について、当事者間に協議が調わないとき、又は協議をすることができないときは、扶養権利者の需要、扶養義務者の資力その他一切の事情を考慮して、家庭裁判所が、これを定める。

親族 19 扶養の請求

877条関連

扶養請求の例は多い

☞扶養義務には、生活保持（自分と同じ程度の生活）と、生活扶助（最低限の生活）とがある。

扶養の程度は、収入次第

1 生活保持義務と生活扶助義務

扶養義務は、その内容によって、①生活保持義務と②生活扶助義務の2つに分けて考えることが従来よりなされてきました。

「生活保持義務」とは、最後に残された一片の肉まで分け与えることによって、自己と同程度の生活を相手方にも保障すべき義務をいい、一方、「生活扶助義務」とは、己れの腹を満たして後に余るものを分かつという、自己の生活水準を維持できる範囲で相手方が最低限度の生活を営める程度の援助をする義務をいいます。

2 夫婦間の扶養

夫婦間には同居・協力・扶助義務、婚姻費用分担義務が存在し、これらは扶養義務の具体的内容ですが、この場合の扶養義務は、前記①の生活保持義務ということになります。

夫婦が離婚すれば、相互に扶養義務は負いませんが、離婚後に妻のみ困窮する場合も多いため、こうした場合は財産分与に扶養的意味合いを持たせて額を決定することで調整が図られることが多いようです。

3 親の子に対する扶養

親の未成熟子の扶養では、親が子を手元に置いて監護している場合は、親が①の生活保持義務を負うことで特に問題はありません。しかし両親が離婚した場合や婚外子の場合、親権との関係で「養育費」の問題が生じます。こうした親権者でない親が負担する子の養育費の性質についても、これを①の生活保持義務であるとするのが近時の裁判例の傾向です。

この養育費の額は、扶養義務者の年収、監護する親の年収、子の人数、年齢を中心に総合的に判断されることによって決まりますが、両親が通常の年収額であり、その間に幼い子が1人の場合の養育費は、月5万円前後とされる例が多いようです。

4 子の親に対する扶養

高齢化社会を迎える中で子の老親に対する扶養もますます深刻な問題となってきています。老人についての社会保障制度もかなり整備されてきておりますが、こうした公的扶助も子らのする親族扶養を補足するものであることに変わりはありません。この場合の子らの扶養義務は②の生活扶助義務と考えられていますが、扶養義務者が複数の場合、原則として各人が全部義務を負い、子が専業主婦である場合でも、そのことから直ちに扶養義務がないということにはなりません。

なお、扶養義務者複数の場合、扶養料を支払い続けた者から他の義務者に対する求償につき、最高裁判所はこれを肯定する判決を下しています。

扶養料については、過去の扶養料請求を認めた審判例も数多く存在しますが、過去の分については、扶養義務者が知らないうちに莫大な扶養料の未履行分が生じてしまう場合もあるため、履行の請求の有無等によって一定の限定を付す例も見られます。

扶養請求のしくみ

扶養請求の話合いがつかない場合は、家庭裁判所に扶養調停・審判の申立てをすることになる。

●扶養の方法

扶養の方法には、大きく分けると金銭扶養（扶養料の支払い）と引取扶養とがある。扶養料は原則として毎月金額を決めて支払われる。引取扶養は、文字どおり要扶養者を扶養義務者が引き取って扶養することで、他にも扶養義務者がいれば生活費の一部を分担するのが通常である。この他にも扶養の方法として、食料などの現物支給、部屋などの無償貸与もある。

なお、こうした扶養の方法あるいは扶養程度の話合いがつかないときは、家庭裁判所に申し立てて決めてもらうことになる。

離婚に伴う子の扶養料（養育費）

●養育費と扶養料

養育費は、未成熟子の両親である扶養義務者間の扶養料の求償権であるとされている。したがって、養育費の額が不足であれば、子からの扶養料請求が認められる。また、事情の変更により、養育費の額も変更できる場合がある。

●請求の方法

(1) 養育費請求（子の監護に関する処分）
  ①夫婦が離婚する場合、未成熟子がいる場合には、子の監護に関する必要な処分を定めなければならない。
  ②離婚後にも養育費の負担につき協議することはもちろん可能であり、協議が成立しない場合には、離婚後においても子が成年に達するまで父母が当事者となって養育費請求の調停および審判の申立てができる。
(2) 扶養料請求（879条）
  ①扶養権利者である子は扶養義務者である一方の親に対し、親権者たる他方の親を法定代理人として扶養料請求の調停を申し立てることもできる。
  ②被請求者が無資力の場合、被請求者の父母（子にとっては祖父母）に扶養料の請求ができる場合もある。

（扶養請求権の処分の禁止）
第881条 扶養を受ける権利は、処分することができない。

知っておきたい民法の実用知識 4

1 6親等の親族は、親族としてどんな意味があるか？

　民法上、血族については6親等までが親族と定められています（725条）。しかし、扶養義務は3親等までしか及ばず（877条2項）、また、後見等の開始・取消しの審判請求権も4親等の親族までとされており（7条、10条等）、6親等の親族にはわずかに、婚姻・養子縁組の取消請求権（744条、805条）、親権の変更・喪失等に関する請求権（819条6項、834条等）が認められるに過ぎず、その法的意味は希薄です。　　　　→200ページ参照

2 未成年者は結婚できるのか？

　民法上、結婚（婚姻）は男女とも満18歳にならなければできないことになっています（731条）。同じく民法は、成年となる年齢を満18歳と定めています（4条）から、現行法上は未成年者の結婚は認められません。なお、この規定が令和4年4月1日に施行されるまでは、親の同意があれば未成年者も結婚できました。→204ページ参照

3 5年以上の別居があると離婚ができるのか？

　民法上、離婚原因は破綻主義の観点から婚姻を継続し難い重大な事由が存在する場合とされます（770条）。どの程度の別居が、この婚姻を継続し難い重大な事由にあたるかは種々の要素の総合判断が必要であり、一概にはいえませんが、5年以上の別居であれば、通常はこの事由にあたるといえましょう（悪意の遺棄に該当するケースもあるでしょう）。なお、法制審議会の発表した、5年以上の別居を離婚原因として明文で規定する旨の改正案は、いまだ採用には至っていません。　　　　　　　　　　　　　　　　　　　　　　　　　　→208ページ参照

4 不動産の取引相手が制限能力者かどうか知るにはどうすればよいか？

　制限能力者の態様には、未成年者と成年被後見人・成年被保佐人・成年被補助人とがありますが、成年被後見人等成年の場合、相手方がその行為能力の有無を外見から判断することは不可能であるため、相手方としては、後見等開始の審判の際、戸籍とは別に作成される専用の登記ファイル（後見登記等ファイル）の記載が頼りです。しかし、この登記事項証明書の交付請求は、原則、本人等でないとできないため、相手方としてはこれらの者に登記事項証明書の交付を求めることになります。　　　　　　　　　　　　　　　　→24・227・231ページ参照

5 子が悪いことをしたので懲戒として殴ったが、これは親権の行使として認められるか？

　親は未成年者の子を監護教育する親権がありますが、これは子の利益のための制度です（820条）。親権者は子の人格を尊重し、その年齢や発達の程度に配慮して親権を行使しなければならず、体罰や有害な言動は許されません（821条）。殴ることは暴力として許されず、現行民法では懲戒権は親権から削除されました。→225ページ参照

6 他人の子を実子として届け出るとどうなるか？

　他人の子を実子として届け出ても、実の親子関係がない以上、実親子関係が生じないのは当然です。しかし、これを養子縁組の届出とみなせないかという議論が古くよりあり、古い最高裁判例はこれを否定したものの、その後の下級審判例ではこれを肯定したものもあり、今なお決着がついていない状況です。　　　→210ページ参照

7 離婚成立後すぐに再婚し半年後に出産しましたが、その子の父親は法律上、どちらの夫の子ですか？

　令和6年4月1日施行の改正民法で、女性の再婚禁止期間の規定は完全に撤廃されました。これにより男女とも離婚届を提出、受理されて法律上の離婚が成立すれば、その翌日に再婚することも可能になったのです。このような問題も当然発生します。従前民法は、離婚成立から300日以内に生まれた子は婚姻中に懐胎したもの（前夫の子）と推定する、と定めていましたが、改正法は、女性が子を懐胎したときから出生までの間に2度以上の婚姻をしている場合、その子は出生の直近の夫（現夫）の子と推定する定めです（772条3項）。→202・210ページ参照

第5編

相続

882条～1050条

民法のしくみ

民法は1050条から成る私人間のルールを定めた法律

- 第1編 総則
- 第2編 物権
- 第3編 債権
- 第4編 親族
- 第5編 相続

◆相続編は、相続と遺言について規定が置かれています。相続については、相続の開始、相続人、相続の仕方などの定め、また遺言については、その方式、効力などの定めがあります。なお、最近の法改正としては、相続財産の保存、相続を放棄した者による管理などの規定の改正や期間経過後の遺産分割における相続分の規定の新設などがあります。

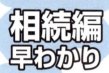

相続編では、相続の方法お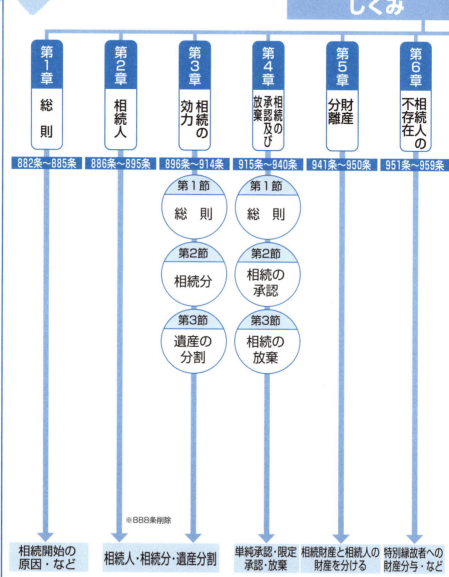

び遺言について定める

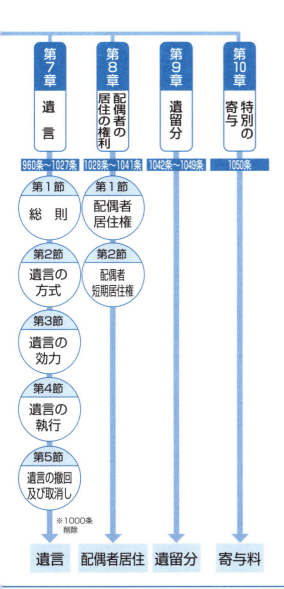

※**相続**では、相続の開始から相続人、相続の効力、相続の承認・放棄などの相続についての規定と遺言について定めています。

■**総則** 相続はいつ・どこで始まるのか、相続人の権利が侵されたときにどうすればよいか、遺産の管理に必要な費用はどこから支出されるのか、などについて定めています。

■**相続人** 被相続人（死亡した人）に配偶者および子がいる場合は、その子が配偶者と共に第1順位の相続人となります（第3順位まである）。こうした相続権の規定の他、相続権がとりあげられるのはどんな場合かなどについての定めをしています。

■**相続の効力** 相続の一般的効力、共同相続、相続分、寄与分、遺産分割の仕方などについて定めています。

■**相続の承認・放棄** 相続は権利であって義務ではありません。したがって、相続を承認あるいは放棄することができます。ただし、相続財産の一部を費消したような場合には、相続を承認したものとみなされます。

■**財産の分離** 相続人が財産相続を単純相続すれば、遺産と相続人の財産とが混じってしまうのが普通ですから、相続人あるいは被相続人の債権者は思わぬ損害を被る場合があります。こうした場合に、債権者の請求で遺産と相続人自身の財産とを区分け（分離）するのが財産の分離です。

■**その他** 相続編では、相続人の不存在の場合の財産の帰属、遺言の仕方および効力、さらには遺留分（相続人にこれだけは残さなければならない遺産の部分）についての定めをしています。

相続編・早わかり

相続

1 相続の開始・相続回復請求権

相続は死亡によって開始する

882条〜885条

☞相続では、相続人(および相続分)の確定、遺産の確定、遺産分割といった手続きが必要である。

相続が争族にならないように

1 相続法

民法は、その「第5編 相続」で相続についての規定を設けています。これらの規定を総称して、「相続法」と呼びます。

自然人が死亡すれば、その人は権利能力を失うため、その人の有していた権利義務は主体のない無主のものとなってしまうはずです。しかし、民法はこうした無主の権利義務が生じることを認めず、生前その人が有していた権利義務は当然に一定の範囲の親族に承継されることとしました。

この制度が相続であり、この場合の死者を「被相続人」、一定の範囲の親族を「相続人」といいます。

この相続の制度は、旧来より行われていた慣習を民法も是認して法制度として取り入れたものです。

2 相続の意義

相続とは、狭い意味では、人が死亡した場合に、その死者と一定の親族関係にある者が財産上の法律関係を当然に、かつ包括的に承継することをいいますが、これに遺言による財産の処分(「遺贈」)を含めて、広く、人が死亡した場合にその者の財産上の法律関係が他の人に移転することを指して用いられることもあります。

3 相続開始の原因および時期

民法上、相続は、死亡によって開始するとの規定が設けられています。

この規定は、死亡により相続が開始するという意味の他、死亡以外に相続の開始原因はないということをも意味します。もっとも、この場合の死亡には失踪宣告によって死亡とみなされる場合も含まれます。

また、この規定は、相続開始は人が死亡した瞬間であり、被相続人の財産は、その死亡と同時に相続人に移転し、財産が無主の状態になるようなタイムラグは存在しないことを意味します。

したがって、相続人が被相続人の死亡を知らなかったような場合でも、本人の知らないうちに自分に権利義務が承継されることになります。また、死亡と同時の権利の承継であるため、その時に生存している者だけが相続人になれるということも帰結します。

4 相続開始の場所

相続は、被相続人の住所において開始するとされ、相続に関する訴訟の管轄を定める基準は被相続人の住所ということになります。

5 相続回復請求権

「相続回復請求権」とは、真正な相続人でない者が相続の目的たる権利を実際上、侵害している場合に、真正相続人がその表見相続人に対し、その侵害を排除して相続権の回復を請求する権利です。

真正相続人は、このような表見相続人に対し、個別の相続財産ごとに権利行使をすることも可能ですが、この規定により、それとは別に一括して相続財産の回復を請求できることとなります。

相続制度のしくみ

要旨 相続は死亡によって、死亡した人（被相続人）の住所地で開始する。

相続の開始

相続は死亡により、被相続人の住所地において開始する。

- 財産には借金などの負債も含まれている。また、祭具などの祭祀承継については、別途決めることになる。

相続人による共同相続

遺産は、まず相続人が法定相続分に応じて共同で相続する。

- 相続人となれる者は、法定されている。→244ﾍﾟｰｼﾞ参照
- 相続欠格、あるいは廃除により、相続人になれない場合もある。→244ﾍﾟｰｼﾞ参照
- 本当は相続人ではない（表見相続人）のに相続人として相続した場合には、本当の相続人は表見相続人に対して、財産の返還を求めることができる。
- 相続人は相続放棄や限定承認をすることができる。→254ﾍﾟｰｼﾞ参照

遺産分割

遺産分割はどの遺産を相続するか、相続人間で話し合う手続きである。

- 遺産分割は、相続財産の種類および性質、各相続人の年齢、職業など一切の事情を考慮してする、とされている。

話合いがつく / 話合いがつかない

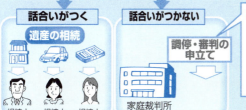

● **家庭裁判所の調停・審判**

相続などの家庭裁判所の事件は、いきなり訴訟を起こすことはできず、家庭裁判所の調停を経なければならないとされている（調停前置主義）。

（相続開始の原因）
第882条 相続は、死亡によって開始する。
（相続開始の場所）
第883条 相続は、被相続人の住所において開始する。

相続 2 法定相続人

886条～895条※
※888条削除

相続人には法定相続人と指定相続人がある

☞法定相続人には、配偶者と血族からなり、子がいれば、まず子(直系卑属)が相続する。

見知らぬ甥姪の相続もある

1 相続人

相続について規定するには、最低限、①誰が(相続人)、②何を(相続財産)、③どのように(相続分、遺産分割)承継するかを決める必要があります。民法は、まず886条以下で相続人について規定しています。

2 法定相続人

民法は、一定範囲内の親族を「法定相続人」とし、当然に相続人となることが予定されている者としています。子、直系尊属、兄弟姉妹および配偶者がこれで、配偶者を除いた前3者を血族相続人と呼びます。すなわち、法定相続人は、血族相続人と配偶者とからなるわけです。

民法はさらに、血族相続人につき、第1順位を子、第2順位を直系尊属、第3順位を兄弟姉妹というように順位を付し、先順位者が生存する場合、後順位者は相続人とはならないものとして、実際の相続の場面での優先関係を定めます。すなわち、第1順位の子が存在している場合は、血族相続人では子のみが相続人となり、子が存在しない場合に初めて、第2順位の直系尊属が相続人となり、兄弟姉妹は、第1順位者も第2順位者も存在していない場合に初めて相続人となるわけです。

血族相続人以外の法定相続人、すなわち、被相続人の配偶者は、常に相続人となります。すなわち、血族相続人が存在しているときは、その者と同順位で相続人となり、血族相続人が存在していないときは単独で相続人となります。

以上、法定相続は①第1順位者への相続、②第2順位者への相続、③第3順位者への相続、④配偶者単独相続の4つのパターンがあることになります。

3 代襲相続

「代襲相続」とは、相続人となるべき者が相続開始時に死亡その他の事由により相続権を失っているとき、その者の直系卑属(代襲者)が、その者と同一順位で相続人となる場合です。例えば、被相続人の唯一の子がすでに死亡していた場合、すぐに第2順位の直系尊属が相続人となるわけではなく、子の直系卑属(被相続人の孫等)がいれば第1順位の相続人として代襲することになります。

4 相続の欠格、廃除

「相続欠格」とは、本来なら相続人となれるはずの者について、相続させることが一般人の法感情に反するような事情があるとき、法律上当然に相続人の資格を失わせる制度です。例えば、被相続人の子が被相続人を殺害して刑の執行中であるような場合、この子は相続欠格者として、相続人資格を奪われることになります。

一方、「廃除」とは、被相続人が推定相続人に相続させることを欲しないとき、家庭裁判所に請求してその者の相続権を奪う制度です。この廃除が認められるのは、推定相続人に被相続人に対する虐待や著しい非行があった場合などに限られます。

相続人のしくみ

要旨 配偶者は常に法定相続人となり、被相続人の血族は第1順位から第3順位まで、相続人となれる人の順位が定められている。

第1順位の相続人

親族図→201ページ参照

配偶者（常に相続人） ＋ 被相続人の直系卑属（子・子・子）

※配偶者は常に相続人になる

- 被相続人の死亡以前に、子がすでに死亡している場合は、その直系卑属が代襲相続する。
- 配偶者がすでに死亡している場合は、直系卑属が全遺産を平等に相続する。

第1順位の相続人がいない場合は、第2順位の相続人となる。

第2順位の相続人

配偶者（常に相続人） ＋ 被相続人の直系尊属（父・母）

- 父母がすでに死亡している場合は、祖父母等に遡って直系尊属が相続する。
- 父母の片方のみが生存している場合は、その生存者が相続人となる。
- 配偶者がすでに死亡している場合は、直系尊属が全遺産を相続する。

第2順位の相続人がいない場合は、第3順位の相続人となる。

第3順位の相続人

配偶者（常に相続人） ＋ 被相続人の兄弟姉妹

- 兄弟姉妹がすでに死亡している場合は、その子（おい・めい）が代襲相続する。
- 配偶者がいない場合は、兄弟姉妹が全遺産を相続する。
- 兄弟姉妹およびその子がいない場合は、配偶者が全遺産を相続する。

法定相続人がいない場合は、特別縁故者に財産が分与され、特別縁故者もいない場合は国庫に帰属する。

相続欠格と廃除

- 欠格：相続人 ← 殺害行為・遺言に関する不正行為など → 被相続人（法律上当然に）
- 廃除：被相続人 ← 虐待・重大な侮辱・著しい非行 → 相続人（家庭裁判所に請求）
- 相続人になれない（ただし、代襲相続人がいれば代襲相続）

（相続に関する胎児の権利能力）
第886条① 胎児は、相続については、既に生まれたものとみなす。
② 前項の規定は、胎児が死体で生まれたときは、適用しない。
（子及びその代襲者等の相続権）
第887条① 被相続人の子は、相続人となる。（②③略）
（配偶者の相続権）
第890条 被相続人の配偶者は、常に相続人となる。この場合において、第887条又は前条の規定により相続人となるべき者があるときは、その者と同順位とする。

相続 3 相続の一般的効力

相続人が被相続人の財産の一切を承継する

一身専属権は対象外

896条〜899条

☞相続が開始されると、相続人は、相続分に応じて自動的に財産を承継（共有）する。

1 相続の一般的効力

896条は、相続で①誰が、②何を、③どのように承継するかのうちの②の「何を」承継するかの問題に対し、相続により相続人は、原則として、相続開始のときから「被相続人の財産に属した一切の権利義務」を承継するものとしています。

財産に属した一切の権利義務ですので、非財産的な権利、例えば、扶養請求権等は相続による承継の対象とはなりません。また、896条はただし書で、「被相続人の一身に専属したものは、この限りでない」ともしていますが、この帰属上の一身専属権（例えば、代理人の地位等）は、当事者が死亡すると同時に主体を失って、消滅してしまうものですから、相続による承継の対象とならないのは当然ともいえましょう。

結局、相続の対象は、一身専属的でない財産的権利義務全体となります。

2 遺産の共有

では、相続制度における①誰が、②何を、③どのように承継するかのうちの③の「どのように」承継するかについてはどのように規定されているのでしょうか。

相続人が1人のみである場合を「単独相続」、2人以上いる場合を「共同相続」といいますが、単独相続の場合は、1人の者が相続財産を包括的に単独で承継することで特に問題はありません。

問題は相続人が複数いる場合の共同相続で、この場合、具体的な個々の相続財産は相続開始後、いったん相続人全員の「相続分」（後述）に応じた共有となり、その後、遺産分割の手続きを経て、最終的に個々の財産が各相続人に帰属することになります。

ところで、この相続の開始から遺産分割に至るまでの過渡的な相続財産ないし遺産の「共有」ということについての法律的性質についての議論がしばしばなされます。これについて、①共有物分割請求権が認められていないことや、②その後に予定されている遺産分割に遡及効があることなど、249条以下の「共有」とは異なる「合有」として理解すべきとする説も有力ですが、判例は一貫して249条以下の共有と性質を異にするものではないとする立場をとっており、不動産登記の手続きにおいても共同相続の登記は通常の共有の登記の扱いです。

なお、最近の法改正（次☞最近の法改正参照）で、相続財産の保存等、共同相続の規定が見直されました。

3 権利・義務の承継の割合

共同相続の場合、各共同相続人は、その相続分の割合に応じて、被相続人の権利義務を承継します。したがって、可分債権の場合、相続分の割合に応じて当然に分割されて承継されますが、預貯金は最高裁の判例変更により遺産分割の対象となりました。これに対し、不可分債権の場合は、共同相続人全員に債権が帰属し、共同して、あるいは各債権者が総債権者のために履行を請求することができることになります。

相続財産のしくみ

要旨 相続人は、被相続人の財産に属する一切の権利・義務を承継する。ただし、一身専属権は承継しない。

●遺産

被相続人（死亡した人）

財産
- プラス財産（不動産、預貯金、動産）
- マイナス財産（借用書）
- 祭祀財産（お墓・仏具など）

●一身専属権
その人のみに属する権利・義務で相続の対象とはならない。
〔例〕
・個人間の信用を基礎とする代理権
・雇用契約に基づく労働義務
・委任契約に基づく事務処理義務

一身専属権

身分権
- 扶養を受ける権利、夫婦間の契約取消

財産権
- 委任義務・権利、身元保証債務、信用保証債務

相続されない権利 → 一身専属権

相続財産 → 移転 → 相続人

共有
相続人 相続人 相続人
共同相続

相続財産の計算

遺産総額 ＝ プラス財産（祭祀は除く）－ マイナス財産（借金など）＋ 特別受益の金額 － 寄与分（次項参照）

●特別受益と評価額
これは、相続人が被相続人から生前に贈与されたもので、以下の場合に特別受益となる。
①物の贈与を受けた場合……相続開始時の時価。
　（例）家・土地など
②お金の贈与……その金額
　（例）開業資金、大学進学の費用、マイホーム資金など
※特別受益分は、特別受益のあった人の相続分から差し引き、残りが相続される。

●祭祀承継
祭具および墳墓の所有権は、特別財産として取り扱われ、祭祀承継として慣習によって祖先の祭祀を預かる者に承継される。
承継人が決まらない場合は、家庭裁判所に決めてもらう。

●単独相続と共同相続
相続人が1人しかいない場合は、その人が全財産を相続する。これを単独相続という。
相続人が複数いる場合は、共同相続人となり遺産分割までは相続人の共有とされる。この遺産分割までの関係を共同相続という。

◆**最近の法改正** 共同相続の見直し（897条の2・898条2項）**令和5年4月1日施行**
共同相続で共有の相続財産を処分する場合、相続人の1人が相続人全員の同意を得る前に単独でその持分などを第三者に譲渡できるため、利害関係人が損害を被ることもあります。そこで、令和5年4月1日施行の改正法（令和3年法律第24号）は共有制度（80・82 ☞参照）を見直すとともに、相続においても利害関係人や検察官の請求により家庭裁判所が相続財産の保存に必要な処分を命ずることができる規定が新設されました（897条の2）。共有制度を適用する場合は、各相続人の共有持分を900条から902条の規定に定める持分とすることも明文化されています（898条2項）。

相続 4 相続人の相続分

遺言がない限り、法定相続分となる

900条〜905条

☞各相続人により、相続分は法定されていて、この相続分を変えることはできない。

ワガママは通らない

1 相続分の意義

「相続分」とは、共同相続の場合における各共同相続人が遺産を承継する割合をいいます。相続分は、被相続人の遺言による指定がない限り、法律の規定によって定まります（「法定相続分」）。

2 法定相続分

各共同相続人の法定相続分の割合は、同順位者間では均等であるのが原則ですが、配偶者が血族相続人（第1～第3順位）とともに相続人となる場合はやや複雑です。

①第1順位者（子）への相続の場合、子と配偶者の相続分はそれぞれ2分の1であり、子が数人あるときは子の相続分をさらに均等に分けます。子の中に非嫡出子がいる場合、旧規定では、非嫡出子の相続分は嫡出子の2分の1となっていましたが（900条4号ただし書）、最高裁判所の違憲判決後法改正が行われ、同規定は削除され嫡出子と非嫡出子の相続分は同等となりました。

②第2順位者（直系尊属＝父・母など）への相続の場合、配偶者相続分が3分の2、直系尊属の相続分が3分の1となります。

③第3順位者（兄弟姉妹）への相続の場合、配偶者の相続分が4分の3、兄弟姉妹の相続分が4分の1ですが、半血（異父母）の兄弟姉妹の相続分は全血の兄弟姉妹の相続分の2分の1とされます。

なお、代襲相続のある場合、代襲相続人の相続分は被代襲者の相続分と同じです。

3 指定相続分

被相続人は、遺言で法定相続分と異なる相続分の割合を指定し、または、第三者に指定の委託をすることができ、これを「相続分の指定」といい、この指定によって定まる相続分を「指定相続分」といいます。

この指定は、遺留分に関する規定に違反することはできませんが、違反した場合でも、この指定が当然に無効となるものではなく、被侵害者の遺留分侵害請求の対象となり得るに止まります。

4 相続分の修正

法定相続分や指定相続分をそのまま適用すると、共同相続人間に不公平が生じる場合があります。そうした不公平を是正するように定められたものが特別受益者の相続分と寄与分です。

「特別受益者」とは、被相続人から生前生計の資本として贈与を受けた者などをいいます。この者の相続分は本来の相続分から受益分を控除して算定されます。

「寄与分」とは、被相続人の財産の維持または増加に特別の寄与をした共同相続人があるとき、その者の本来の相続分に一定の加算をして相続分を算定するものです。

なお、平成30年改正法は無償の療養看護者等に特別寄与の制度を新設しています。

5 相続分の譲渡

相続分は、譲渡することもでき、この場合、譲受人は共同相続人の地位そのものを取得することになります。

法定相続分のしくみ

要旨 法定相続分は、第何順位の相続が行われるかによって異なる。また、寄与分がある場合は、法定相続分にプラスして相続する。

● 第1順位の相続人
245㌻参照

〔配偶者と直系卑属が相続人〕

・相続分は→配偶者……$\frac{1}{2}$
　　　　　　子…………$\frac{1}{2}$

※1 子が数人いるときは、子の相続分の$\frac{1}{2}$を平等に分割する。
※2 配偶者が被相続人より前に死亡しているときは、子のみが全遺産を相続する。
※3 子がすでに死亡し孫がいるときは、孫が代襲相続する。
※4 「非嫡出子の相続分は嫡出子の$\frac{1}{2}$」との規定を、最高裁は違憲とした（平等）。

● 第2順位の相続人

〔配偶者と直系尊属が相続人〕

・相続分は→配偶者……$\frac{2}{3}$
　　　　　　直系尊属…$\frac{1}{3}$

※1 父母が両方いるときは相続分の$\frac{1}{2}$を平等に相続する。
※2 父母の双方がいなければ、祖父母が相続する。
※3 配偶者が被相続人より前に死亡しているときは、父母など直系尊属が全遺産を相続する。

● 第3順位の相続人

〔配偶者と兄弟姉妹が相続人〕

・相続分は→配偶者……$\frac{3}{4}$
　　　　　　兄弟姉妹…$\frac{1}{4}$

※1 兄弟姉妹が数人いるときは、相続分の$\frac{1}{2}$を平等に分割する。
※2 配偶者が被相続人より前に死亡しているときは、全遺産を兄弟姉妹が平等に相続する。
※3 兄弟姉妹のうち誰かがすでに死亡しているときは、その子（おい・めい）が代襲相続する。
※4 兄弟姉妹およびその子（おい・めい）もいないときは、配偶者が全遺産を相続する。

▷配偶者には「配偶者居住権」が改正法により新設されました（268㌻参照、令和2年4月1日施行）。

（法定相続分）
第900条 同順位の相続人が数人あるときは、その相続分は、次の各号の定めるところによる。
1　子及び配偶者が相続人であるときは、子の相続分及び配偶者の相続分は、各2分の1とする。
2　配偶者及び直系尊属が相続人であるときは、配偶者の相続分は、3分の2とし、直系尊属の相続分は、3分の1とする。
3　配偶者及び兄弟姉妹が相続人であるときは、配偶者の相続分は、4分の3とし、兄弟姉妹の相続分は、4分の1とする。
4　子、直系尊属又は兄弟姉妹が数人あるときは、各自の相続分は、相等しいものとする。ただし、父母の一方のみを同じくする兄弟姉妹の相続分は、父母の双方を同じくする兄弟姉妹の相続分の2分の1とする。

相続 5 遺産分割の方法

相続分に応じた遺産分けが必要

906条～914条

☞各相続人は、相続分に応じた遺産分割協議をするが、話合いがつかなければ家裁に調停の申立てをする。

各人の事情も考慮する

1 遺産分割の意義

「遺産分割」とは、共同相続の場合に遺産を構成する相続財産を分割して、各相続人の単独所有とすることをいいます。

ここまで、相続によって、相続人が相続財産を承継するのは相続分に応じてであり、相続開始後、相続財産は相続分に応じた遺産共有状態になることを見てきました。しかし、民法は、この遺産共有状態は過渡的な状態であり、最終的にはこの遺産分割手続きを経て具体的に個々の財産が各相続人に分配されることによって、相続による承継が最終的に終了することを予定しています。個々の財産がいつまでも共有状態のままであるのは法律関係がいたずらに複雑となってしまうため、相続人間で財産関係を整理させ相続が最終的に終了することが望ましいとの考慮に基づくものです。

遺産分割は、遺産を構成する相続財産のすべてを一括して分割する手続きであって、個々の財産について共有関係を解消する共有物分割とは異なります。

2 遺産分割の遡及効

遺産分割の効力は、相続開始の時に遡って生じます。すなわち、各相続人は、遺産分割によって取得した財産を相続開始のときに被相続人から直接承継したものとして取り扱われます。通常の共有物分割は分割時から将来に向かって持分移転の効力が生じます（「移転主義」）が、遺産分割の場合は、効力が遡及するとの「宣言主義」がとられているわけです。

これも遺産共有状態と249条以下の共有との性質の違いの1つといえます。

なお、遺産分割前の遺産の処分および預貯金債権の行使については平成30年の改正法によって特則が設けられ、共同相続人は単独で一部預貯金の払戻しが可能となりました（相続開始時の預貯金額×1/3×法定相続分まで。金融機関1行150万円が限度）。

3 遺産分割と第三者

遺産分割の遡及効を認めるとなると、第三者との利害調整が問題になってきます。民法はこの点につき、「遺産分割は第三者の権利を害することはできない（909条ただし書）」との規定を置き、遡及前に出現した第三者を保護する旨定めています。

では、遡及後に出現した第三者はどうでしょうか。例えば、A、B2人の子が相続人の場合、相続財産である甲不動産をAが単独所有者とする旨の遺産分割があった後に、Bから相続分である甲不動産の2分の1を譲り受けたCは保護されるかです。

この問題につき、最高裁判所は、遡及効といっても相続人がいったん取得した権利が分割時に新たな変更を生ずるものと実質的には異ならないという実質に着眼して、分割後の第三者に権利取得を対抗するには登記が必要と判示しました。

なお、令和5年4月1日施行の改正法で、遺産分割禁止の規定が見直されています（次☞最近の法改正参照）。

遺産分割のしくみ

要旨 遺産分割は、共同で相続した共有財産を相続人に個々に分ける手続きである。

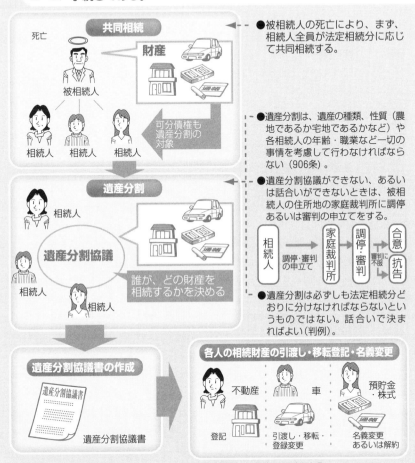

（遺産の分割の基準）**第906条** 遺産の分割は、遺産に属する物又は権利の種類及び性質、各相続人の年齢、職業、心身の状態及び生活の状況その他一切の事情を考慮してこれをする。

◆最近の法改正☞ **遺産分割の禁止の見直し**（908条）　令和5年4月1日施行

　共有する相続不動産の活用方法や分割方法をめぐり共同相続人間の協議がまとまらない場合、相続人が自分の相続分を第三者に譲渡してしまうと、その後の相続不動産の活用などで問題が生じます。遺産分割協議にあたり、共同相続人間で一定期間共有不動産の分割禁止を取り決めておくといいでしょう。従前の民法では、遺産分割禁止は被相続人が遺言で指定する場合にだけ認められていました。しかし、令和5年4月1日施行の改正法（令和3年法律第24号）によって、共同相続人も5年以内の期間で遺産分割禁止の契約ができることになったのです（更新可。ただし、相続開始から最長10年以内）。

相続 6 相続の承認・単純承認

相続の承認・放棄は自由にできる

915条〜921条

☞相続の開始を知ったときから3か月以内に相続放棄も限定承認もしないと単純承認とみなされる。

単純承認すると後で取り消せない

1 相続の承認および放棄

相続による権利義務の承継は、被相続人の死亡と同時に当然に生じます。では、この承継を相続人の側で拒絶することは一切できないのでしょうか。

民法の相続の制度では、相続人の側の意思をも尊重することにし、一定の要件のもとで、承継するかしないか、どのように承継するかを選択する権利を有するものとしました。これが相続の承認および放棄という制度で、相続人には、①相続人が被相続人の権利義務を無限定・無条件に承継する「単純承認」、②承継する積極財産（プラス財産）の限度で相続債務や遺贈を弁済する責任を負うという留保を付ける「限定承認」、③一切の相続財産の承継を拒否する「相続放棄」という3つの選択肢があります。

2 承認・放棄の方法

相続の承認・放棄は、相続という身分法上の行為ではありますが、財産の承継という財産法的側面もあるため、財産法上の行為能力が必要とされています。したがって、未成年者の場合は、法定代理人の同意を得てするか、法定代理人が代理して行わなければなりません。

承認・放棄のできる時期は、原則として、自己のために相続の開始があったことを知った時からの3か月の間に限られ（「熟慮期間」）、相続開始前にあらかじめなされた承認・放棄は無効とされます。この相続開始前の承認・放棄が無効とされるのは、被相続人の影響力による強制を排除する趣旨と説明されています。

相続人がいったん承認または放棄のいずれかをしたときは、たとえ熟慮期間が経過する前であっても、撤回できません。承認されるか放棄されるかの不確定な状態が確定された以上、それをまた不確定な状態に逆戻りさせることを許さない趣旨です。

また、第1編総則、第4編親族の規定により、取消しができる場合がありますが、これは追認をすることができるときから6か月間行使しないと時効で消滅します。

3 単純承認の種類

承認・放棄もしないまま熟慮期間が経過すれば単純承認したことになります。相続の場合は承認することが原則であり、放棄する権利を行使しなかった以上、その放棄権を失うというわけです。

この他に、相続人が積極的に意思表示することによって成立する法律行為としての単純承認があり得るかについては判例はこれを肯定しています。放棄や限定承認する権利を積極的に放棄することも可能というわけです。

積極的な単純承認の意思表示がなされたわけではありませんが、第三者から見れば単純承認があったと思われるような一定の行為がなされたときには、相続人は単純承認をしたものとみなされます（「法定単純承認」）。たとえば、相続人が相続財産の一部を処分したような場合です。

相続の承認・放棄 のしくみ

　相続人は、相続の単純承認・放棄・限定承認（相続人全員でする必要がある）をすることができる。

相続人

※単純承認するか、相続放棄をするか、限定承認にするか、相続開始を知ったときから3か月間の熟慮（考慮）期間がある。

単純承認
- 相続人が相続財産の承継を全面的に受け入れること。下記の相続放棄や限定承認と異なり、特別の手続きは不要。
  ① 相続の開始を知ったときから3か月（熟慮期間）が経過したとき
  ② 相続財産の一部または全部を費消したとき・など

相続放棄
- 相続放棄は家庭裁判所に審判の申立てをして決定を得ることにより、初めから相続人でなかったことになる。マイナスの相続財産が多いときなどになされる。なお、相続放棄をすると、相続放棄をした人の相続分は他の相続人へ行くので、注意が必要。また、この手続きは、相続開始を知ったときから3か月以内にしなければならない。

限定承認
- 限定承認は、家庭裁判所に審判の申立てをして、決定を得ることにより、被相続人の財産のうちプラスの財産の範囲内で相続するというものである。つまり、プラスの財産からマイナス財産を差し引き、プラスであれば相続、マイナスであれば相続しても自己の財産で責任を負わないことである。相続人にとっては、いちばん有利だが、相続開始を知ったときから3か月以内に相続人全員で申立てをする必要がある。

●相続分皆無証明書
相続分皆無証明書は、自分に相続分が無いことを証明する文書。
実質的には相続放棄をしたのと同じ効果が得られるので、相続登記の際などに便法として利用されている。

（相続の承認又は放棄をすべき期間）
第915条① 相続人は、自己のために相続の開始があったことを知った時から3箇月以内に、相続について、単純若しくは限定の承認又は放棄をしなければならない。ただし、この期間は、利害関係人又は検察官の請求によって、家庭裁判所において伸長することができる。
② 相続人は、相続の承認又は放棄をする前に、相続財産の調査をすることができる。
（相続人による管理）
第918条 相続人は、その固有財産におけるのと同一の注意をもって、相続財産を管理しなければならない。ただし、相続の承認又は放棄をしたときは、この限りでない。
（相続の承認及び放棄の撤回及び取消し）
第919条① 相続の承認及び放棄は、第915条第1項の期間内でも、撤回することができない。
② 前項の規定は、第1編（総則）及び前編（親族）の規定により相続の承認又は放棄の取消しをすることを妨げない。（③④略）
（単純承認の効力）
第920条 相続人は、単純承認をしたときは、無限に被相続人の権利義務を承継する。

相続 7

相続の限定承認・放棄

マイナスの財産が多い場合に活用できる

922条～940条

☞限定承認も相続放棄も家庭裁判所に申述して行う必要がある。

相続放棄では思わぬ人に財産がいく

1 相続人の単純承認の回避

相続人の意思により、単純承認を回避する手段として、①限定承認と②放棄とがあります。この2つの手段は相続人の意思を尊重し、包括的承継という相続の原則を破るものですから、その成立は慎重になされるべく、ともに家庭裁判所の審判が必要です。

2 限定承認

「限定承認」とは、相続によって得た財産の限度においてのみ被相続人の債務および遺贈を弁済すべきことを留保して承認することをいいます。限定承認も承認の一種として、相続人の被相続人に属した一切の権利義務の承継という効果は生じますが、その承継した債務の引当となる責任財産が相続によって得た積極財産(プラスの財産)の限度に限定され、自らの固有財産には及びません。相続人にとって、相続財産のうち積極財産と消極財産(債務など)のどちらが多いかが判然としないような場合に意味のある制度といえます。

限定承認をするには、考慮期間中に相続財産についての財産目録を調製し、これを家庭裁判所に提出して限定承認する旨の申述をしなければなりません。また、共同相続人が限定承認をするには、相続人全員が共同でする必要があります。複数の相続人のうち、1人だけの限定承認を許すと、遺産分割によってその者に消極財産をすべて承継させて相続債権者(相続財産に対して債権がある人)をいたずらに害することを回避する必要があるからです。

3 相続の放棄

「相続の放棄」とは、相続の効果を否定する相続人の単独行為をいいます。

相続放棄をした者は、その相続について初めから相続人にならなかった者とみなされ(遡及的効力)、したがって、第1順位者(子)が全員放棄した場合は、第2順位者への相続となりますし、放棄をした者は遺産分割に参加する資格もありません。

放棄をしようとする者は、考慮期間内に、家庭裁判所に申述をなし、申述受理の審判によって相続の放棄が成立し、ただちに効力が生じます。

4 相続放棄と第三者

相続放棄の遡及的効力(前述)と第三者(相続人以外の人)の関係は、ここでも問題となります(遺産分割⇨250㌻参照)。

相続放棄の場合、この遡及的効力は絶対的で、遺産分割と異なり、放棄前の第三者であっても保護されることはありません。

また、相続放棄後の第三者も、無権利者からの権利取得とされ、放棄により単独所有となった者は、登記がなくてもその第三者に対抗できます(判例)。

放棄の場合は遺産分割と比べて第三者の保護が薄いわけですが、これは放棄は考慮期間が法定され、放棄前の第三者出現の可能性が低いこと、放棄は家庭裁判所の審判がなされるため、放棄後の第三者は放棄の有無の確認が可能であること等によります。

相続の限定承認・放棄 のしくみ

限定承認は、積極財産（プラスの財産）を限度とする承認であり、相続放棄は最初から相続人でなかったことにする手続きである。

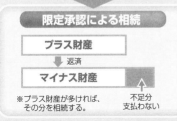

●「相続の開始を知ったときから3か月以内」とは…

以前は「相続開始3か月以内」となっていたため、債権者は3か月間債権があることを黙っていて、3か月が経過してから請求するケースが多かった。そこで、相続の開始を知ったときからに改められた。
つまり、「相続人が相続開始原因（被相続人の死亡など）を知り、かつ、自身が相続人となったことを知ったとき」から3か月である。

※配偶者の分が増えるわけではない。また、子が1人の場合は相続放棄により第2順位の相続（244㌻参照）となる。借金も同様に相続。

※相続放棄をすると、思わぬ人に遺産（債務の場合もある）が行く場合があるので注意が必要。

（限定承認）
第922条 相続人は、相続によって得た財産の限度においてのみ被相続人の債務及び遺贈を弁済すべきことを留保して、相続の承認をすることができる。
（相続の放棄の効力）
第939条 相続の放棄をした者は、その相続に関しては、初めから相続人とならなかったものとみなす。

相続 8 財産分離とその方法

相続財産を特別財産として管理・清算

941条〜950条

☞この制度は、相続債権者、受遺者、相続人の債権者を保護する制度だが、あまり利用されてはいない。

被相続人の債権者などを保護

1 財産分離

相続による財産の承継は、被相続人の債権者や相続人の債権者に大きな影響を与えます。例えば、X（被相続人）からAに単独相続が生じた場合、Xの債権者Bにとっては、債務者がXからAに変わったことにより、債権回収のリスクに変動を生じますし、同じように、AがXの消極財産（債務など）を承継することにより、Aが無資力に転化し、Aの債権者CはAに対する自らの債権回収を図れなくなる危険が生じることになります。

「財産分離」とは、このように、相続債権者（被相続人の債権者など）や相続人の債権者を保護するため、相続財産と相続人の固有財産とが混合することを避け、相続財産を分離、管理・清算する手続きをいいます。

相続人が限定承認または相続放棄をしない限り、相続財産と相続人の固有財産とは混合し、そのすべてが相続債権者・受遺者および相続人の債権者の責任財産となるのが原則です。しかし、このことは、相続人の固有財産が債務超過に陥っている場合には相続債権者・受遺者にとって不利益であり、相続財産が債務超過に陥っている場合には相続人の債権者にとって不利益です。

そこで、このような不利益を回避するために、相続債権者・受遺者または相続人の債権者の請求によって財産分離をすることが認められています。財産分離を請求する主体が相続債権者・受遺者か相続人の債権者かによって、第1種財産分離と第2種財産分離とに分かれます。

2 第1種財産分離

相続債権者または受遺者の請求によって行われる財産分離を「第1種財産分離」といいます。相続債権者または受遺者は、相続開始の時から3か月以内に、家庭裁判所に第1種財産分離の請求をすることができ、家庭裁判所は分離の審判において相続財産の管理に必要な処分を行い、相続財産の清算の手続きが行われます。

なお、第1種財産分離においては、不動産については登記をしなければ第三者に対抗することができません。財産分離の審判が行われると、相続人は相続財産を処分することができなくなりますが、不動産については、そのような処分の制限を公示しておかないと、相続債権者や受遺者は相続人からの譲受人などに対して分離の効果を主張することができなくなります。

3 第2種財産分離

相続人の債権者の請求によって行われる財産分離を「第2種財産分離」といいます。

相続人の債権者は、相続人が限定承認をすることができる間（熟慮期間）、または、相続財産と相続人の固有財産が混合しない間は、家庭裁判所に第2種財産分離の請求をすることができ、その手続き・効果については、限定承認および第1種財産分離と同様とされています。不動産について登記が必要な点も同様です。

財産分離のしくみ

要旨 財産分離とは、相続開始によって相続財産と相続人固有の財産が混合することを防ぐ制度である。

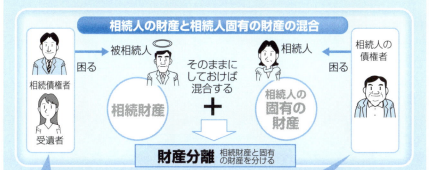

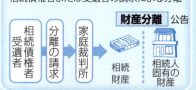

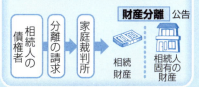

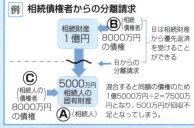
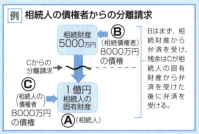

※実際には、破産制度が先行してあまり利用されていません。

（相続債権者又は受遺者の請求による財産分離）
第941条① 相続債権者又は受遺者は、相続開始の時から３箇月以内に、相続人の財産の中から相続財産を分離することを家庭裁判所に請求することができる。相続財産が相続人の固有財産と混合しない間は、その期間の満了後も、同様とする。（②③略）

（財産分離の効力）
第942条 財産分離の請求をした者及び前条第２項の規定により配当加入の申出をした者は、相続財産について、相続人の債権者に先立って弁済を受ける。

相続 9 相続人の不存在と相続財産

相続人がいるかどうかわからないとき

951条〜959条

☞相続人の存否確認のための捜索が行われ、不存在が確定すれば、特別縁故者への分与等が行われる。

最終的には国のもの

1 相続人の不存在と特別縁故者

ある人が死亡した場合、その人に身寄りが全くなく、相続人がいないような場合、相続はどうなるのでしょうか。民法は、生前被相続人と生計を同じくしていた内妻等被相続人と特別の縁故がある者がいた場合、その縁故者の請求により家庭裁判所の相続財産分与の審判が行われ、相続財産はその特別縁故者に帰属するものとしています。

では、この特別縁故者もいない場合やこの縁故者が請求をしない場合はどうなるのでしょうか。この場合も民法は無主の財産が生じることを避け、この財産は最終的に国庫に帰属するものとしています。

2 相続人の不存在の手続き

一見して相続人が存在しないと思えるような場合でも、その者にどこかに隠し子があった場合等はその者に相続権があることになりますので、被相続人の財産を特別縁故者や国庫に帰属させるにあたっては慎重に手続きを進める必要があるでしょう。

そこで、民法は相続人のあることが明らかでないような場合の手続きを厳格に定めています。相続人不存在の場合、一方では相続人を捜索する必要があるとともに、他方でそれと並行して相続債権者・受遺者などへの弁済を行う手続きも必要となります。こうした要請に応えるため、民法は、相続財産を財団法人化し、家庭裁判所の選任する「相続財産清算人」をその法人の代表者の地位につけ、上記の手続きを行わせることにしています。

3 相続人不存在の具体的な手続きの流れ

相続人不存在の場合の手続きとしては、①相続開始→②相続財団法人の設立→③相続財産清算人の選任→④清算人の選任・相続権を主張すべき旨の公告（952条2項）→⑤相続債権者・受遺者に対しての権利の申出をなすべき公告（957条1項）→⑥相続債権者・受遺者への弁済→⑦相続人の失権→⑧特別縁故者への財産分与→⑨相続財産の国庫帰属という流れとなります（次ﾟ最近の法改正参照）。

④の公告期間内に相続人が現れたときは、相続財産法人は存立しなかったものとみなされます。しかし、取引の安全を保護するため、この効力は遡及しないものとし、法人の代表者であった相続財産清算人の権限は相続人が相続の承認をした時から将来に向かって消滅し、それまでに行った行為の効力は妨げられないものとされています。

4 958条の2（特別縁故者に対する相続財産分与）と255条（共有者の死亡）

共有者の1人が相続人なくして死亡した場合に、その共有持分が255条によって他の共有者に帰属するか、それとも958条の2によって特別縁故者に分与されるのか、255条と958条の2との優先関係が問題となります。

判例は、255条の規定は特別縁故者がいない場合と解して958条の2が優先し、特別縁故者に帰属するとしています。

相続人不存在と財産の行方 のしくみ

第5編 相続　第6章 相続人の不存在

要旨 相続人がいない場合は、相続財産は特別縁故者がいれば特別縁故者に、特別縁故者もいない場合は国庫に帰属する。

相続人がいないと思われている場合でも、被相続人に隠し子がいたり、また、法定相続人に隠し子がいる場合も考えられる。したがって、相続人の捜索は慎重に行われる。

●特別縁故者に該当する人
①被相続人と生計を同じくしていた者
②被相続人の療養看護に努めた者
③その他、被相続人と特別の縁故があった者

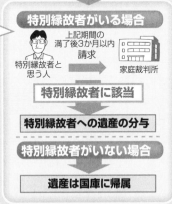

◆最近の法改正☞ **相続人の不存在の見直し**
（952条・957条）　令和5年4月1日施行

　被相続人に相続人がいるかどうか明らかでない場合、家庭裁判所は利害関係人（相続人債権者や受遺者など）や検察官の請求によって相続財産の清算人を選任、相続人の捜索や相続人債権者への弁済に必要な公告などを行います（本文参照）。

　令和5年4月1日施行の改正法で、権利関係の確定までの期間が従前規定より短縮されました。

　なお、利害関係人や検察官の請求によって家庭裁判所は、被相続人の相続財産の調査や財産目録作成を行う人を選任しますが、旧法では「相続財産の管理人」と呼ばれていました。改正法では「相続財産の清算人」と、名称が変わっています。

相続 10 遺言による相続

相続では遺言による指定が優先する

960条～966条

☞遺言は、満15歳になれば誰でもできるが、認知症などで遺言作成時に意思能力がない場合は無効となる。

好きように財産を継がせたい

1 遺言

「遺言」は、人が自己の死亡後の法律関係を定めるために行う要式の法律行為（単独行為）で、遺言者の死亡によって効力を生じるものです。

相続には、大きく法定相続と遺言相続とがありますが、この遺言の制度は、被相続人の意思を一定程度尊重し、遺言によって、相続財産の承継を一定程度被相続人にコントロールさせることを可能としたものです。

2 遺言能力

遺言は相続という財産的側面に関する法律行為ですが、遺言が効力を生じるのは遺言者の死亡した時である以上、遺言の効力発生による不利益から本人（遺言者）を保護する必要はなく、民法は、制限能力者（24☞参照）であっても、法定代理人や保佐人・補助人の同意を得ることなく遺言できることを認めています。

しかし、遺言も意思表示を内容とする法律行為である以上、意思能力は必要であり、この観点から、民法は、画一的に満15歳を遺言能力の取得時期と定めています。

遺言は、人の最終意思の尊重という観点から、代理人によることは認められません。

また、成年被後見人が遺言をするには事理を弁識する能力を一時回復していることが必要であり、そのことを明確にするために医師2人以上の立会いが必要とされています。

なお、遺言の効力発生時期は遺言者が死亡した時ですが、その成立時期は遺言者が方式に従って意思表示をした時であり、前記の遺言能力は、遺言成立時に備わっていることを要し、かつ、それで足ります。

3 遺言の要式性

遺言は厳格な要式行為とされます。効力発生後に本人の真意を確認することはできず、また、他人による改変の可能性も大きいことがその理由です。ここで、一般的な遺言の方式について説明します。

まず、遺言は2人以上の者が同一の書面で共同してすることが許されません。遺言者間の相互干渉や撤回の困難なことが理由とされています。

また、自筆証書遺言以外は、法定の欠格事由のない証人または立会人が必要とされます。

いったん作成した遺言書に加除その他の変更を行うときは、まず、該当箇所に直接変更後の文字などを記入し、その部分に印を押します。次に、変更箇所の付近の余白または遺言書の末尾にどの部分をどのように変更したかを付記し、かつ署名します。この方式に従わない変更は原則無効であり、変更前の内容で遺言としての効力が生じます。

4 遺言事項

遺言は、方式が厳格であるだけでなく、遺言できる行為も法律で厳格に定められています（264☞参照）。

遺言制度のしくみ

要旨 遺言がある場合、法定相続よりも遺言の内容による相続が優先される。遺言の有効性、遺留分侵害が問題となる場合もある。

遺言書の作成

- ●普通方式の遺言
  - 自筆証書遺言
  - 公正証書遺言
  - 秘密証書遺言
- ●特別方式の遺言
  - 危急時遺言
  - 隔絶地遺言

未成年者でも満15歳になれば遺言できる。制限能力者も、後見人・保佐人・補助人の同意なく遺言できる。

遺言の方式に反すると遺言は無効になる。→次項参照

遺言の内容が「兄弟仲良くすること」などは、財産の処分に関係なく、法律上は無意味な内容である。

死亡と遺言の検認

遺言書を保管している者は、遺言者の死亡を知った後、すみやかに遺言の検認を家庭裁判所に申し立てなければならない。ただし、公正証書遺言の場合は不要。
検認の申立てをしないと過料（5万円）に処せられる。

遺言の執行

●遺言執行者が指定されているとき

 遺言執行者 → 遺言の実現 → 遺贈 → 受遺者

※遺言で財産を譲り受ける人を受遺者という。

●遺言執行者が指定されていないとき

利害関係人 → 遺言執行者選任の申立て → 家庭裁判所 → 遺言執行者の選任 → 遺言の実現 → 遺贈 → 受遺者

※遺言執行者を選任しないときは、相続人間の話合いにより遺言が執行されることになる。ただし、認知・相続人廃除の場合は、必ず選任が必要。

（遺言の方式）
第960条 遺言は、この法律に定める方式に従わなければ、することができない。
（遺言能力）
第961条 15歳に達した者は、遺言をすることができる。
（包括遺贈及び特定遺贈）
第964条 遺言者は、包括又は特定の名義で、その財産の全部又は一部を処分することができる。

相続 11 遺言の方式

どんな遺言でもよいというものではない

967条～984条

☞遺言は、厳格な方式が要求されているので、特に本人が書く自筆証書遺言ではトラブルも多い。

せっかくの遺言が無効とならないように

1 遺言の方式の種類

遺言の方式は、大きく普通方式と特別方式に分けられ、普通方式は、さらに、自筆証書遺言、公正証書遺言、秘密証書遺言とに分けられます。特別方式は、さらに、危急時遺言と隔絶地遺言とに分けられ、前者はさらに一般危急時遺言と船舶遭難者遺言、後者はさらに伝染病隔離者遺言と在船者遺言とに分けられます。

2 普通方式遺言

「普通方式遺言」は、自筆証書遺言、公正証書遺言、秘密証書遺言の3種があります。

「自筆証書遺言」とは、遺言者が遺言書の全文、日付と氏名を自書し、これに押印することによって成立する遺言です。最も簡便な方式であり、証人の立会いも不要なため、秘密にしておくことができますが、遺言者自ら遺言書の紛失防止などに留意しなければなりません。

遺言書の内容は全文が自書である必要があります。したがって、他人の代筆はもちろん、パソコンやスマホ、タイプライターを用いての遺言は無効となります。日付も作成年月日を特定するために必要です。

氏名の自書も必要ですが、ペンネーム・通称などの記載であっても本人が特定できる場合は有効です。本人の同一性を確認するため、押印も必要です。ただし、財産目録等の場合はパソコン等の作成でも構いません。

「公正証書遺言」とは、遺言者が口述した遺言内容を公証人が筆記する方式の遺言です。煩雑で費用がかかり、秘密保持も難しいという欠点がある反面、紛失・改変のおそれがなく、検認も不要という長所もあります。

2人以上の証人を伴って公証役場に行くか、または公証人の出張を求め、公証人の面前で遺言内容を口授します。遺言者が言語障害者である場合には、手話通訳、自書によって口授に代えることができます。

「秘密証書遺言」とは、遺言者が自己または第三者の作成した遺言書に署名・押印し、市販の封筒などを用いて封をし、遺言者はその封書を公証人および2人以上の証人の面前に提出し、自己の遺言書である旨を申述し、公証人が日付と遺言者の申述を封紙に記載した後、遺言者、証人、公証人全員で署名・押印することにより遺言として成立するものです。公証役場では保管してくれないので、遺言者側で相続開始までの保管方法を考える必要があります。

3 特別方式遺言

「特別方式遺言」には、死期の迫った者が行う「危急時遺言」と一般社会から隔絶された者が行う「隔絶地遺言」とに分かれます。前者はさらに「一般危急時遺言」と「船舶遭難者遺言」とに分けられ、後者は「伝染病隔離者遺言」と「在船者遺言」とに分けられ、民法上、これらの特別方式遺言について普通方式の要件を緩和した規定がいくつか設けられています。しかし、実際に特別方式遺言の例はほとんどありません。

遺言の方式のしくみ

要旨 遺言の方式には普通方式（①自筆証書、②公正証書、③秘密証書）と、特別方式があり、この方式によらなければ無効となる。

普通方式の遺言の作成

●自筆証書遺言

遺言の全文、日付および氏名を自書し、これに印を押す。印は拇印でもよい（判例）。
自筆証書遺言に相続財産全部または一部の目録を添付する場合には、自書する必要はないが、その目録の各ページに署名押印が必要。（968条2項。下段参照）

●公正証書遺言

① 証人2人以上の立会いがあること。
② 遺言者が遺言の趣旨を公証人に口述。
③ 公証人が遺言者の口述を筆記し、これを遺言者および証人に読み聞かせ、または閲覧させること。
④ 各自がこれに署名・押印。
⑤ 公証人が上記に従って作成した旨を付記し、署名・押印。

●秘密証書遺言

① 遺言書（自筆でも代筆でもよい）を作り、署名・押印する。
② その証書を封筒に入れて封をし、証書に押した印で封印する。
③ この証書を公証人に差し出して、住所・氏名を申し述べる。このとき2人以上の証人が必要。
④ 公証人は、日付と住所・氏名を封書に書き留め、遺言した者、証人、公証人が署名・印を押す。

特別方式の遺言の作成

●臨終間近な者の遺言

① 遺言の趣旨を口頭で述べ、証人（3人以上）のうちの1人が筆記。
② 筆記した証人が遺言の内容を読み聞かせ（または閲覧させ）承認した後、署名・押印。

●伝染病による隔離された者の遺言

① 警察官1人と証人1人以上の立会いによる作成が必要。

●船に乗っている者の遺言

① 船の乗組員や乗客は船長または事務官（職員）1人と証人2人以上の立会いによる作成が必要。

●遭難船で臨終が近い場合

① 2人以上の立会いにより口頭で遺言する（遺言書の作成不要）ことができる。

※方式違いで無効となれば法定相続により遺産は分割される。

◆**自筆証書遺言の方式の緩和**（968条2項）
　従来、自筆証書遺言はその全文を自書する必要があり、財産目録をつける場合もその全文を自書する必要がありました。平成31年1月13日施行の改正法（民法及び家事事件手続法の一部を改正する法律・平成30年法律第72号）はこの要件を緩和し、財産目録をパソコンで作成することを許容しています。ただし、遺言者はその目録の各ページに署名押印をしなければなりません。

相続 12 遺言の効力

遺言は遺言者の死亡の時から効力を生じる

985条～1003条※
※1000条削除

☞有効な遺言があれば、原則としてそのとおりの相続財産の承継がなされる。

受遺者は放棄もできる

1 遺言事項

遺言で定めることが可能な事項としては、遺贈、相続分の指定、推定相続人の廃除等があります。

2 遺贈とは

「遺贈」とは、遺言により無償で財産を与えることをいい、最も重要な遺言事項の1つといえるでしょう。遺贈を受ける者を受贈者といい、この場合、胎児もすでに生まれたものとして扱われます。

遺贈は、財産を与える者の死亡を原因とする点において死因贈与と類似しますが、単独行為であることと遺言の方式による必要がある点で死因贈与と異なります。

遺贈には、受遺者に特定の財産を与える「特定遺贈」と、遺産の全部または一部の分数的割合を与える「包括遺贈」とがあります。また、受遺者に何らの義務を課さない「単純遺贈」と受遺者に負担として一定の義務を課す「負担付遺贈」という区別もあります。

3 特定遺贈

「特定遺贈」とは、受遺者に特定の財産を与えるものです。相続人に相続を承認するか放棄するかの選択の自由があるように、受遺者にも遺贈の承認・放棄の自由があります。この場合は、熟慮期間のような時間的制限もありませんし、家庭裁判所に対する申述などの特別な方式も必要なく、遺贈者の相続人または相続財産清算人等の遺贈義務者に対しての意思表示で足ります。

特定遺贈は、遺言の効力発生と同時に受遺者に所有権が移転します。もっとも、登記がなければ権利を第三者に対抗できないことは通常の場合と同様です。

4 包括遺贈

「包括遺贈」は、受遺者が遺産の全部または一部を包括的に承継する点において、相続人に類似します。民法は包括受遺者は相続人と同一の権利義務があるとしています。具体的には、承認・放棄について相続の承認・放棄の規定の適用を受けることと、遺産分割手続きに参加する権利があることです。

包括遺贈による財産の取得を第三者に対抗するために登記が必要かについて、古く不要説をとった大審院判例もありますが、学説はそろって反対しています。

5 遺言の効力発生時期

遺言は原則として遺言者の死亡の時から効力を生じます。したがって、「甲不動産をAに与える」旨の特定遺贈の場合、遺言者の死亡と同時に甲不動産の所有権がAに帰属します。

もっとも、遺言事項の中には、遺言の効力が発生した後にさらに一定の手続きを要するものもあります。たとえば、財団法人設立のための寄付行為は主務官庁の許可が必要ですし、推定相続人の廃除や取消しは家庭裁判所の審判が必要です。これらの場合、効力発生は、それぞれ主務官庁の許可を経て設立登記がなされたとき、相続人廃除、取消しの審判がなされたときとなります。

遺言の効力のしくみ

要旨 遺言は遺言した人の死亡より効力を生じる。ただし、条件が付いている場合は、その条件が整ったときからである。

遺言の効力発生

遺言の効力は遺言した者の死亡のときから発生する。条件が付いているときはその条件が整ったとき。

⬇

原則として遺言の内容に従って遺贈される。

※話合いがつけば、遺言と異なる遺産分割も有効とされている。

遺言が無効となる場合

① 方式に従わない遺言書

② 遺言の内容が公序良俗違反となる場合

③ 遺言当時、遺言者に行為の是非・善悪を判断する能力（遺言能力）がない場合

●遺言による財産の遺贈

■特定遺贈——受遺者に特定の財産を与える

- 受遺者は遺贈を受ける権利はいつでも放棄できる（986条）。ただし、いったん放棄すると撤回はできない（989条）。
- 利害関係人は、受遺者に対して承認するか、放棄するかの返事を催告することができる（987条）。
- 遺贈を受けた者が承認も放棄もしないで死亡したときは、受遺者の相続人は承認・放棄をすることができる（988条）。
- 受遺者は、その遺贈が支払期にきていないときは、遺贈義務者に対して担保を請求できる（991条）。

■包括遺贈——遺産の全部または何分の1を与えるというように、割合で決めて遺贈する。

包括受遺者

- 包括受遺者は相続人と同じ権利を持つ。
- 包括遺贈を受けた者は、債務（借金など）もその割合で引き継ぐ。

※受遺者は第三者とは限らず、法定相続人の場合もある。

◆法務局における遺言書の保管等に関する法律

自筆証書遺言の作成者の便宜を考えて作られた「法務局における自筆証書遺言の保管制度」について規定した法律（平成30年法律第73号）で、法務局における遺言書の保管と情報の管理に必要な事項を定めています。自筆証書遺言の作成者は法務大臣の指定する法務局（遺言書保管所）に遺言書の保管を申請することができ、その遺言書に関する情報は遺言書保管ファイルで管理されます。一方、遺言作成者の相続人や受遺者らは作成者の死後、全国の遺言書保管所において遺言の保管の有無の調査、遺言書の写し（遺言書情報証明書）の交付請求や遺言書の閲覧ができます（令和2年7月10日施行）。

相続 13 遺言の執行と撤回・無効・取消し

遺言執行者がいればその人が執行

1004条～1027条

☞遺言書の保管者あるいは発見者は、まず、家庭裁判所に検認の申立てをする。

検認を怠れば5万円以下の過料

1 遺言執行の準備

「遺言の執行」とは、遺言の効力発生後に遺言の内容を実現する手続きをいいます。

遺言の執行を適正に行うには、その準備段階として遺言の存在と内容を明らかにすることが必要であり、そのための制度として遺言の検認、開封があります。

公正証書遺言を除いては、遺言の保管者は家庭裁判所に「遺言の検認」の請求をなし、これを受けて家庭裁判所はどのような用紙にどのような筆記用具で何が書かれているか等を調書に記載します。これは一種の証拠保全手続きであり、これを怠っても遺言の効力に影響はありません。また、封印のある遺言では「遺言の開封」というやはり家庭裁判所での手続きが必要です。

2 遺言執行者

「遺言執行者」とは、遺言の執行のために指定または選任された者をいいます。遺言の内容の性質上、その執行を相続人に委ねることが妥当でない事項については、遺言執行者を選任すべきことが個別に規定されています。認知や相続人の廃除・取消しがそれです。それ以外の事項であっても、遺言の内容について相続人が利害関係を有する場合には、遺言執行者によって執行されることが望ましいといえます。

遺言執行者は、相続人の代理人とみなされます。復代理人の選任はやむを得ない事情がある場合か遺言自体で許容された場合に限られます。

3 遺言の撤回

遺言の制度は、遺言者の最終意思を尊重することにその存在意義があるのですから、いったん遺言をした後に遺言者の気が変わったような場合には、初めの遺言（原遺言）の効力の発生が認められないようにできなければなりません。こうした点から、遺言には「撤回」の制度が設けられています。

遺言者はいつでも遺言の方式に従ってすでにした遺言の全部または一部を撤回することができ、撤回する遺言の方式にも制限はありません。例えば、公正証書遺言や秘密証書遺言を自筆証書遺言で撤回することも可能です。

人の最終意思の尊重という点から、この撤回権は放棄することができないものとされ、この撤回の自由は制限を受けることはありません。

4 遺言の無効・取消し

遺言は方式（262㌻参照）に反する場合は無効であり、遺言者が遺言能力を欠く場合も無効です。また、被後見人が後見の計算終了前に、後見人またはその配偶者もしくは直系卑属の利益となるべき遺言をした場合についても、事実上、後見人が被後見人に対して不当な影響を与えるおそれがあるため、その遺言は無効です。なお、遺言も錯誤・詐欺・強迫によってなされた場合は取り消すことが可能ですが、遺言者は自由に遺言の撤回をすることができる以上、その必要性は乏しいといえるでしょう。

遺言の撤回・無効・取消しのしくみ

要旨 遺言は、一定の方式により撤回することができる。

遺言書がある場合の相続手続き

①遺言書がないか調べる
②自筆証書遺言は家庭裁判所に検認の申立てをする
③原則として、遺言書のとおりに遺産を分ける
④遺言執行者が必要な場合もある

遺言の撤回

1 第2の遺言書を作る

新しい遺言書を書けば前の遺言書は撤回したことになる。
同一の遺言の方式による必要はない。
公正証書を自筆証書遺言で撤回することもできる。

2 財産を処分する

指定された財産がなければその部分は撤回されたことになる。

3 遺言書を破棄する

遺言がなかったことになる。なお、前の遺言を復活させる意図の場合は、破棄により前の遺言が復活する。
※たとえ撤回しないと表明していても、この撤回権は失われない。

効力がなくなる

※錯誤・詐欺・強迫により遺言を撤回した場合は、撤回の取消しにより、撤回された遺言が復活する。

遺言の無効

→ はじめから遺言はなかったことになる

①遺言が方式に反する場合
②遺言者が遺言能力を欠く場合
③被後見人が後見終了前に後見人またはその配偶者・直系卑属の利益となるべき遺言をしたとき(966条)
④その他、公序良俗に反する場合

遺言の取消し

→ 取消しにより効力をなくすことができる

錯誤・詐欺・強迫による遺言の場合は、取り消すことができる。ただし、撤回もできるので事実上は無意味。

(遺言書の検認)
第1004条① 遺言書の保管者は、相続の開始を知った後、遅滞なく、これを家庭裁判所に提出して、その検認を請求しなければならない。遺言書の保管者がない場合において、相続人が遺言書を発見した後も、同様とする。(②③略)

(遺言執行者の権利義務)
第1012条① 遺言執行者は、遺言の内容を実現するため、相続財産の管理その他遺言の執行に必要な一切の行為をする権利義務を有する。(②③略)

(遺言の撤回)
第1022条 遺言者は、いつでも、遺言の方式に従って、その遺言の全部又は一部を撤回することができる。

(前の遺言と後の遺言との抵触等)
第1023条① 前の遺言が後の遺言と抵触するときは、その抵触する部分については、後の遺言で前の遺言を撤回したものとみなす。
② 前項の規定は、遺言が遺言後の生前処分その他の法律行為と抵触する場合について準用する。

(遺言書又は遺贈の目的物の破棄)
第1024条 遺言者が故意に遺言書を破棄したときは、その破棄した部分については、遺言を撤回したものとみなす。遺言者が故意に遺贈の目的物を破棄したときも、同様とする。

相続 14 配偶者の居住の権利

配偶者の居住権を保護するための新規定

1028条〜1041条

☞配偶者の居住の権利には、配偶者居住権と配偶者短期居住権とがある。

配偶者の居住は守られる！

1 配偶者居住権の新設

平成30年改正民法で、「第5編相続」第8章として「配偶者の居住の権利」の規定が新設される以前は、配偶者が相続開始時に被相続人所有の建物に居住していた場合、遺産分割において居住権を確保するために当該不動産を相続すると、それと引替えに他の相続財産に対する権利が減少することとなり、配偶者の保護としては不十分なものになっていました。そこで、この規定により配偶者の保護が図られたのです。

2 配偶者居住権

被相続人の配偶者は、被相続人の財産に属した建物に相続開始時に居住していた場合、①遺産分割によって配偶者居住権を取得するとされたとき、②配偶者居住権が遺贈の目的とされたときなどに該当すれば配偶者居住権を取得します。

配偶者が配偶者居住権を取得した場合、その財産的価値に相当する金額は相続したものと扱われ、自己の相続分に充当されます。

例えば、被相続人Xに妻Yと子Aの2名の相続人があり、Xの相続財産が2000万円のXY居住建物と2000万円の預貯金であった場合、配偶者居住権制度の新設以前では、Yが建物を取得する代わりに、Aが預貯金を全て取得することになり、Yの老後の生活が不安となるのに対し、この制度を利用すれば、配偶者居住権の財産的価値が1000万円であるとすれば、Yは1000万円の配偶者居住権と1000万円の預貯金、Aは配偶者居住権の負担付きの建物1000万円相当と預貯金1000万円の相続となり、Yの生活の不安の解消が可能となってきます。

3 配偶者居住権の効力

配偶者居住権者は、その建物の全部について無償で使用・収益をすることができ、これは建物所有者に対する法定の債権ということになります。

配偶者居住権の存続期間は、遺産分割の協議などで自由に定めることができますが、その定めがないときは配偶者の終身の間となります。

配偶者居住権は、譲渡や無断転貸が禁止されます。また、登記が第三者への対抗要件とされています。

4 配偶者短期居住権

なお、改正法は配偶者居住権とは別個に、遺産分割が成立するまでの間の短期的な配偶者の居住権も保障しています。

配偶者は、相続開始時に被相続人の建物に無償で住んでいた場合、以下の期間は居住建物を無償で使用する権利を有します。

①配偶者が居住建物の遺産分割に関与するときは、居住建物の帰属が確定した日、または相続開始から6か月を経過する日のいずれか遅い日までの間（1号配偶者短期居住権）

②遺産分割の当事者とならないときは当該建物の取得者が配偶者短期居住権の消滅を申し入れた日から6か月を経過するまでの間（2号配偶者短期居住権）

配偶者の居住の権利のしくみ

要旨 配偶者が今までの家屋に住めなくなるケースが増えていた。そこで配偶者の居住の権利が制定された。

配偶者の居住の権利

配偶者

配偶者居住権

① **配偶者居住権とは**
　配偶者が相続開始時に居住していた被相続人所有の建物を対象に、配偶者に建物の使用を無償で生涯認めることを内容とする法定権利

② **配偶者居住権の取得方法**
・被相続人の遺言による取得
・相続人の遺産分割での合意
・家庭裁判所の審判で決めてもらう

③ **配偶者居住権のメリット**
・無償（必要経費は除く）で死ぬまで今までどおり生活できる
・配偶者居住権の評価額は、所有権に比べるとはるかに安い。そのため、同じ相続分で、預貯金などの財産を多く取得できる
・居住用不動産は貸す（転貸）こともできる

配偶者短期居住権

① **配偶者短期居住権とは**
　被相続人の財産に属した建物に相続開始の時に無償で居住していた場合には、一定期間無償で居住していた建物に無償で住み続けることができる権利

② **居住期間**
・居住建物について共同相続人間で遺産分割をすべき場合……遺産分割による居住建物帰属が確定した日または6か月
・上記以外の場合……配偶者短期居住権の消滅の申入れの日から6か月を経過する日

③ **配偶者短期居住権のメリット**
　原則として、最低でも6か月間は居住が保障される

（配偶者居住権）
第1028条① 　被相続人の配偶者（以下この章において単に「配偶者」という。）は、被相続人の財産に属した建物に相続開始の時に居住していた場合において、次の各号のいずれかに該当するときは、その居住していた建物（以下この節において「居住建物」という。）の全部について無償で使用及び収益をする権利（以下この章において「配偶者居住権」という。）を取得する。ただし、被相続人が相続開始の時に居住建物を配偶者以外の者と共有していた場合にあっては、この限りでない。
　1　遺産の分割によって配偶者居住権を取得するものとされたとき。
　2　配偶者居住権が遺贈の目的とされたとき。
② 　居住建物が配偶者の財産に属することとなった場合であっても、他の者がその共有持分を有するときは、配偶者居住権は、消滅しない。
③ 　第903条第4項の規定は、配偶者居住権の遺贈について準用する。

相続 15 遺留分とは

兄弟姉妹以外の相続人には遺留分がある

1042条〜1049条

☞遺留分は、相続人に対して、これだけは相続させなければならないという最低の相続分。

遺留分侵害額は請求できる

1 遺留分の意義

「遺留分」とは、一定の相続人に留保された相続財産の一定の割合で、被相続人の生前処分または死因贈与や遺贈によって奪うことのできないものをいいます。

本来、被相続人がその財産を生前にどのように処分するかは自由なはずですが、民法は、相続人に対する生活保障や、相続人の潜在的持分を顕在化させる必要などから、被相続人が自由に処分できる財産の割合に制約を設けています。

2 遺留分侵害額の請求

遺留分を有する相続人が実際に得た相続財産の額が遺留分に達しない状態を「遺留分の侵害」といいますが、民法は遺留分を侵害する被相続人の処分を当然に無効とはせず、遺留分を有する相続人に自己の遺留分を保全するのに必要な範囲でその贈与や遺贈の効力を失効させ、財産の返還を請求する権利(「遺留分侵害額の請求」)を与えるという方法を採用しました。

遺留分侵害額の請求は形成権であり、遺贈、贈与は侵害額の請求の意思表示によって遺留分を侵害する限度で当然に失効し、受贈者または受遺者が取得した権利、義務はその限度で当然に遺留分権利者に帰属します。ただし、請求できるのは遺留分侵害額に相当する金銭の支払いです。

3 遺留分権利者

遺留分権利者は、兄弟姉妹以外の相続人、すなわち、子(代襲相続人も含む)、直系尊属と配偶者であり、兄弟姉妹に遺留分はありません。

4 遺留分の割合

遺留分の割合は、直系尊属のみが相続人であるときのみ、被相続人の財産の3分の1で、それ以外の場合は被相続人の財産の2分の1です。

遺留分権利者が複数存在する場合、各人の遺留分は、法定相続分を基礎に算定します(248㌻参照)。例えば、第1順位者の子3名が配偶者とともに相続人である場合、総体的遺留分の2分の1をさらに、法定相続分に応じて分けます。

子の遺留分…$\frac{1}{2} \times \frac{1}{2}$(法定相続分)$\times \frac{1}{3} = \frac{1}{12}$

妻の遺留分…$\frac{1}{2} \times \frac{1}{2}$(法定相続分)$= \frac{1}{4}$

5 遺留分額の算定

具体的な遺留分額の算定は、まず、被相続人が相続開始時に有していた積極財産の価格を算定し、それに被相続人が相続開始前1年以内に贈与した財産の価額、1年を超えるものでも贈与者、受贈者双方が遺留分権利者に損害を加えることを知ってなしたものの価額すべてを加え、そこから相続開始時の消極財産額を控除した価額に対し、遺留分割合を乗じます。

6 遺留分の放棄

遺留分は相続開始後はもちろん、相続放棄と異なり、相続開始前にも放棄することが認められています。もっとも、被相続人の圧力が懸念されるため、相続開始前の放棄には家庭裁判所の許可が必要です。

遺留分侵害額の請求のしくみ

要旨 法定相続人には、必ず受け取ることができる最小限の相続分があり、これを遺留分といい、侵害があれば請求ができる。

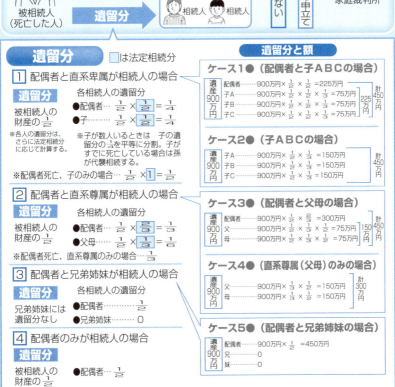

◆遺留分制度の見直し（1046条1項・1047条5項）

　従前規定では、遺留分減殺請求権を行使した場合には相続財産の共有状態が生じました。これについては、事業承継の大きな支障となる、共有持分権の処分が困難である、といった批判がありました。

　令和元年7月1日施行の改正法（平成30年法律第72号）はこうした批判を考慮し、遺留分を侵害された者は遺贈や贈与を受けた者に対し、「遺留分侵害に相当する金銭の請求」をできる（1046条1項）ものとし、遺贈や贈与を受けた者が金銭を直ちに準備することができない場合には、裁判所に対し、「支払期限の猶予を求める」ことができる（1047条5項）、としました。

相続 16 特別の寄与

相続人以外の者への寄与料支払いの拡大

1050条

☞相続人でなくても、亡くなった人の面倒をみた親族は寄与料を請求できる

面倒をみた人は報われるべきだ

1 特別な寄与の制度（親族が対象）

寄与分については、すでに規定があります。904条の2は、寄与分について定め、「共同相続人中に、被相続人の事業に関する労務の提供又は財産上の給付、被相続人の療養看護その他の方法により被相続人の財産の維持又は増加について特別の寄与をした者があるとき」には、その者に寄与分があるとしています。

しかし、これはあくまで、相続人が寄与の対象であり、相続人でない甥や姪、子の配偶者などは対象外です。

これに対して令和元年7月1日に施行された、特別の寄与は、「被相続人に対して無償で療養看護その他の労務の提供をしたことにより被相続人の財産の維持又は増加について特別の寄与をした親族」とし、寄与料の支払いの対象としています。

2 寄与分と特別の寄与料

ちょっと紛らわしいのですが、寄与分制度は相続人の寄与が対象です。

本規定の施行前は、例えば被相続人の療養看護に努めた長男の妻は寄与分を貰うことができず、いくら療養看護しても、その労が認められることはありませんでした。本規定によりかかる場合に寄与料が認められることとなりましたが、特別の寄与者は親族に限られ、金銭の支払いに応じた金額を相続人に請求することになります。

3 特別寄与料の請求

特別寄与料の相続人への請求については、協議が調わないときは、特別寄与者は協議に代わる処分を求めることができます。なお、親族については200㌻を参照してください。

◆第10章 特別の寄与　令和元年7月1日施行

第1050条① 被相続人に対して無償で療養看護その他の労務の提供をしたことにより被相続人の財産の維持又は増加について特別の寄与をした被相続人の親族（相続人、相続の放棄をした者及び第891条の規定に該当し又は廃除によってその相続権を失った者を除く。以下この条において「特別寄与者」という。）は、相続の開始後、相続人に対し、特別寄与者の寄与に応じた額の金銭（以下この条において「特別寄与料」という。）の支払を請求することができる。

② 前項の規定による特別寄与料の支払について、当事者間に協議が調わないとき、又は協議をすることができないときは、特別寄与者は、家庭裁判所に対して協議に代わる処分を請求することができる。ただし、特別寄与者が相続の開始及び相続人を知った時から6箇月を経過したとき、又は相続開始の時から1年を経過したときは、この限りでない。

③ 前項本文の場合には、家庭裁判所は、寄与の時期、方法及び程度、相続財産の額その他一切の事情を考慮して、特別寄与料の額を定める。

④ 特別寄与料の額は、被相続人が相続開始の時において有した財産の価額から遺贈の価額を控除した残額を超えることができない。

⑤ 相続人が数人ある場合には、各相続人は、特別寄与料の額に第900条から第902条までの規定により算定した当該相続人の相続分を乗じた額を負担する。

特別の寄与 のしくみ

第5編 相続　第10章 特別の寄与

要旨 被相続人に対して、親族（例えば、子の妻）が無償で療養看護などの労務を提供し、被相続人の財産の維持増加について特別の寄与をした場合、相続人に対し特別寄与料を請求できます。

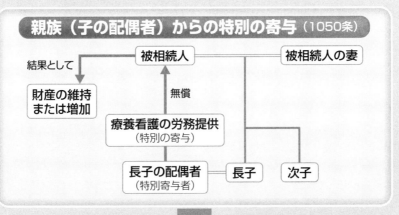

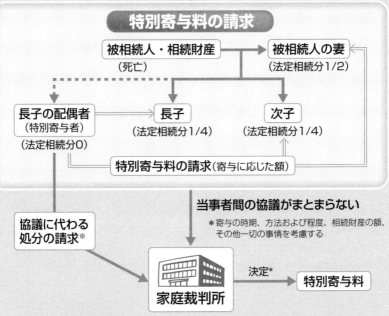

※特別寄与者が相続の開始及び相続人を知った時から6か月間また相続開始から1年間請求しない場合は消滅時効になる

〈巻末〉最近の民法をめぐる法改正の動き

　本書（第11版）は原則として、令和7年3月1日現在の民法規定に基づき解説してあります。しかし、未成年の子がいる夫婦の離婚後の共同親権のように改正法が公布されても未施行の規定も少なくありません。

　ここでは、本文で紹介できなかった施行済みの民法の改正点、令和7年3月時点で未施行の改正法、今国会（第217回常会）で話題になりそうな民法規定の他に、各種届出手続きの押印の廃止（戸籍法）や相続不動産の登記の義務付け（不動産登記法）など民法との関わりが深い法改正についても紹介します。

●夫婦は離婚後も未成年の子に
　共同親権を行うことが認められた

　現行法は、未成年の子がいる夫婦は婚姻中、夫婦（子の父母）が共同して子の親権を行う決まりです（共同親権。818条3項）。ただし、夫婦が離婚した場合、子の親権は夫（父）か妻（母）いずれかの単独親権になります（819条。222ｼﾞ参照）。

　この離婚後の単独親権の規定について、令和6年5月24日公布の「民法等の一部を改正する法律（令和6年法律第33号）」は、離婚後も婚姻中と同様、夫婦が共同親権を選べるよう規定を改めました。単独親権・共同親権どちらを選ぶか夫婦間の話合いで決められない場合は、家庭裁判所の調停・審判手続きで決めることになります（改正法819条。公布から2年以内に施行）。

　なお、未成年の子がいる夫婦が離婚する場合、子の親権者が決まらないと離婚届を市区町村の戸籍係で受理してもらえないのは、改正前も改正後も同じです。

　また、離婚後の子の監護費用についての父母の分担の取決めや変更の手続きの規定も、この改正法で明記されました。

●夫婦間の契約も
　一方的な取消しはできなくなる

　夫婦間の契約は婚姻中、いつでも夫婦の一方から取り消せることになっています（754条）。しかし、上記の法改正で、この規定は削除されました（公布から2年以内に施行）。施行後は、夫婦間の契約も法律上は通常の契約と同じ扱いになり、一方的な取消しは認められません（204ｼﾞ参照）。

　また、改正法施行後は、現行法770条で定める離婚原因のうち、その4項（配偶者が強度の精神病にかかり、回復の見込みがないとき）の規定が削除されます（208ｼﾞ参照）。

●デジタル化と法的手続きの簡素化

　私たちは今日、インターネットなど高度情報通信ネットワークを利用して、各種のサービスや情報を入手、また発信できます。その一方で、デジタル社会特有の問題は、従来の法律だけでは対処できません。

　このようなデジタル社会の形成に関し、基本理念及び施策の策定に係る基本方針を定め、新たに設置したデジタル庁など行政の責務を定めた「デジタル社会形成基本法（令和3年法律第35号）」を令和3年5月19日に公布、同時に「デジタル社会の形成を図るための関係法律の整備に関

する法律（令和3年法律第37号）」で民法など関連法についても改正しました。

民法については本文でも解説しましたが、債務者が債務弁済の引替えに債権者に交付を請求できる受取証書が、従来の書面の代わりに、その内容を記録した電磁的記録の提供を請求できるようになっています（137ﾍﾟｰｼﾞ参照。令和3年9月1日施行）。

● **戸籍にもフリガナが記載される**

行政手続きのデジタル化に関わる法改正では、婚姻届や離婚届など戸籍法で提出が義務付けられた届書の押印義務廃止があります（令和3年9月1日施行）。戸籍法改正ではこの他、令和7年5月26日から戸籍の記載事項に「氏名のフリガナ」が追加されました（施行日前に戸籍のある人は、1年以内にフリガナの届出を義務付け）。

● **所有者不明土地建物の管理制度および管理不完全土地建物の管理制度の創設**

所有者不明の土地建物や長年放置されたまま荒れ放題の管理不全土地建物が今日、大きな社会問題になっていることは本文の「共有物の変更・管理」の項（82ﾍﾟｰｼﾞ参照）で解説しましたが、従前民法の不在者財産管理制度（25条〜29条）だけでは非効率で、問題を解決するには不十分でした。

そこで、これらの土地の利用の円滑化を図るため令和5年4月1日施行の改正民法（令和3年法律第24号）は、第2編（物権）第3章（所有権）の第4節・第5節として、「所有者不明土地・建物管理命令制度」「管理不全土地・建物管理命令制度」を創設しています。

これにより、所有者不明の不動産や他人の権利が侵害されるおそれがある不動産について、裁判所は利害関係人の請求によりその不動産の管理人を選任、必要な処分や適切な管理を任せる管理命令が出せるようになりました。

なお、これに関連して不動産登記制度も見直され、相続によって不動産の所有権を取得した者は、相続開始を知り、かつ所有権の取得を知ったときから3年以内に所有権移転登記をすることが義務付けられました（不動産登記法76条の2。令和6年4月1日施行）。

● **夫婦別姓が今国会で成立するか**

平成から令和にかけ、130年ぶりの債権法改正、40年ぶりの相続法改正など民法は社会の変化に応じて大きく改正されましたが、デジタル化や国民の意識の変化により今後も法改正は続くと思われます。

その1つが、選択的夫婦別姓の問題です。現行法では、婚姻する夫婦は、夫または妻どちらか一方の氏（姓）を夫婦の氏と決めなければなりません（婚姻届に夫婦の氏の記載が義務付けられている。750条）。これまでどおりの氏を使いたいという場合は、通称として旧姓を使うか、または婚姻届を出さない事実婚を選ぶしかないのです。

選択的夫婦別姓は、夫婦の氏について、
①夫または妻の姓のどちらか一方を選ぶ
②夫も妻も旧姓のまま婚姻する

というものです。今日、婚姻後も旧姓で働く人も珍しくなく、また海外へ行く機会が増えていることを考えると、トラブルを避けるためにも、選択的夫婦別姓の導入は必要とも思われます（夫婦間に生まれた子の氏の選択権の問題は残る）。

内閣府の世論調査（令和6年9月実施）によれば、夫婦別姓の問題を身近な問題として考えたことのある人は44.0％（考えたことのない人は53.2％）に上っています。

事項索引

*用語配列は50音順とし、「あ行」「か行」など行単位でまとめ、さらにそれぞれの音の初めはゴシック体で表示しました。

あ

悪意 58,188
悪意占有者 72
遺言 226,242,260,262,264,266
遺言執行者 266
遺言の検認 266
遺言の撤回 266
遺産分割 246,250
遺失物拾得 78
意思能力 20,22,260
意思表示 34,38,42,44,70,144,146,154,260,264
慰謝料(請求権) 124,194,206
遺贈 154,242,264
一時使用 170
一物一権主義 64
一身専属権 234,246
一般危急時遺言 262
一般財団法人 30
一般先取特権 90,92,94
一般社団法人 30
一般不法行為 190
移転登記請求権 126
囲繞地通行権 76
委任 174,178
違約手付 156
遺留分 250,270
遺留分権利者 270
遺留分侵害額の請求権 248,270
医療契約 178
医療事故 194
因果関係 124,178,190
姻族 200,203,206
請負 174,176
氏 206,216
内金 156
売渡担保 162
永小作権 58,86
営利法人 28

か

解雇権濫用 174
解散 20
解除権 118,134,150,158,176
解除条件 52
買戻し 162
解約手付 156
隔絶地遺言 262

隔地者間の契約 42
確定期限 52
加工 78
瑕疵 40
瑕疵ある意思表示 40
瑕疵ある占有 68
貸金債権 98,108,140
過失 58
果実 32,102
果実収取権 72
過失責任主義 190
過失相殺 124,190
割賦販売法 160,164
株式 98
仮登記担保 108
簡易の引渡し 70
慣習法 108
間接強制 118
監督義務者責任 192
観望地役権 86
管理権喪失 224
期間 54
期限 52
期限の利益 52
危険負担 144,148,176
寄託(契約) 144,174,180
基本的人権 36
欺罔行為 40
求償(権) 128,130
給付利得 188
給料債権 92
共益費用債権 92
協議離縁 216,218
協議離婚 204,206
強行規定 34
強制執行 118
強制認知 214
強制履行 118
供託 138
共同所有 80
共同占有 68
共同相続(人) 246,248
共同抵当 106
共同不法行為 128,192
共同保証(人) 132
強迫 40,266
共有 80,182,204,246
共有物の管理 82
共有物の変更 82
共有物分割請求(権) 80,246

居所指定権 224
寄与分 248
金銭債権 116
金銭消費貸借 116
クーリング・オフ 160
区分地上権 84
組合(契約) 182
継続的取引 104
継続的保証 132
軽微な変更 82
契約解除(権) 118,150,176
契約自由の原則 144,174,190
契約上の地位の移転 134
契約不適合 176
結果責任主義 190
血族 198,220,234
血族相続人 244
権限踰越(逸脱) 48
検索の抗弁権 130
原始取得 78
原状回復義務 150
建築基準法 76
限定承認 252,254,256
顕名 44,48
権利質 98
権利能力 20
権利能力なき社団 28
権利能力の発生 21
権利の推定 73
権利の濫用 18
後遺障害 184
行為能力 22
公益財団法人 30
公益社団法人 30
公益法人 28,30
更改 140
交換契約 162
公共の福祉 18
後見(人) 24,200,220,226,228
後見開始の審判 24
後見監督人 226,228
工作物責任 192
公示(の原則) 64,66
公序良俗(違反) 36,267
公信の原則 66
公正証書遺言 262,266
公的扶助制度 234
合同行為 34,182
公法 18
合有 80,182,246

事項索引

個人再生手続き 142
個人の尊厳 18
戸籍 216
子の監護費用 90,92
子の認知 50
雇用 174
婚姻 200,202,204,206
婚姻準正 214
婚姻障害 202
婚姻の解消 206
混同 140
婚約破棄 194
混和 78

さ

債権 58,64,90,98,114,118,
　　120,128,134,136,138,140
債権行為 34
債権者主義 148
債権者代位権 126,234
債権者平等の原則 90
債権譲渡 134
催告権 24,48
催告の抗弁権 130
財産管理権 222,224,228
財産権 58,98
財産分与 (請求権) 204,206
財産分離 256
在船者遺言 262
財団法人 28,30
再売買の予約 162
裁判離縁 218,220
裁判離婚 206,208
債務者主義 148,149
債務引受 134
債務不履行 (責任) 122,124,
　　148,150,158,176,178,190
債務名義 120
詐害行為取消権 126
詐欺 40,266
先取特権 90,92,94
錯誤 38,40,44,184
指図による占有移転 70
死因贈与 154,264
私益 18,20
私権の享有 21
時効 50,56,126
時効取得 58,78
時効の援用 (完成) 56
時効完成猶予 56
時効の更新 56
自己占有 68
自己破産 142
持参債務 136

自然人 20,23
質権 58,96,98
質権設定契約 96,98
質権設定者 96
失火責任法 192
失踪 (宣告) 26,242
失踪宣告の取消し 26
指定相続分 248
指定未成年後見人 226
私的自治の原則 19,22,44
私的扶養 234
児童虐待防止法 222
自働債権 140
支払督促 120
自筆証書遺言 260,262,266
私法 18
事務管理 186
指名債権 98,134
借地権 84,170
借地借家法 170,172
借地非訟事件手続き 170
借家 (権) 172
射倖行為 36
社団法人 28,30
重過失 38,188,192
重婚 36
住所 26
終身定期金 (契約) 184
修繕義務 168
従物 32,102
熟慮期間 252,254,256
主たる債務 130
出資法 116
受働債権 140
取得時効 56,58,73
主物 32
受領遅滞 118
受領能力 22,42
準委任 178
準消費貸借 164
準正 214
準物権行為 34
準法律行為 35
承役地 86
少額訴訟手続き 120
償還義務 168
承継取得 78
承諾 34
条件付法律行為 52
使用者責任 192
使用収益権 102
使用貸借 (契約) 144,166
承諾 34,98,134,146

承諾転質 96
譲渡担保 108
消費寄託 180
消費者契約法 160
消費貸借 (契約) 144,164
消滅時効 56,58,74,100
証約手付 156
職業許可権 224
初日不算入の原則 54
所有権 58,74,76,78,80
所有権移転 176
所有権移転請求権保全の仮登記
　　108
所有権絶対の原則 190
所有権留保 78,108
事理弁識能力 24,226,230,232
侵害利得 188
信義則 18,152
信義誠実の原則 18
親権 206,222,228,236
身上監護権 224,228
身上配慮義務 232
親族 200,220,234,242
人的担保 130
親等 200,234
信用保証 132
信頼関係 178
心裡留保 38
推定相続人 264
随伴性 104
ストーカー行為 194
生活扶助義務 236
生活保護法 234
生活保持義務 236
制限能力者 22,24,42,204,260
制限物権 74,84,86,88
清算義務 108
正当事由 170,172,216
成年 (被) 後見制度 24,226,
　　228,232
成年後見人 228,232
責任財産保全制度 126
責任能力 22
セクシャル・ハラスメント 194
善意 38,58
善意占有者 72
善意の第三者 38,40
善意無過失 58
善管注意義務 178,180,228
選択債務 114
船舶遭難者遺言 262
占有 (権) 58,68,70,72,
　　88,158,172
占有回収の訴え 72

277

占有改定 70
占有侵奪 74
占有訴権 72
占有保持の訴え 72
占有補助者 70
占有保全の訴え 72
相殺 140
相殺適状 140
相殺予約 108
造作買取請求権 172
葬式費用債権 92
相続(人) 200,242,244,246,
　　248,250,252,254,256,258
相続回復請求権 242
相続欠格 244
相続財産清算人 258
相続人の不存在 258
相続人廃除 244,264,266
相続分 246,248
相続放棄 252,254,270
相当因果関係 124
双務契約 144,156,180
総有 80
贈与 144,154,248
相隣関係 76
遡及的無効 50
即時取得 72,78
損益相殺 124
損害賠償 116,124
損害賠償義務 72,158,190
損害賠償請求(権) 52,
　　114,118,122,124,148,176,
　　184,190,192,194

た

代位弁済 136
代価弁済 100
代金請求権 148
対抗要件 40,66,96,98,100,
　　134,138,170,172
対抗要件主義 66
第三者による債権侵害 118
第三者の詐欺 40
第三取得者 100
胎児 20
代襲相続 244,248
代償請求権 122
代替債務 96
代替執行 118
代替物 188
代諾縁組 218
代担保 88
代表(代理) 224
代物弁済 140

代物弁済予約 108
代理(権・人) 44,46,48,50,
　　224,230,232
代理権の濫用 48
代理受領 108
代理占有 68
諾成契約 144,164,168,182
宅地建物取引業法 160
多数当事者の債権 128
建物買取請求権 170
短期賃借権 106
単純承認 252,254
単独占有 68
担保権者 94
担保責任 158,176
担保物権 74,88,130
地役権 58,86
遅延損害金 116
遅延賠償 124
地上権 58,84,170
嫡出(子) 210,212
嫡出性の推定 210
嫡出否認の訴え 212
中間法人 28,30
重畳的債務引受 134
調停 120,208,222
調停前置主義 208
直接強制 118
直系尊属 200
貸借人の承諾に代わる許可 170
賃借権 84,118,168,170,172
賃借権の物権化 172
賃貸借(契約) 144,168,
　　170,172
追認(権) 48,50,224
通行地役権 86
通知 98,134
通謀虚偽表示 38
定型約款 152
停止条件 52
停止条件付代物弁済契約 108
抵当権 58,88,100,102,106
抵当権消滅請求 100
滌除 100
手付 156
転縁組 218
転貸 96
伝染病隔離者遺言 262
転抵当権 102
天然果実 32
添付 78
填補賠償 123
同意権 230
登記 66,94,100,246,250

動産 32
動産先取特権 90,92,94
動産質 98
同時死亡の推定 26
同時履行の抗弁権 88,144,148
到達主義 42
盗品・遺失物の回復 73
動物占有者の責任 192
特定遺贈 264
特定承継 78
特定商取引に関する法律 160
特定調停 142
特別縁故者 258
特別先取特権 90
特別失踪 26
特別受益者 248
特別の寄与 272
特別方式遺言 262
特別養子(縁組) 218,220
土地利用権 84
取消し(権) 40,48,50,134,200,
　　202,252,264,266
取り消しうべき法律行為 50
取締規定 36

な

内縁 192,202,204
内縁の不当破棄 194
内心的効果意思 38
内容証明郵便 120
日常家事債務 204
日用品供給代金債権 92
任意規定 34
任意後見(契約) 230
任意後見監督人 230
任意整理 142
任意代位 136
任意代理(人) 44,46
任意認知 214
認知 214,266
認知準正 214
根抵当権 104
根保証 132
年齢計算ニ関スル法律 54
農地法 86

は

配偶者 200,204,244,268
配偶者居住権 268
売買(契約) 144,156,158,160
売買代金債権 140
発信(主義) 42
引渡し 66

被後見人 226,230,266
被相続人 242,244,246
非代替債務 114
被担保債権 98,102,104,106
非嫡出（子）210,214,216,248
非典型契約 144,168
非典型担保 108
被保佐人 24
被補助人 24
秘密証書遺言 262,266
表見代理 48
表示行為 38
費用償還義務 178
費用償還請求（権）68,72
ファクタリング 108
夫婦親権共同行使 222,224
夫婦別産制 204
不確定期限 52
不可分債権 128
不完全履行 122
復氏 206
復代理（人）46,266
袋地 76
付合 78
不在者制度 26
附従性 88,104
不真正連帯債務 128
負担付遺贈 264
普通失踪 26
普通養子（縁組）218,220
物 64,66,74,84,114,168
物権行為 34
物権的請求権 64,74,84
物権変動　66
物権法定主義 64,108
物上代位性 88,94
物的担保 130
不貞 194,204
不動産 32,98
不動産先取特権 90,92
不動産質 98
不動産の付合 78
不当利得 188
不分割特約 90
不法原因給付 188
不分割特約 90
不法行為(責)186,190,192
扶養義務(権)200,234,236
扶養料 236
分割債権 128
分別の利益 132
返還請求(権)64,74,180
弁済 88,136
弁済の充当 136

弁済の提供 136
片務契約 144,166,180
妨害排除請求（権）64,74,118
妨害予防請求権 64,74
包括遺贈 264
包括承認 78
包括的承継 254
報酬請求権 176
報償責任の原理 192
法人 20,28,30
法人格の取得 30
法人の分類 28
法定解除権 150
法定果実 32
法定血族 200,210
法定後見 228,230
法定更新 170,172
法定相続人 244
法定相続分 248
法定代位 136
法定代理（人）22,44,46,48,
　　　　260
法定単純承認 252
法定担保物権 88
法定地上権 106
法定追認 50
暴利行為 36
法律行為 22,34,36,50,52,
　　　178,230,232,260
法律行為自由の原則 19,34
法律行為の目的 232,34
保佐（人）24,232,260
保佐開始の審判 24
保佐監督人 232
補助（人）24,232,260
保証債務 132
保証人 130,132,134
補助開始の審判 24
保全処分 120
保存行為 80
本権 68,72,74

ま

埋蔵物 78
未成年後見 226,228
未成年者 22,218,222
未成年者の行為能力 22
身元保証 132
民法の基本原則 18
無過失責任 192,194
無権代理（人）44,48
無効 34,36,38,50,184,188,
　　202,224,260,266
無主物（先占）78

無体財産権 98
無断譲渡・転貸 168
名誉棄損 190,194
滅失毀損 72
免除 140
面会交流 222
申込み 34,42,146

約定担保物権 96,100
遺言⇨いごん
有益費 72
有償契約 144,156
優先弁済 90,92
優先弁済的効力 90,92,102
有体物 32
要役地 86
用益物権 74,86,88
養子 218,222
要式契約 145,154,164
要物契約 144,166,180

利益相反行為 224
履行遅滞 116,122,124
履行不能 122,140
履行補助者 122
離婚 194,202,206,208,222
利息 116
利息制限法 116
立証責任 178,192
利得償還請求権 78
流質契約 97
留置権 88
両性の平等 18
連帯債務 128
連帯責任 192,204
連帯保証 130
連帯保証債務 130
労働基準法 174

和解（契約）184

[著者]

神田 将（かんだ　すすむ）

昭和38年9月7日、東京生まれ。平成2年、東京大学経済学部経済学科卒業。平成10年、司法試験合格。平成12年、弁護士登録。

所属弁護士会：第一東京弁護士会。

損害保険法、企業法、消費者法、民事介入暴力等に精通し活躍中。

著書に、「図解による憲法のしくみ」「図解による会社法・商法のしくみ」「図解による民事訴訟のしくみ」「生活保護の受け方がわかる本（監修）」「交通事故の法律知識（共著）」（いずれも自由国民社）などがある。

[企画・製作・執筆協力]

㈲生活と法律研究所

神木　正裕／眞田りえ子

飯野　財

[DTP製作]　トラップ

図解による
民法のしくみ

[初版発行]……………… 2003年10月30日
[第11版発行]…………… 2025年6月6日
[著　者]………………………… 神田　将
[編　集]………… 有限会社生活と法律研究所
[発行所]………………… 株式会社自由国民社
　　〒171-0033　東京都豊島区高田3-10-11
　　　☎ 03-6233-0781（営業）
　　　☎ 03-6233-0786（編集）
　　　　　　https://www.jiyu.co.jp/
[発行人]……………………………竹内尚志
[印刷所]………………… 横山印刷株式会社
[製本所]………………… 新風製本株式会社

Ⓒ 2025　　落丁, 乱丁はお取替えいたします。